GENTE ANSIOSA

FREDRIK BACKMAN

GENTE ANSIOSA

Tradução de Maira Parula

Rocco

Título original
ANXIOUS PEOPLE

Este livro é uma obra de ficção. Referências a acontecimentos históricos, pessoas reais ou lugares foram usadas de forma fictícia. Outros nomes, personagens, lugares e acontecimentos são produtos da imaginação do autor, e qualquer semelhança com fatos reais, localidades ou pessoas, vivas ou não, é mera coincidência.

Copyright © 2019 *by* Fredrik Backman

Publicado originalmente em 2019 na Suécia
como *Folk med Angest*.

Edição brasileira publicada mediante acordo com Salomonsson Agency.

Esta edição foi traduzida a partir daquela em língua inglesa.
Copyright © 2020 *by* Neil Smith

Todos os direitos reservados.

Nenhuma parte desta obra pode ser reproduzida ou transmitida por meio eletrônico, mecânico, fotocópia, ou sob qualquer outra forma sem a prévia autorização do editor.

Direitos para a língua portuguesa reservados
com exclusividade para o Brasil à
EDITORA ROCCO LTDA.
Rua Evaristo da Veiga, 65 – 11º andar
Passeio Corporate – Torre 1
20031-040 – Rio de Janeiro – RJ
Tel.: (21) 3525-2000 – Fax: (21) 3525-2001
rocco@rocco.com.br
www.rocco.com.br

Printed in Brazil/ Impresso no Brasil

preparação de originais
ISABELA SAMPAIO

CIP-Brasil. Catalogação na Publicação
Sindicato Nacional dos Editores de Livros, RJ

B122g

Backman, Fredrik, 1981-
 Gente ansiosa / Fredrik Backman ; tradução Maira Parula. — 1ª ed. – Rio de Janeiro : Rocco, 2021.

 Tradução de: Anxious people
 ISBN 978-65-5532-111-1
 ISBN 978-65-5595-039-7 (e-book)

 1. Ficção sueca. I. Parula, Maira. II. Título.

21-70518

CDD: 839.73
CDU: 82-3(485)

Camila Donis Hartmann – Bibliotecária – CRB-7/6472

O texto deste livro obedece às normas do
Acordo Ortográfico da Língua Portuguesa.

*Este livro é dedicado às vozes em minha cabeça,
que são minhas amigas mais surpreendentes.*

E à minha esposa, que mora conosco.

1

Um assalto a banco. Um drama de reféns. Uma escada cheia de policiais prontos para invadir um apartamento. Foi fácil chegar a esse ponto, muito mais fácil do que se imagina. Bastou uma única e péssima ideia.

Esta história fala de muitas coisas, mas sobretudo de idiotas. No entanto, é necessário deixar claro desde o início que é muito fácil afirmar que os outros são idiotas, ainda mais se você esquece o quanto é idiotamente difícil existir como ser humano. Especialmente se você estiver tentando agir como um ser humano razoavelmente bom para outras pessoas.

Porque vivemos num tempo em que há uma quantidade inacreditável de coisas com que todos nós devemos ser capazes de lidar. Devemos ter um emprego, um lugar qualquer para morar, uma família, e devemos pagar impostos, usar cuecas e calcinhas limpas e lembrar a senha do nosso maldito Wi-Fi. Mas algumas pessoas jamais conseguem manter o caos sob controle, então a vida simplesmente segue em frente, o mundo girando no espaço a mais de três milhões de quilômetros por hora enquanto pulamos aqui e ali por sua superfície como pés de meia perdidos. O coração é como uma barra de sabão que continuamos deixando escorregar; no momento em que relaxamos, ele divaga, se apaixona e se ferra, tudo num piscar de olhos. Não estamos no comando. Por isso aprendemos a fingir, o tempo todo, quando o assunto é nosso emprego, nosso casamento, nossos filhos e muitas outras coisas. Fingimos que somos normais, que somos relativamente instruídos, que entendemos o significado de "níveis de amortização" e "índices de inflação". Que sabemos como funciona o sexo. Na verdade, entendemos tanto de sexo quanto de cabos USB, e sempre precisamos de umas quatro tentativas para conseguir conectá-los. (Lado errado, vira, lado errado, vira, não, vira, pronto! *Entrou!*) Nós fingimos ser bons pais quando tudo o que realmente fazemos é dar comida e roupas aos nossos filhos e repreendê-los quando colocam na boca chicletes que pegam do chão. Uma vez tentamos criar peixes tropicais e todos morreram. E, no fundo, não entendemos nada de crianças nem de peixes tropicais, então a responsabilidade nos assusta a cada manhã. Não temos um plano, apenas fazemos o nosso melhor para sobreviver ao dia, porque haverá outro batendo na porta amanhã.

Às vezes dói, dói muito, por nenhuma outra razão além do fato de que nossa pele não parece ser nossa. Às vezes entramos em pânico, porque as contas precisam ser pagas e temos que ser adultos e não sabemos como, porque é tão horrível e desesperadamente fácil fracassar como adulto.

Porque todo mundo ama alguém, e qualquer pessoa que ama alguém já passou noites em desespero sem conseguir dormir tentando descobrir como pode continuar sendo um ser humano. Às vezes, isso nos leva a fazer coisas que, tempos depois, parecem ridículas, mas que pareciam ser a única saída na época.

Uma única e péssima ideia. É tudo de que se precisa.

Certa manhã, por exemplo, um morador de 39 anos de uma cidade não muito grande ou digna de nota saiu de casa com uma arma na mão, o que foi, pensando bem agora, uma ideia de fato estúpida. Porque esta é uma história que fala de um drama de reféns, embora a intenção não tenha sido essa. Ou melhor, a intenção era que fosse uma história, mas não para falar de um drama de reféns. Era para ser sobre um assalto a banco. Mas tudo se embaralhou um pouco, porque às vezes isso pode acontecer em assaltos a banco. Então, o tal assaltante de banco de 39 anos fugiu, mas não havia um plano de fuga, e a questão dos planos de fuga remete exatamente ao que a mãe do assaltante de banco sempre dizia anos atrás, quando o assaltante de banco esquecia as pedras de gelo e as rodelas de limão na cozinha e tinha que voltar correndo para pegá-las: "Se sua cabeça não é apta para o trabalho, é melhor que suas pernas sejam!" (Registre-se que, quando morreu, a mãe do assaltante de banco resumia-se a tanto gim e tônica que não ousaram cremá-la por conta do risco de explosão, o que não significa que não tivesse um bom conselho para oferecer.) Assim, depois do assalto a banco que não foi realmente um assalto a banco, a polícia apareceu, é claro, e o assaltante se apavorou e saiu correndo, atravessou a rua e entrou na primeira porta que apareceu. Talvez seja um pouco cruel tachar o assaltante de idiota só por este motivo, mas... bem, certamente não foi um ato de gênio. Porque a porta levava a uma escada sem outras saídas, o que significava que a única opção do assaltante de banco era subir correndo os degraus.

Observe-se aqui que esse assaltante de banco em particular tinha o mesmo nível de aptidão física que a média das pessoas de 39 anos de idade. Não era uma dessas pessoas de 39 anos moradoras de cidade grande que enfrentam a crise da meia-idade comprando shorts e toucas de ciclismo ridiculamente caros porque têm um buraco negro na alma que devora fotos do Instagram; era mais do tipo de gente de 39 anos cujo consumo diário de queijo e carboidratos poderia ser classificado clinicamente como um grito de socorro em vez de uma dieta. Então, no momento em que o assaltante de banco chegou ao último andar, todos os tipos de glândulas se abriram, fazendo com que a respiração parecesse algo que em geral associamos com aquelas sociedades secretas que exigem uma senha através de uma abertura na porta antes de nos deixarem entrar. A essa altura, as chances de escapar da polícia haviam se reduzido a praticamente zero.

Mas, por acaso, o assaltante se virou e viu que a porta de um dos apartamentos do prédio estava aberta, porque aquele apartamento específico estava à venda e cheio de potenciais compradores dando uma olhada por ali. Então o assaltante entrou aos tropeções, brandindo uma pistola no ar, e foi assim que esta história acabou virando um drama de reféns.

Depois as coisas aconteceram como aconteceram: a polícia cercou o prédio, os repórteres apareceram, a história tomou conta dos noticiários de televisão. Tudo isso durou várias horas, até que o assaltante teve de entregar os pontos. Não havia outra escolha. Assim, todas as oito pessoas que haviam sido feitas reféns, sete potenciais compradores e uma corretora de imóveis, foram libertadas. Alguns minutos depois, a polícia invadiu o apartamento. Só que ele estava vazio.

Ninguém sabia para onde o assaltante de banco tinha ido.

Isso é realmente tudo o que você precisa saber neste momento. Agora a história pode começar.

2

Dez anos atrás, um homem estava parado numa ponte. Esta história não é sobre esse homem, então você de fato não precisa pensar nele agora. Bem, claro que você não consegue deixar de pensar nele, é como dizer "Não pense em cookies" e daí começar imediatamente a pensar em cookies.

Não pense em cookies!

Tudo o que você precisa saber é que dez anos atrás um homem estava parado numa ponte. Em cima do corrimão, bem acima da água, no fim de sua vida. Não pense mais nisso agora. Pense em algo melhor.

Pense em cookies.

3

Um dia antes da véspera de Ano-Novo em uma cidade não muito grande. Um policial e uma corretora de imóveis estão sentados em uma sala de interrogatório na delegacia. O policial mal parece ter vinte anos, mas provavelmente é mais velho, e a corretora de imóveis parece ter mais de quarenta, mas provavelmente é mais jovem. O uniforme do policial é pequeno demais, o casaco da corretora de imóveis, um pouco grande demais. A corretora de imóveis parece que prefere estar em outro lugar, e, após os últimos quinze minutos de conversa, o policial parece que gostaria que a corretora de imóveis estivesse mesmo em outro lugar. Quando a corretora de imóveis sorri nervosamente e abre a boca para dizer algo, o policial inspira e expira de uma forma que fica difícil saber se está suspirando ou tentando limpar o nariz.

— Basta responder à pergunta — ele implora.

A corretora de imóveis assente rapidamente com um gesto de cabeça e deixa escapar:

— Tudo nos trinques?

— Eu disse, basta responder à pergunta! — o policial repete, com aquela expressão comum em homens adultos que se decepcionaram com a vida em algum momento da infância e nunca mais conseguiram deixar de se sentir assim.

— Você me perguntou qual era o nome da minha imobiliária! — a corretora insiste, tamborilando os dedos no tampo da mesa de um jeito que faz o policial sentir vontade de atirar-lhe objetos perfurocortantes.

Gente ansiosa

— Não perguntei isso, eu perguntei se foi o *criminoso* que manteve a senhora como *refém* junto com...

— Chama-se *Nos Trinques*! Entendeu? Porque quando uma pessoa compra um imóvel, ela quer comprar algo em bom estado, perfeito, não é? Então, quando atendo o telefone, eu digo: "Olá, você ligou para a Imobiliária Nos Trinques! TUDO NOS TRINQUES?"

Obviamente, a corretora de imóveis acaba de passar por uma experiência traumática, foi ameaçada com uma arma de fogo e feita refém, e esse tipo de coisa pode fazer qualquer um falar baboseiras. O policial tenta ser paciente. Ele leva os polegares até as sobrancelhas e pressiona com força, como se desejasse que fossem dois botões e que, se os mantivesse pressionados ao mesmo tempo por dez segundos, ele poderia restaurar a vida às configurações de fábrica.

— Tuuudo bem... Mas agora preciso fazer algumas perguntas sobre o apartamento e o criminoso — ele diz em tom de lamento.

Também foi um dia difícil para ele. A delegacia é pequena, os recursos são escassos, mas a competência deles supera essas dificuldades. Ele tentou explicar isso por telefone ao chefe do chefe do chefe logo após o drama dos reféns, mas obviamente foi inútil. Eles vão enviar uma equipe investigativa especial de Estocolmo para cuidar de todo o caso. Ao dizer isso, o chefe não colocou ênfase nas palavras "equipe investigativa", mas em "*Estocolmo*", como se vir da capital fosse por si só uma espécie de superpoder. Mais parece uma condição clínica, pensa o policial. Seus polegares ainda pressionam as sobrancelhas, aquela era sua última chance de mostrar aos chefes que ele poderia cuidar do caso sozinho, mas como raios isso pode dar certo se só tivermos testemunhas como esta mulher?

— Okaaay! — a corretora de imóveis entoa, como se estivesse pronunciando uma palavra puramente sueca.

O policial olha para suas anotações.

— Não é um dia estranho para agendar uma visita a um apartamento? Um dia antes da véspera de Ano-Novo?

A corretora de imóveis balança a cabeça e sorri.

— Não há dias ruins para a Imobiliária NOS TRINQUES!

O policial respira fundo, várias vezes.

— Tá certo. Vamos em frente: quando a senhora viu o criminoso, qual foi sua primeira reação?

— Você não disse que ia perguntar sobre o apartamento primeiro? Você disse "o apartamento e o criminoso", então pensei que o apartamento seria o primeiro...

— Ok! — o policial rosna.

— Ok! — a corretora de imóveis gorjeia.

— O *apartamento*, então: a senhora está familiarizada com o layout do imóvel?

— Mas é claro, afinal de contas, eu sou a corretora de imóveis! — a corretora de imóveis diz, mas consegue conter-se para não acrescentar "da Imobiliária NOS TRINQUES! TUDO NOS TRINQUES?" ao ver que o policial já está com cara de quem queria que a munição do seu revólver não fosse tão fácil de rastrear.

— Poderia descrevê-lo?

A corretora de imóveis se anima.

— É um sonho! Estamos falando de uma oportunidade única de adquirir um apartamento exclusivo em uma área tranquila, com fácil acesso ao coração pulsante da cidade grande. Plano aberto! Com janelões que permitem a entrada de muita luz do dia!

O policial a interrompe:

— Eu quero saber se tem closets, espaços de armazenamento ocultos, tem algo desse tipo?

— Por quê? Você não gosta de apartamentos de plano aberto? Gosta de paredes? Bom, não há nada de errado em gostar de paredes! — a corretora responde de maneira encorajadora, mas com um tom que sugere que, por sua experiência, pessoas que gostam de paredes são o mesmo tipo de pessoas que gostam de outros tipos de barreiras.

— Por exemplo, o apartamento tem closets que poderiam...?

— Eu mencionei a quantidade de luz do dia?

— Mencionou.

— Há pesquisas científicas provando que a luz do dia nos faz sentir melhor! Você sabia disso?

O policial parece que realmente não quer ser forçado a pensar naquilo. Algumas pessoas preferem decidir por si mesmas até que ponto desejam ser felizes.

— Podemos ir direto ao assunto?

— Okaaay!

— Existe algum espaço no apartamento que não esteja assinalado na planta?

— Também é um local muito bom para crianças!

— O que isso tem a ver com o nosso assunto aqui?

— Eu só queria apontar o fato. A localização, sabe. Muito amigável para crianças! Na verdade, bem... apesar de todo esse problema dos reféns hoje. Tirando isso, é uma área fantástica para crianças! E é claro que você sabe que as crianças adoram viaturas policiais!

A corretora de imóveis gira alegremente o braço no ar e imita o som de uma sirene.

— Acho que isso é o som de um caminhão de sorvete — diz o policial.

— Mas você entendeu o que eu quis dizer — insiste a corretora de imóveis.

— Vou ter que pedir que a senhora limite-se a responder à pergunta.

— Desculpe. Qual foi a pergunta mesmo?

— Qual é o tamanho exato do apartamento?

A corretora de imóveis sorri, meio confusa.

— Você não queria falar do assaltante? Achei que íamos falar do assalto...

O policial trinca os dentes com tanta força que parece estar tentando respirar pelas unhas dos pés.

— Claro. Ok. Conte-me sobre o homem. Qual foi sua primeira reação quando ele...

A corretora de imóveis o interrompe, ansiosa:

— O assaltante de banco? Sim! O assaltante de banco entrou correndo no apartamento, ficou no meio da sala e apontou uma arma para todos nós! E você sabe por quê?

— Não.

— Porque era um plano aberto! Caso contrário, o assaltante nunca teria sido capaz de mirar em todos nós *ao mesmo tempo*!

O policial massageia as sobrancelhas.

— Tudo bem, vamos tentar de outra forma: existem bons esconderijos dentro do apartamento?

A corretora pisca tão devagar que parece que acabou de aprender a piscar.

— Esconderijos?

O policial inclina a cabeça para trás e fixa o olhar no teto. Sua mãe sempre dizia que os policiais são apenas meninos que nunca se deram ao trabalho de procurar um novo sonho. Todos os meninos ouvem a mesma pergunta, "O que você quer ser quando crescer?", e em algum momento quase todos respondem, "Policial!", mas a maioria deles amadurece e encontra coisa melhor. Por um instante, ele se vê desejando ter feito isso também, porque assim seus dias poderiam ter sido menos complicados, e possivelmente também seu relacionamento com a família. Vale ressaltar que sua mãe sempre teve orgulho dele, ela nunca manifestou nenhum desapreço pela carreira que ele escolheu. A mãe era uma pastora da igreja, outro trabalho que é mais do que apenas uma forma de ganhar a vida, então ela entendeu. Foi seu pai que nunca quis ver o filho de uniforme. Essa decepção ainda pode estar pesando nos ombros do jovem policial, porque ele parece exausto quando volta a fixar o olhar na corretora de imóveis.

— Sim. É isso que estou tentando explicar à senhora: acreditamos que o criminoso ainda esteja no apartamento.

4

A verdade é que, quando o assaltante de banco desistiu de resistir, todos os reféns — a corretora de imóveis e todos os potenciais compradores — foram libertados ao mesmo tempo. Um policial estava de guarda nas escadas do lado de fora do apartamento quando eles saíram. Eles fecharam a porta assim que saíram, o trinco clicou e depois desceram calmamente as escadas, chegaram à rua, entraram nas viaturas da polícia que aguardavam e foram levados embora. O policial que ficara de guarda esperou seus colegas subirem as escadas. Um negociador ligou para o assaltante. Pouco depois, a polícia invadiu o apartamento e descobriu que estava vazio. A porta para a varanda estava trancada, todas as janelas estavam fechadas e não havia outras saídas.

Você não precisava ser de Estocolmo para perceber em poucos segundos que um dos reféns deve ter ajudado o assaltante de banco a escapar. A menos que o assaltante não tenha escapado.

5

Ok. Um homem estava parado numa ponte. Pense nisso agora.

    Ele havia escrito uma carta que enviou pelo correio, em seguida, deixou os filhos na escola, subiu no corrimão da ponte e ficou parado olhando para baixo. Dez anos depois, um assaltante de banco que se deu mal fez oito pessoas reféns ao entrar num apartamento à venda durante a visita de potenciais compradores. Se você estivesse naquela ponte, poderia ver de longe a varanda do apartamento.

    Isso não tem nada a ver com você, é claro. Bem, talvez só um pouco. Porque, presumivelmente, você é uma pessoa normal e correta. O que teria feito se visse alguém parado em cima do corrimão de uma ponte? Não há coisas certas ou erradas a dizer num momento como esse, não é? Você simplesmente teria feito o possível para impedir o homem de pular. Você nem mesmo o conhece, mas é um instinto inato, a ideia de que não podemos deixar que estranhos se matem.

    Então, você teria tentado falar com ele, ganhar sua confiança, persuadi-lo a não fazer isso. Porque você provavelmente também passou por fases de depressão, já teve dias em que sofreu dores horríveis em lugares que não aparecem nas radiografias, em que não conseguia encontrar palavras para explicar o que sentia mesmo para as pessoas que te amam. No fundo, em lembranças que talvez preferíssemos esconder até de nós mesmos, muitos de nós sabemos que a diferença entre nós e aquele homem da ponte é menor do que gostaríamos. A maioria dos adultos já passou por inúmeros momentos

Gente ansiosa

muito ruins e, é claro, nem mesmo pessoas habitualmente felizes conseguem ser felizes o tempo todo. Então, você teria tentado salvá-lo. Porque é possível acabar com a própria vida por acidente, mas por escolha você tem de pular. Você tem de subir em algum lugar alto e dar um passo à frente.

Você é uma pessoa correta. Não ficaria apenas assistindo.

6

O jovem policial está apalpando a testa com a ponta dos dedos. Dá para ver que tem um inchaço do tamanho do punho de um bebê ali.

— Como você conseguiu isso? — a corretora de imóveis pergunta, parecendo que realmente preferiria perguntar *Tudo nos trinques?* outra vez.

— Machuquei a cabeça — o policial resmunga. Depois ele consulta suas anotações e diz: — O criminoso parecia acostumado a manusear armas de fogo?

A corretora de imóveis sorri, surpresa.

— Você quer dizer... uma pistola?

— Sim. Ele parecia nervoso ou parecia já ter muita prática no manuseio de uma pistola?

O policial espera que sua pergunta possa revelar se a corretora de imóveis achava ou não que o assaltante poderia ter formação militar, por exemplo. Mas ela responde tranquilamente:

— Ah, não, quer dizer, não era uma pistola de verdade!

O policial franze os olhos para ela, sem dúvida tentando descobrir se ela está brincando ou apenas sendo ingênua.

— Por que diz isso?

— Era visivelmente uma arma de brinquedo! Achei que todos tivessem percebido isso.

O policial examina a expressão da corretora de imóveis por um bom tempo. Ela não está brincando. Um vestígio de simpatia surge nos olhos dele.

Gente ansiosa

— Então em momento algum você ficou… assustada?

A corretora de imóveis balança a cabeça.

— Não, não, não. Percebi que nunca corremos perigo real, sabe. Aquele assaltante não poderia fazer mal a ninguém!

O policial consulta suas anotações. Ele percebe que ela não entendeu.

— Gostaria de algo para beber? — ele pergunta gentilmente.

— Não, obrigada. Você já me perguntou isso.

———

O policial decide ir buscar um copo d'água para ela mesmo assim.

7

Na verdade, nenhum dos reféns sabia o que aconteceu entre o momento em que foram libertados e o momento em que a polícia invadiu o apartamento. Os reféns já haviam entrado nas viaturas na rua e estavam sendo levados para a delegacia enquanto os policiais se reuniam nas escadas. Então o negociador especial (que havia sido despachado de Estocolmo pelo chefe do chefe, uma vez que as pessoas de Estocolmo parecem achar que são as únicas capazes de falar ao telefone) ligou para o assaltante de banco na esperança de que pudessem chegar a uma solução pacífica. Mas o assaltante não atendeu à chamada. Em vez disso, um único tiro de pistola foi disparado. Quando a polícia arrombou a porta do apartamento, já era tarde demais. Ao chegarem à sala de estar, eles se viram pisoteando sangue.

8

Na sala reservada aos funcionários da delegacia, o jovem policial esbarra em um policial mais velho. O jovem está indo buscar água enquanto o mais velho bebe um café. O relacionamento dos dois é complicado, como costuma acontecer entre policiais de gerações diferentes. No final da sua carreira, você está tentando encontrar um sentido para tudo. No começo, está procurando um propósito.

— Bom dia! — o homem mais velho exclama.

— Oi — o homem mais jovem diz, com um leve desdém.

— Eu te ofereceria um pouco de café, mas suponho que você ainda não seja um adorador de café, não é? — o velho policial diz, como se isso fosse algum tipo de deficiência.

— Não — o homem mais jovem responde, como alguém que dispensa uma oferta de carne humana.

Os homens mais velhos e os mais jovens têm pouco em comum quando se trata de comida e bebida, ou de qualquer outra coisa, aliás, o que é motivo de conflitos constantes sempre que se veem presos na mesma viatura na hora do almoço. A comida favorita do policial mais velho é cachorro-quente de posto de gasolina com purê de batata instantâneo, e toda vez que o pessoal do restaurante local tenta retirar seu prato da mesa no bufê das sextas-feiras, ele sempre o pega de volta exclamando horrorizado: "Não acabei ainda! Isso é um bufê! Você saberá quando eu terminar, porque estarei deitado aninhado debaixo da mesa!" A comida favorita do jovem, se você perguntar ao policial mais velho, é "aquela invenção de gororoba, algas disso e daquilo com peixe cru, o cara deve se achar um maldito caranguejo ermitão". Um gosta de café, o outro de chá. Um consulta o relógio durante o expediente para ver se a hora do almoço está próxima, o outro consulta o relógio durante o almoço para ver se pode voltar logo ao trabalho. O homem mais velho acha que o mais importante é um policial fazer o que é certo, o mais jovem acha que o mais importante é fazer as coisas de forma correta.

— Tem certeza? Você pode tomar um daqueles frappuccinos, ou sei lá como chamam. Eu até cheguei a comprar um dia o tal leite de soja, não que eu queira saber o que raios eles ordenharam para conseguir aquela coisa! — o homem mais velho diz, rindo alto, mas ao mesmo tempo olhando ansiosamente para o homem mais jovem.

— Hmm — o homem mais jovem murmura, sem se preocupar em ouvir.

— Está indo bem na sua entrevista com aquela maldita corretora de imóveis? — o homem mais velho pergunta num tom que insinua que ele está brincando para encobrir o fato de que pergunta mais por consideração.

— Sim, tudo bem! — o jovem declara, achando agora cada vez mais difícil ocultar sua irritação e tentando já se afastar em direção à porta.

— E você está bem? — o policial mais velho pergunta.

— Sim, sim, estou bem — geme o jovem.

— Quer dizer... depois do que aconteceu e tudo, se você precisar...

— Estou bem — o jovem insiste.

— Tem certeza?

— Tenho!

— Como está...? — o homem mais velho pergunta, sinalizando com a cabeça em direção à protuberância na testa do jovem.

— Tudo bem, sem problema. Eu tenho que ir agora.

— Está bem. Você gostaria de uma mãozinha na entrevista com a corretora de imóveis, então? — o homem mais velho pergunta, e tenta sorrir em vez de apenas olhar ansiosamente para os sapatos do policial mais jovem.

— Eu posso me virar sozinho.

— Ficaria feliz em ajudar.

Gente ansiosa

— Não, obrigado!

— Tem certeza? — o homem mais velho diz em voz alta, mas não recebe nada em resposta além de uma silenciosa certeza absoluta.

―――

Quando o policial mais jovem sai, o mais velho fica sentado sozinho na sala dos funcionários, bebendo seu café. Os homens mais velhos raramente sabem o que dizer aos mais jovens para que estes entendam que eles se importam. É muito difícil encontrar as palavras certas quando tudo o que realmente se quer dizer é: "Posso ver que você está sofrendo."

Há marcas vermelhas no chão onde o homem mais jovem estava. Ele ainda tem sangue nos sapatos, embora não tenha percebido. O policial mais velho umedece um pano e limpa o chão com cuidado. Seus dedos tremem. Talvez o jovem não esteja mentindo, talvez realmente esteja bem. Mas o homem mais velho sem dúvida não está, ainda não.

9

O policial mais jovem volta para a sala de interrogatório e coloca o copo d'água sobre a mesa. A corretora de imóveis olha para o jovem e pensa que ele parece uma pessoa que teve o senso de humor amputado. Não que haja algo de errado nisso.

— Obrigada — ela diz hesitante em direção ao copo d'água que não havia pedido.

— Preciso fazer mais algumas perguntas — o jovem policial diz como quem se desculpa, depois puxa uma folha de papel amassada. Parece um desenho infantil.

A corretora de imóveis assente, mas não tem tempo de abrir a boca antes que a porta se abra silenciosamente e o policial mais velho entre na sala. A corretora de imóveis repara que os braços dele são um pouco compridos demais em relação ao corpo. Se ele derramasse seu café, só se queimaria abaixo dos joelhos.

— Olá! Só pensei em ver se tem algo que eu possa fazer aqui para ajudar... — o policial mais velho diz.

O policial mais jovem olha para o teto.

— Não! Obrigado! Como acabei de dizer, está tudo sob controle.

— Sim, está bem. Eu só queria oferecer meus préstimos — o homem mais velho tenta outra vez.

— Não, não, por Deus... Não! Isso é *incrivelmente* antiprofissional! Você não pode simplesmente entrar na sala de interrogatório no meio de uma entrevista! — o jovem explode.

Gente ansiosa

— Ok, desculpe, eu só queria ver em que parte você estava — o homem mais velho sussurra, envergonhado agora, incapaz de esconder sua preocupação.

— Eu já ia perguntar a ela sobre o desenho! — o jovem rosna, como se tivesse sido flagrado fedendo a fumaça de cigarro e insistisse em dizer que estava apenas segurando o cigarro para um amigo.

— Perguntar a quem? — o policial mais velho quer saber.

— À corretora de imóveis! — o jovem exclama, apontando para a mulher.

Por infelicidade, isso faz com que a corretora se levante de um salto da cadeira e estenda a mão.

— Eu sou a corretora de imóveis! Da Imobiliária NOS TRINQUES!

A corretora faz uma pausa e sorri, espantosamente satisfeita consigo mesma.

— Ah, meu Deus, de novo não — o policial mais jovem resmunga enquanto a corretora respira fundo.

— Então, TUDO NOS TRINQUES?

O policial mais velho olha em dúvida para o mais jovem.

— Ela faz isso o tempo todo — o jovem diz, pressionando os polegares nas sobrancelhas.

O policial mais velho franze os olhos para encarar a corretora de imóveis. Ele costuma ter esse hábito ao topar com indivíduos incompreensíveis, e uma vida inteira franzindo os olhos quase constantemente conferiu à pele sob suas pálpebras uma aparência semelhante a um sorvete expresso. A corretora, achando que evidentemente ninguém a ouviu da primeira vez, oferece uma explicação que ninguém pediu:

— Entendeu? Imobiliária NOS TRINQUES. TUDO NOS TRINQUES? Entendeu? Porque uma pessoa quando compra um imóvel, ela quer tudo em bom estado, perfeito, não é?...

O policial mais velho entende e até lhe dá um sorriso de agradecimento, mas o jovem policial aponta o dedo indicador para a corretora de imóveis e depois o desloca apontando para a cadeira.

— Sente-se! — ele diz, naquele tom que só usamos com crianças, cachorros e corretores de imóveis.

A corretora fecha o sorriso, senta-se desajeitadamente na cadeira e fica olhando de um policial para o outro.

— Desculpe. Esta é a primeira vez que sou interrogada pela polícia. Vocês não vão... sabe como é... vocês não vão fazer aquele negócio de policial bom e policial mau que costumam mostrar nos filmes, não é? Um de vocês não vai sair para tomar mais café enquanto o outro me ataca com uma lista telefônica gritando "ONDE VOCÊ ESCONDEU O CORPO?".

A corretora de imóveis deixa escapar uma risada nervosa. O policial mais velho sorri, mas o jovem policial mantém a expressão fechada, então a corretora continua, ainda mais nervosa:

— Brincadeirinha minha. Não fazem mais listas telefônicas, não é mesmo? Então o que vocês fariam? Bateriam em mim com um iPhone?

Ela começa a agitar os braços para ilustrar o ataque com o celular e a gritar na direção dos dois, que só podem presumir que aquilo seja a imitação dela de um policial falando:

— Ah, não, que inferno, sem querer acabei dando um maldito like no Instagram da minha ex! Deletar! Deletar!

O policial mais jovem parece não ter achado graça nenhuma, o que faz com que a corretora de imóveis pareça menos cômica. Nesse ínterim, o policial mais velho se inclina para as anotações do policial mais jovem e pergunta, como se ela não estivesse na sala:

— Então, o que ela disse sobre o desenho?

— Não cheguei muito longe antes de você entrar e interromper! — o jovem explode.

— Que desenho? — a corretora de imóveis pergunta.

— Bem, era isso que eu ia dizer antes de ser interrompido: encontramos este desenho nas escadas do prédio, e acreditamos que o criminoso possa tê-lo deixado cair. Gostaríamos que você... — o policial mais jovem diz, mas o policial mais velho o interrompe:

— Você falou com ela sobre a pistola, então?

Gente ansiosa

— Pare de se meter! — o jovem sibila.

Isso faz com que o policial mais velho erga os braços e resmungue:

— Ok, ok, desculpe por estar aqui.

— Não era real! A pistola! Era de brinquedo! — a corretora de imóveis se apressa em dizer.

O policial mais velho olha para ela surpreso, depois para o policial mais jovem, antes de sussurrar de uma forma que só os homens de uma certa idade acham que é um sussurro:

— Você... você não disse a ela?

— Me disse o quê? — a corretora de imóveis questiona.

O policial mais jovem suspira e dobra o desenho, tão cuidadosamente como se estivesse, na verdade, dobrando a cara do seu colega mais velho. Em seguida, ele olha para a corretora de imóveis.

— Bem, eu estava chegando lá... Ouça, depois que o criminoso libertou você e os outros reféns, e nós os trouxemos aqui para a delegacia...

O policial mais velho interrompe prestativamente:

— O criminoso, o assaltante de banco... ele atirou em si mesmo!

O policial mais jovem aperta as mãos com força para impedi-las de estrangular o homem mais velho. Ele diz algo que a corretora de imóveis não escuta: os ouvidos dela já estão saturados de um zumbido monótono que aumenta para um rugido quando o choque toma posse do seu sistema nervoso. Muito tempo depois, ela vai jurar que a chuva estava batendo na janela da sala, embora a sala de interrogatório não tivesse janelas. Ela olha boquiaberta para os policiais.

— Quer dizer que a arma... ela era...? — ela consegue dizer.

— Era uma arma de verdade — o policial mais velho confirma.

— Eu... — a corretora de imóveis começa, mas sua boca está seca demais para falar.

— Tome aqui! Beba um pouco de água! — o policial mais velho oferece, como se tivesse acabado de buscar para ela.

— Obrigada... Eu... Mas, se a arma era real, todos poderíamos... todos nós poderíamos ter *morrido* — ela sussurra, em seguida engole a água em um estado de choque retroativo. O policial mais velho assente imbuído de autoridade, pega as anotações do policial mais jovem e começa a fazer seus próprios acréscimos com uma caneta.

— Talvez devêssemos recomeçar esta entrevista desde o princípio, não é? — ele diz solicitamente, o que leva o jovem policial a fazer uma pequena pausa para poder sair da sala e ir até o corredor bater com a cabeça na parede.

———

Quando a porta bate com um estrondo, o homem mais velho dá um pulo. Esse negócio de palavras é problemático quando se é mais velho, e tudo o que se quer dizer a alguém mais jovem é: "Posso ver que você está sofrendo, e isso me faz sofrer." Os sapatos do policial mais jovem deixaram marcas marrom-avermelhadas de sangue seco no chão sob sua cadeira. O homem mais velho olha para elas desconsolado. Era justamente por isso que ele não queria que seu filho se tornasse um policial.

10

A primeira pessoa que viu o homem parado na ponte dez anos atrás foi um adolescente cujo pai ansiava que o filho encontrasse um novo sonho. Talvez o garoto pudesse ter esperado por ajuda, mas você teria feito isso? Se sua mãe fosse uma pastora e seu pai um policial, se você tivesse crescido sabendo que, se pudesse, deveria sempre ajudar as pessoas, que não deveria abandonar ninguém a menos que você realmente precisasse?

Então o adolescente correu até a ponte e gritou. O homem parou. O garoto não soube o que fazer, então apenas começou a... falar. Tentou ganhar a confiança do homem. Fazer com que ele desse dois passos para trás em vez de para a frente. O vento agitava suavemente os casacos dos dois, havia chuva no ar e dava para sentir o início do inverno na pele. O garoto tentava encontrar palavras para dizer quantas coisas havia para viver, mesmo que talvez não se sentisse assim naquele momento.

O homem na ponte tinha dois filhos, ele disse isso ao adolescente. Talvez porque o garoto fizesse com que se lembrasse deles. O garoto implorou ao homem, o pânico pesando em cada palavra proferida: "Por favor, não pule!"

O homem olhou para ele com calma, quase com simpatia, e respondeu: "Sabe qual é a pior coisa de ser pai? Você sempre é julgado por seus piores momentos. Você pode fazer um milhão de coisas certas, mas se cometer uma única falha você será para sempre aquele pai que estava verificando o celular no parque quando seu filho foi atingido na cabeça por um balanço. Não desgrudamos os olhos de nossos filhos durante dias a fio, mas então por alguns segundos você lê apenas *uma* mensagem e é como se todos os seus melhores momentos nunca tivessem acontecido. Ninguém vai consultar um psicólogo para falar de todas as vezes em que *não* foi atingido na cabeça por um balanço quando criança. Os pais são definidos por seus erros."

O adolescente provavelmente não entendeu direito o que o homem estava querendo dizer. Suas mãos tremiam quando ele olhou para o lado da ponte e viu a morte lá embaixo. O homem sorriu debilmente para ele e deu meio passo para trás. Esse momento pareceu o mundo inteiro.

Então o homem explicou que tinha um emprego muito bom, que depois montou seu próprio negócio relativamente bem-sucedido e comprou um apartamento razoavelmente bom. Que investiu todas as suas economias em ações de uma empresa de desenvolvimento imobiliário, para que seus filhos pudessem conseguir empregos ainda melhores e apartamentos ainda mais bacanas, para que pudessem ter a liberdade de não precisar se preocupar, não precisar dormir exaustos todas as noites com uma calculadora de bolso nas mãos. Porque esse era o dever dos pais: oferecer ombros. Ombros para os filhos se sentarem quando fossem pequenos para que pudessem ver o mundo, e depois, quando crescessem, para que se levantassem e pudessem alcançar as nuvens e, às vezes, se apoiarem sempre que tropeçassem e se sentissem inseguros. Eles confiam em nós, o que é uma responsabilidade esmagadora, porque ainda não perceberam que, na verdade, não sabemos o que estamos fazendo. Então o homem fez o que todos nós fazemos: ele fingiu que sabia. Quando seus filhos começaram a perguntar por que o cocô era marrom, o que acontece depois que a gente morre e por que os ursos-polares não comiam pinguins. Então eles cresceram. Às vezes, ele conseguia se esquecer disso por um momento e se via pegando os filhos pela mão. Eles ficavam muito envergonhados. Ele também. É difícil explicar a um garoto de doze anos que, quando ele era pequeno e eu andava rápido demais, ele corria para me alcançar e segurar a minha mão, e que aqueles foram os melhores momentos da minha vida. Seus dedos na palma da minha mão. Antes que ele soubesse em quantas coisas falhei.

O homem fingiu — em relação a tudo. Todos os especialistas financeiros lhe prometeram que as ações da empresa de desenvolvimento imobiliário eram um investimento seguro, porque todos sabem que o valor dos imóveis nunca despenca. E então aconteceu justamente isso.

Houve uma crise financeira em algum lugar do mundo, um banco em Nova York foi à falência e numa distante cidadezinha de um país completamente diferente vivia um homem que perdeu tudo. Ele viu a ponte da janela de seu escritório quando desligou o telefone após falar com seu advogado. Era de manhã cedo, o clima ainda incomumente ameno para aquela época do ano, mas havia chuva no ar. O homem levou os filhos para a escola como se nada tivesse acontecido. Fingia. Ele disse baixinho que os amava, e seu coração ficou desolado ao vê-los revirar os olhos e suspirar. Então ele rumou em direção à água. Estacionou o carro onde não era permitido estacionar. Deixou as chaves na ignição. Foi andando até a ponte e subiu no corrimão.

O homem contou tudo isso ao adolescente, e então, é claro, o adolescente sabia que tudo ia ficar bem. Porque, se um homem parado em cima do corrimão de uma ponte dedica o seu tempo para dizer a um estranho o quanto ele ama os filhos, você sabe que ele no fundo não quer pular.

E então ele pulou.

II

Dez anos depois, o jovem policial está parado no corredor em frente à sala de interrogatório. Seu pai ainda está lá com a corretora de imóveis. Claro que sua mãe tinha razão: eles nunca deveriam ter ido trabalhar juntos, ele e o pai, na certa haveria problemas. Ele não deu ouvidos, porque é claro que ele nunca dava ouvidos. Às vezes, quando ela estava cansada ou tinha bebido algumas taças de vinho, o suficiente para fazê-la se esquecer de esconder suas emoções, sua mãe olhava para o filho e dizia: "Há certos dias em que não consigo deixar de pensar que você, na verdade, nunca voltou daquela ponte, meu querido. Que você ainda está tentando salvar aquele homem em cima do corrimão, embora seja tão impossível agora quanto foi naquela época." Talvez seja verdade, ele não está a fim de analisar isso. Dez anos depois, ele ainda tem os mesmos pesadelos. Depois da academia de polícia, exames, plantão após plantão, tarde da noite, todo o seu trabalho na delegacia que recebeu tantos elogios de todos, exceto de seu pai, ainda mais tarde da noite, tanto trabalho que ele passou a detestar não trabalhar, caminhadas intranquilas de volta para casa de madrugada, para as pilhas de contas na mesa da sala e uma cama vazia, comprimidos para dormir, álcool. Nas noites em que tudo era completamente insuportável, ele saía para correr por quilômetros e quilômetros, pela escuridão, pelo frio, pelo silêncio, seus pés martelando o asfalto cada vez mais rápido, mas nunca querendo chegar a lugar algum, a realizar nada. Certos homens correm feito caçadores, mas ele corre feito a presa dos caçadores. Drenado pelo cansaço, ele por fim voltava cambaleando para casa, depois ia trabalhar e começar tudo de novo. Algumas vezes, umas doses de uísque bastavam para fazê-lo dormir e, num dia bom, um banho gelado bastava para acordá-lo, e, entre uma coisa e outra, ele fazia o possível para atenuar a hipersensibilidade de sua pele, sufocar as lágrimas quando as sentia dentro do peito, muito antes de chegarem à garganta e aos olhos. Mas, o tempo todo, ainda havia aqueles mesmos pesadelos. O vento agitando seu casaco, o som surdo dos sapatos do homem raspando no corrimão ao pular, o grito do garoto atravessando a água que não soava nem parecia ter vindo dele. De qualquer modo ele nem ouviu, o choque foi muito grande, avassalador. Ainda é.

Hoje ele foi o primeiro policial a passar pela porta depois que os reféns foram libertados e um tiro de pistola ecoou dentro do apartamento. Foi ele quem correu pela sala, sobre o tapete manchado de sangue, abriu a porta da varanda e ficou ali olhando desconsolado por cima do corrimão, porque, não importa o quão ilógico possa parecer a quem quer que seja, seu primeiro instinto e maior medo foi: "Ele pulou!" Mas não havia nada lá embaixo, apenas os repórteres e moradores curiosos que olhavam para ele por trás de seus celulares. O assaltante de banco havia desaparecido sem deixar vestígios, e o policial estava sozinho lá em cima na varanda. Dali ele podia ver todo o caminho até a ponte. Agora ele estava parado no corredor da delegacia, sem conseguir nem mesmo se obrigar a limpar o sangue nos sapatos.

12

O ar passa pela garganta do policial mais velho com a mesma aspereza de um móvel pesado sendo arrastado por um piso de madeira irregular. Quando chegou a uma certa idade e peso, ele mesmo percebeu que estava começando a soar assim, como se os ciclos respiratórios mais velhos fossem mais pesados. Ele sorri sem jeito para a corretora de imóveis.

— Meu colega, ele... ele é meu filho.

— Ah! — a corretora assente, como se dissesse que ela também tinha filhos, ou talvez que *não tinha* filhos, mas que havia lido sobre crianças em um manual durante seu treinamento para ser corretora de imóveis. Suas preferidas são aquelas com brinquedos em cores neutras, porque combinam com tudo.

— Minha mulher disse que não era uma boa ideia trabalharmos juntos — o policial admite.

— Eu entendo — a corretora de imóveis mente.

— Ela disse que eu sou superprotetor. Que sou como um daqueles pinguins chocando em cima de uma pedra porque não quero aceitar que o ovo se foi. Ela disse que não podemos proteger nossos filhos da vida, porque a vida acaba pegando a todos nós no fim das contas.

A corretora de imóveis pensa em fingir que entendeu, mas resolve responder com franqueza:

— O que ela quis dizer com isso?

O policial fica vermelho.

Gente ansiosa

— Eu nunca quis... Olha, é bobagem da minha parte ficar sentado aqui falando sobre isso com você, mas eu nunca quis que meu filho entrasse para a polícia. Ele é muito sensível. É um garoto... bom demais. Entende o que eu quero dizer? Dez anos atrás, ele correu na direção de uma ponte para tentar colocar algum juízo na cabeça de um homem que queria pular. Ele fez tudo que pôde, *tudo* que pôde! Mas o homem pulou mesmo assim. Dá para imaginar o que isso faz a uma pessoa? Meu filho... ele sempre quer resgatar todo mundo. Depois disso, pensei que talvez fosse desistir de querer ser policial, mas aconteceu o oposto. De repente, ele queria isso mais do que nunca. Porque ele quer salvar pessoas. Até os bandidos.

A respiração da corretora de imóveis desacelerou, seu peito agora sobe e desce quase imperceptivelmente.

— Você se refere ao assaltante de banco?

O policial mais velho faz que sim.

— Sim. Havia sangue por toda parte dentro do apartamento quando entramos. Meu filho disse que o assaltante vai morrer a menos que o encontremos a tempo.

A corretora de imóveis pode ver o quanto isso significa para ele pela tristeza em seus olhos. Em seguida, ele corre os dedos pelo tampo da mesa e acrescenta com formalidade forçada:

— Devo lembrá-la de que tudo o que você disser neste procedimento inicial de entrevista está sendo gravado.

— Entendi — a corretora de imóveis assevera ao policial mais velho.

— É importante que você entenda isso. Tudo o que falarmos aqui será incluído no arquivo e poderá ser lido por qualquer outro policial — ele insiste.

— Todos poderão ler. Definitivamente entendido.

O policial mais velho desdobra cuidadosamente o pedaço de papel que o policial mais jovem deixou sobre a mesa. É um desenho feito por uma criança ou extremamente talentosa ou completamente desprovida de talento para sua idade, dependendo inteiramente de quantos anos tenha. O desenho parece mostrar três animais.

— Você reconhece isso? Como eu disse antes, nós o encontramos nas escadas.

— Lamento — a corretora de imóveis responde, parecendo genuinamente lamentar.

O policial se esforça para sorrir.

— Meus colegas acham que os três animais parecem um macaco, uma rã e um cavalo. Acho que parece mais uma girafa do que um cavalo. Quer dizer, não tem nem rabo! As girafas não têm cauda, têm? Tenho certeza de que é uma girafa.

A corretora de imóveis respira fundo e diz o que as mulheres costumam dizer aos homens que nunca pensam que sua falta de conhecimento deva atrapalhar uma opinião confiante.

— Estou certa de que você tem razão.

———

Na verdade, não foi o homem da ponte que fez o garoto querer ser policial. Foi uma adolescente que estava parada em cima do mesmo corrimão uma semana depois que o fez querer isso. A garota que não pulou.

13

A xícara de café é lançada com raiva. Para o outro lado das duas mesas, mas os cursos insondáveis da força centrífuga significam que ela retém a maior parte de seu conteúdo até estilhaçar-se na parede cor de cappuccino.

Os dois policiais se entreolham, um envergonhado, o outro, preocupado. O policial mais velho chama-se Jim. O policial mais jovem, seu filho, chama-se Jack. Aquela delegacia é pequena demais para que esses dois homens possam se evitar, então, como sempre, eles acabaram um de cada lado de suas mesas, apenas parcialmente ocultos atrás de suas respectivas telas de computador, porque hoje em dia o trabalho policial consiste em um décimo do trabalho policial real, sendo o restante do tempo dedicado a fazerem anotações sobre o que fizeram exatamente durante o curso do trabalho policial.

Jim nasceu em uma geração que considerava os computadores mágicos, Jack, em uma geração que sempre os considerou um dado natural. Quando Jim era pequeno, as crianças costumavam receber como castigo a ordem de irem para seus quartos, no entanto, hoje em dia precisamos forçá-las a sair deles. Uma geração inteira foi repreendida por não ser capaz de ficar quieta, a geração seguinte é repreendida por nunca se mexer. Então, quando Jim escreve um relatório, ele pressiona as teclas até concluir uma linha, em seguida para e olha a tela para se certificar de que ela não o enganou, só após essa verificação vai pressionar a próxima tecla. Porque Jim não é o tipo de homem que se deixa enganar. Jack, por sua vez, digita da mesma forma que os jovens que nunca viveram em um mundo sem internet, ele pode fazer isso de olhos vendados, acariciando as teclas com tanta delicadeza que mesmo um perito criminal não seria capaz de provar que ele tocou nelas.

Os dois homens levam um ao outro à loucura, é claro, por causa dos mais ínfimos detalhes. Quando o filho está procurando alguma coisa na internet, ele chama de "googlar", mas quando seu pai faz o mesmo, ele diz: "Vou procurar no Google." Quando eles discordam sobre algo, o pai diz: "Bom, deve estar certo, porque eu li no Google!", e o filho rebate: "Você, na verdade, não lê coisas *no* Google, pai, você *pesquisa* no Google."

No fundo, não é o fato de seu pai não entender como se usa a tecnologia que deixa o filho irritado, mas o fato de ele *quase* entender. Por exemplo, Jim ainda não sabe fazer uma captura de tela, então, quando quer uma imagem de algo na tela do computador, ele tira uma foto da tela com o celular. Quando quer tirar a foto do celular, ele usa a copiadora. A última briga das grandes entre Jim e Jack foi quando um chefe do chefe decidiu que a força policial da cidade deveria tornar-se "mais acessível nas redes sociais" (porque em Estocolmo é evidente que a polícia é totalmente acessível o tempo todo) e pediu que eles tirassem fotos uns dos outros no decorrer de um dia normal de trabalho. Então Jim tirou uma foto de Jack dentro da viatura. Enquanto Jack dirigia. E com flash.

Agora os dois estão sentados frente a frente, digitando, quase sempre fora de sincronia um com o outro. Jim é lento. Jack, eficiente. Jim conta uma história. Jack faz apenas um relatório. Jim deleta, corrige e começa de novo. Jack apenas digita e digita como se não houvesse nada no planeta que pudesse ser descrito de formas diferentes. Em sua juventude, Jim sonhava ser escritor. Na verdade, ainda sonhava com isso quando Jack era criança. Depois, começou a sonhar que Jack é que poderia ser escritor. Eis aí algo impossível de os filhos entenderem, e uma fonte de vergonha que os pais evitam admitir: que não queremos que nossos filhos realizem seus próprios sonhos ou sigam nossos passos. Queremos seguir os passos *deles* enquanto eles realizam os *nossos* sonhos.

Eles têm fotos da mesma mulher em suas mesas. A mãe de um deles, a esposa do outro. A mesa de Jim também tem a fotografia de uma jovem, sete anos mais velha do que Jack, mas eles não falam muito sobre ela, e ela só entra em contato quando precisa de dinheiro. No início de cada inverno, Jim diz esperançoso: "Talvez sua irmã apareça em casa no Natal." Jack responde: "Claro, pai, veremos." O filho nunca diz ao pai que está sendo ingênuo. É um ato de amor. Os ombros de seu pai ficam arriados com o peso de pedras invisíveis quando ele diz, no fim de noite de cada véspera de Natal: "Não é culpa dela, Jack, ela está..." E Jack sempre responde: "Ela está doente. Eu sei, pai. Quer outra cerveja?"

Há muitas coisas agora que separam o policial mais velho do mais jovem, independentemente de quão próximos vivam um do outro. Porque Jack acabou parando de ir atrás de sua irmã — esta é a principal diferença entre pai e irmão.

Quando sua filha era adolescente, Jim costumava pensar que os filhos eram como pipas, então ele segurava a linha o mais firme que podia, mas o vento acabou levando a menina embora mesmo assim. Ela se libertou e voou para o céu. É difícil dizer exatamente em que momento uma pessoa começa a abusar de substâncias, e é por isso que todas mentem quando dizem: "Eu consigo controlar." As drogas são uma espécie de crepúsculo que nos dá a ilusão de que somos nós que decidimos quando a luz deve se apagar, mas esse poder nunca nos pertence. A escuridão nos leva sempre que quiser.

Há alguns anos, Jim descobriu que Jack havia retirado todas as suas economias, que ele planejava usar para comprar um apartamento, e as usado para pagar o tratamento de sua irmã em uma clínica particular exclusiva. Jack levou a irmã até lá. Ela foi embora da clínica duas semanas depois, tarde demais para ele receber o dinheiro de volta. Ela não entrou em contato por seis meses, quando, de repente, ligou no meio da noite como se nada tivesse acontecido e perguntou se Jack poderia lhe emprestar "uns milzinhos". Para uma passagem aérea para casa, disse ela. Jack mandou o dinheiro, ela nunca apareceu. Seu pai ainda está correndo aqui no chão, tentando não perder de vista a pipa lá no alto, esta é a diferença entre pai e irmão. No próximo Natal, um deles dirá: "Ela está..." E o outro dirá baixinho: "Eu sei, pai", e pegará outra cerveja para ele.

Obviamente, eles também encontram formas de discutir até sobre cerveja. Jack é um desses rapazes que têm curiosidade por cervejas com sabor de toranja, de gengibre com canela, de doces e todo tipo de porcaria. Jim quer cerveja com sabor de cerveja. Às vezes, ele chama a versão complicada de "cerveja de Estocolmo", mas não com muita frequência, naturalmente, porque nessas horas o filho fica tão bravo que Jim acaba tendo de ir comprar sua própria maldita cerveja por várias semanas. Há certas horas que ele acha impossível saber se os filhos são mesmo completamente diferentes apesar do fato de terem crescido juntos, ou se foi exatamente por causa disso. Ele olha por cima das telas do computador e observa os dedos de seu filho no teclado. A pequena delegacia de polícia naquela cidade não muito grande é um lugar bastante tranquilo. Não acontece muita coisa ali, eles não estão acostumados com dramas de reféns, ou com qualquer tipo de drama, na verdade. Então Jim sabe que aquela é a grande chance de Jack mostrar aos chefes o que ele é capaz de fazer, que tipo de policial ele pode ser. Antes que os especialistas de Estocolmo deem as caras.

A frustração de Jack pesa em suas sobrancelhas caídas e a inquietude sopra um vendaval dentro dele. Ele anda à beira de uma explosão de fúria desde que foi o primeiro policial a entrar no apartamento. Vem tentando se controlar, mas, após concluir sua última entrevista, ele foi para a sala dos funcionários da delegacia e explodiu: "Uma dessas testemunhas *sabe* o que aconteceu! Alguém sabe e está mentindo na nossa cara! Será que não entendem que um homem pode estar escondido em algum lugar, sangrando até a morte agora? Como alguém pode mentir para a polícia enquanto alguém está *morrendo*?"

Jim não disse uma palavra quando Jack se sentou na frente do computador após sua explosão. Mas, quando a xícara de café bateu na parede, não foi Jack quem a jogou. Porque mesmo que seu filho estivesse furioso por não ser capaz de salvar a vida do criminoso, e odiasse o fato de um grupo de malditos policiais de Estocolmo estar prestes a aparecer e tirar a investigação dele, isso não chegava nem perto da frustração que seu pai sentia por não ser capaz de ajudá-lo.

Gente ansiosa

Um longo silêncio se segue. Primeiro eles se encaram, depois voltam para seus respectivos teclados. Por fim, Jim consegue dizer: "Desculpe. Vou limpar a sujeira. Eu só... eu posso entender que esse caso está te deixando maluco. Só quero que saiba que ele está me deixando maluco... também."

Ele e Jack estudaram cada centímetro da planta do apartamento. Não há esconderijos por lá, nenhum lugar onde se enfiar. Jack olha para o pai, depois para os cacos da xícara de café atrás dele e diz baixinho:

— Ele deve ter recebido ajuda. Estamos deixando de ver alguma coisa aqui.

Jim olha para as anotações dos depoimentos das testemunhas.

— Só podemos fazer nosso melhor, filho.

É mais fácil falar de trabalho quando não se tem palavras para falar de outras coisas da vida, mas obviamente essas palavras aqui se aplicam a ambos os casos ao mesmo tempo. Jack tem pensado na ponte desde que o drama dos reféns começou, porque em suas melhores noites ele ainda sonha que o homem não pulou, que ele conseguiu salvá-lo. Jim pensa na mesma ponte o tempo todo, porque em suas piores noites ele sonha que foi Jack quem pulou e não aquele homem.

— Ou uma das testemunhas está mentindo, ou todas estão. Alguém deve saber onde esse homem está escondido — Jack repete mecanicamente.

Jim olha de relance para os dois dedos indicadores de Jack que tamborilam no tampo da mesa da mesma forma que sua mãe fazia após uma noite difícil no hospital ou na prisão. Muito tempo se passou até o pai perguntar ao filho como ele estava, muito tempo até o filho conseguir explicar. A distância entre eles é grande demais agora.

Mas quando Jim se levanta lentamente de sua cadeira, com a sinfonia completa dos gemidos de um homem de meia-idade, para limpar a parede e pegar os cacos da xícara que ele jogou, Jack rapidamente se levanta e vai até a sala dos funcionários. Ele volta com mais duas xícaras. Não que Jack beba café, mas ele entende que isso às vezes significa algo para seu pai: não ter que beber sozinho.

— Eu não deveria ter me intrometido na sua entrevista com uma testemunha, filho — Jim diz em voz baixa.

— Está tudo bem, pai — Jack responde.

Não era verdade da parte dos dois. Mentimos para aqueles que amamos. Eles voltam para seus teclados e digitam as transcrições finais de todos os depoimentos das testemunhas, lendo-as mais uma vez em busca de pistas.

―――

Eles estão certos, os dois. As testemunhas não estão dizendo a verdade, não toda a verdade. Nem todas as testemunhas.

14

Entrevista com Testemunha
Data: 30 de dezembro
Nome da testemunha: London

JACK: Você ficaria mais confortável se sentasse na cadeira em vez de no chão.

LONDON: Você tem algum problema de visão ou algo parecido? Porque você pode ver que o cabo do carregador do meu celular não alcança a cadeira.

JACK: E mover a cadeira está fora de questão, obviamente.

LONDON: O quê?

JACK: Nada.

LONDON: O sinal aqui é uma merda. Tipo, meu celular só está com uma barrinha...

JACK: Gostaria que desligasse seu celular agora para que eu possa fazer minhas perguntas.

LONDON: Não estou impedindo você, estou? Pergunte à vontade. Você é mesmo um policial? Parece jovem demais para ser policial.

JACK: Seu nome é London, correto?

LONDON: "Correto." Isso é jeito de falar? Você parece estar jogando RPG com alguém que tem tesão em técnicos de contabilidade.

JACK: Eu agradeceria se você pudesse tentar levar isso a sério. Seu nome é L-o-n-d-o-n?

LONDON: Sim!

JACK: Devo dizer que é um nome incomum. Bem, talvez não seja incomum, mas interessante. De onde ele é?

LONDON: Inglaterra.

JACK: Sim, isso eu entendi. O que eu quis dizer foi, há alguma razão especial para ter um nome desse?

LONDON:	É como meus pais decidiram me chamar. Você fumou alguma coisa?
JACK:	Sabe de uma coisa? Vamos esquecer isso e seguir em frente.
LONDON:	Não vale a pena se aborrecer, não é?
JACK:	Não estou aborrecido.
LONDON:	Sei, até porque você não parece nada aborrecido.
JACK:	Vamos nos concentrar nas perguntas. Você trabalha no banco, correto? E estava trabalhando no balcão quando o perpetrador entrou?
LONDON:	Perpetrador?
JACK:	O assaltante.
LONDON:	Sim, está "correto".
JACK:	Você não precisa fazer aspas com os dedos.
LONDON:	São aspas pervertidas. Você está escrevendo isso, não é, então quero que use aspas pervertidas quando eu fizer esse gesto, para que qualquer pessoa que leia suas anotações entenda que estou sendo irônica. Caso contrário, quem ler vai pensar que sou uma completa imbecil!
JACK:	São aspas invertidas.
LONDON:	Será que estou ouvindo um eco por aqui?
JACK:	Eu estava apenas dizendo o nome correto.
LONDON:	Eu estava apenas dizendo o nome correto!
JACK:	Eu não falo desse jeito.
LONDON:	Eu não falo desse jeito!
JACK:	Vou ter que pedir que você leve isso mais a sério. Você pode me falar sobre o assalto?
LONDON:	Olha, não foi nem um assalto. Somos um banco sem dinheiro, ok?
JACK:	Por favor, apenas me conte o que aconteceu.
LONDON:	Você colocou aí que meu nome é London? Ou colocou só "testemunha"? Quero que você coloque meu nome, caso isso vá parar na internet e eu fique famosa.
JACK:	Isso não vai parar na internet.
LONDON:	Tudo vai parar na internet.
JACK:	Vou me certificar de colocar o seu nome.

Gente ansiosa

LONDON: Daora.

JACK: Como é que é?

LONDON: "Daora." Você não sabe o significado de "daora"? Significa *legal*, entendeu?

JACK: Eu sei o que significa. Eu só não ouvi o que você disse.

LONDON: Eu só não ouvi o que você diiiiisse…

JACK: Quantos anos você tem?

LONDON: Quantos anos *você* tem?

JACK: Estou perguntando porque você parece jovem demais para trabalhar num banco.

LONDON: Eu tenho vinte anos. E eu sou, tipo, apenas uma temporária, porque ninguém mais queria trabalhar um dia antes da véspera de Ano-Novo. Vou estudar para ser bartender.

JACK: Eu não sabia que precisa estudar para ser bartender.

LONDON: É mais difícil do que ser policial, fique sabendo.

JACK: Claro que é. Você pode me falar sobre o assalto agora, por favor?

LONDON: Deus, você não poderia ser mais irritante. Tudo bem, vou te contar sobre o "assalto"…

15

Foi um dia de clima completamente desfavorável. Durante algumas semanas de inverno na região central da Escandinávia, o céu parece não se importar sequer em tentar nos impressionar. Ele nos regala com uma cor de jornal caído na poça, e o amanhecer deixa atrás de si um nevoeiro como se alguém estivesse queimando fantasmas. Em outras palavras, era um dia ruim para se visitar um apartamento, porque ninguém quer morar em lugar nenhum com um clima desses. Além disso, também era a véspera da véspera de Ano-Novo, e que tipo de lunático agenda uma visita em um dia como esse? Foi até um dia ruim para assaltar um banco, embora, em defesa do clima, esse fato tenha sido um erro de cálculo do assaltante.

Mas, se quisermos ser precisos, não foi por definição nem mesmo um assalto a banco. O que não significa que o assaltante não pretendesse ser um assaltante de banco, porque essa era exatamente a intenção, só que o assaltante não conseguiu escolher um banco que tivesse algum dinheiro. O que provavelmente deve ser considerado um dos principais pré-requisitos para um assalto a banco.

Entretanto, isso não foi necessariamente uma falha do assaltante. Foi da sociedade. Não que a sociedade fosse responsável pelas injustiças sociais que levaram o assaltante de banco para o caminho do crime (pelas quais a sociedade pode muito bem ser responsabilizada, mas isso é irrelevante agora), mas porque nos últimos anos a sociedade transformou-se em um lugar em que nada mais é nomeado de acordo com o que é. Houve uma época em que um banco era um banco. Mas agora há evidentemente bancos "sem dinheiro", bancos sem dinheiro físico, o que seria decerto uma espécie de caricatura? Não surpreende que as pessoas fiquem confusas e a sociedade degringole quando está abarrotada de café sem cafeína, pão sem glúten, cerveja sem álcool.

Assim, o assaltante de banco que não era assaltante de banco entrou no banco que nem era banco e declarou o propósito da visita de forma bastante clara com a ajuda de uma pistola. Mas atrás do balcão estava London, de vinte anos, profundamente imersa no tipo de mídia social que desmantela a competência social de uma pessoa a ponto de, ao avistar o assaltante, ela instintivamente ter exclamado: "Você é algum tipo de piada ou o quê?" (O fato de ela não ter formulado sua pergunta como "*Isso* é algum tipo de piada?", mas ir direto para "*Você* é uma piada?", talvez nos diga muito sobre a falta de respeito da geração mais jovem com os assaltantes mais velhos.) O assaltante de banco lançou-lhe um olhar de pai desapontado, mostrou a arma e empurrou um bilhete que dizia: "Isto é um assalto! Passe para cá 6.500 coroas!"

Todo o rosto de London se franziu e ela bufou: "Seis mil e quinhentos? Você não deixou de fora alguns zeros? De qualquer forma, isso aqui é um banco sem dinheiro, você realmente vai tentar roubá-lo ou o quê? Você é, tipo, totalmente estúpido?"

Com cara de espanto, o assaltante de banco tossiu e balbuciou algo inaudível. London abriu os braços e perguntou: "Isso é uma arma de verdade? Tipo, uma pistola de verdade mesmo? Porque eu vi uma vez um programa de televisão onde um cara não foi considerado culpado de assalto à mão armada porque ele não usou uma pistola de verdade!"

A essa altura da conversa, o assaltante de banco estava começando a sentir o peso da velhice, principalmente porque a jovem de vinte anos do outro lado da conversa dava a impressão de ter uns quatorze anos. O que é claro que ela não tinha, mas o assaltante tinha 39 anos e, portanto, atingira uma idade em que, de repente, há muito pouca diferença entre quatorze e vinte anos. Isso é o que faz uma pessoa se sentir velha.

"*Alôôô?* Você vai me *responder* ou não?", London exclamou perdendo a paciência, e, olhando para trás, obviamente seria fácil pensar que foi uma atitude irrefletida da parte dela gritar com um assaltante de banco mascarado com uma arma na mão, mas se você conhecesse London saberia que isso não aconteceu porque ela era estúpida. Ela era apenas uma pessoa infeliz. Isso aconteceu porque ela não tinha amigos de verdade, nem mesmo nas redes sociais, porque em vez disso passava a maior parte do tempo irritada com o fato de as celebridades que detestava não estarem com o casamento destruído, outra vez. Pouco antes de o assaltante entrar no banco, ela estava ocupada abrindo páginas na web para descobrir se dois atores famosos iam se divorciar ou não. Ela esperava que sim, porque às vezes é mais fácil conviver com a própria ansiedade se você sabe que mais ninguém está feliz também.

Mas o assaltante não disse nada e começou a se sentir um tanto idiota a essa altura, já se arrependendo de tudo. Assaltar um banco foi sem dúvida uma ideia de impressionante estupidez desde o início. O assaltante de banco estava a ponto de explicar isso a London antes de se desculpar e ir embora, e então talvez tudo o que aconteceu depois disso não tivesse acontecido, mas ele não teve a chance, porque antes disso London anunciou: "Olha, eu vou é chamar a polícia agora!"

Foi quando o assaltante de banco entrou em pânico e saiu correndo porta afora.

16

Entrevista com Testemunha (Continuação)

JACK: Há algo mais específico que você possa me dizer sobre o perpetrador?
LONDON: Você quer dizer o assaltante de banco?
JACK: Sim.
LONDON: Então por que não diz assaltante em vez disso?
JACK: Há algo mais específico que você possa me dizer sobre o *assaltante de banco*?
LONDON: Como o quê?
JACK: Você se lembra de alguma coisa na aparência do homem?
LONDON: Deus, que pergunta mais superficial! Você tem uma visão de gênero binária realmente doentia, não é?
JACK: Sinto muito. Você pode me dizer mais alguma coisa sobre "a pessoa" em questão?
LONDON: Você não precisa usar aspas pervertidas para isso.
JACK: Acho que vou ter que usar, sim. Você pode me dizer algo sobre a aparência do *assaltante de banco*? Por exemplo, o assaltante de banco era um assaltante baixo ou um assaltante alto?
LONDON: Olha, eu não descrevo as pessoas pela altura. Isso é realmente excludente. Quer dizer, eu sou baixa e sei que isso pode servir de gatilho para deixar as pessoas altas complexadas.
JACK: Como assim?
LONDON: Pessoas altas também têm sentimentos, sabe.
JACK: Está bem. Bom, então só me resta me desculpar novamente. Deixe-me reformular a pergunta: o assaltante de banco parecia o tipo de assaltante que podia ser uma pessoa complexada?

LONDON:	Por que você esfrega tanto as sobrancelhas desse jeito? É assustador.
JACK:	Desculpe. Qual foi sua primeira impressão do assaltante de banco?
LONDON:	Tudo bem. Minha primeira "impressão" foi de que o "assaltante de banco" parecia um completo idiota.
JACK:	Vou interpretar isso como uma insinuação de que é perfeitamente normal ter uma atitude binária em relação à inteligência.
LONDON:	O quê?
JACK:	Nada. Em que você baseou sua suposição de que o assaltante era um idiota?
LONDON:	Ele me entregou um bilhete que dizia: "Passe para cá 6.500 coroas." Quem roubaria 6.500 de um BANCO? Você assalta um banco para conseguir dez milhões, algo assim. Se tudo o que você quer são exatamente 6.500, deve haver algum motivo muito especial, é ou não é?
JACK:	Devo confessar que não havia pensado nisso dessa forma.
LONDON:	Você deveria pensar mais, já pensou nisso?
JACK:	Vou me esforçar. Posso pedir que você dê uma olhada nesta folha de papel e me diga se sabe o que é?
LONDON:	Isso aqui? Parece um desenho de criança. E o que mais deveria ser?
JACK:	Acho que é um macaco, uma rã e um cavalo.
LONDON:	Isso aqui não é um cavalo. É um alce!
JACK:	Você acha? Todos os meus colegas acham que é um cavalo ou uma girafa.
LONDON:	Espere. Estou recebendo uma notificação pelo fone de ouvido.
JACK:	Não, concentre-se agora, London, então você acha que isso aqui é um alce? Ei? Largue esse telefone e responda à pergunta!
LONDON:	*Isso!*
JACK:	O que foi?
LONDON:	Até que enfim! *Até que enfim!*
JACK:	Não entendi.
LONDON:	Eles *estão* se divorciando!

17

A verdade? A verdade é que o assaltante de banco era uma pessoa adulta. Não há nada mais revelador a respeito da personalidade de um assaltante de banco do que isso. Porque a parte terrível de se tornar adulto é ser forçado a perceber que absolutamente ninguém se importa conosco, temos que lidar com tudo nós mesmos, descobrir como o mundo inteiro funciona. Trabalhar e pagar as contas, usar fio dental e chegar pontualmente às reuniões, ficar na fila e preencher formulários, aprender a lidar com cabos e a montar os móveis, trocar os pneus do carro e carregar o celular e desligar a cafeteira e não se esquecer de inscrever as crianças na aula de natação. Abrimos os olhos de manhã e a vida já está à espera para nos lançar uma nova avalanche de "Não se esqueça!" e "Lembre-se!". Não temos tempo para pensar ou respirar, acordamos e já começamos a cavar o entulho, porque outro será despejado sobre nós amanhã. Às vezes olhamos em volta, em nosso local de trabalho ou nas reuniões de pais ou na rua, e percebemos horrorizados que todas as outras pessoas parecem saber exatamente o que fazem. Parece que somos os únicos que temos que fingir. Os outros têm condições de comprar coisas, têm controle sobre outras coisas e energia o suficiente para lidar com ainda mais coisas. E os filhos dos outros sabem nadar.

Mas não estávamos preparados para ser adultos. Alguém deveria ter impedido isso.

A verdade? A verdade é que, assim que o assaltante de banco saiu correndo para a rua, um policial passava casualmente por ali. Mais tarde ficaria claro que nenhum policial estava procurando pelo assaltante ainda, porque o alarme não havia sido acionado pelo rádio, porque London, de vinte anos, e o centro de emergência policial demoraram muito para entender que estavam trocando ofensas. (London comunicou um assalto a banco, o que levou o atendente da chamada a perguntar: "Onde?", o que levou London a dar o endereço do banco, o que levou o atendente a perguntar: "Vocês não são um banco sem dinheiro físico? Por que alguém iria querer roubar um banco desse?", o que levou London a dizer: "Exatamente", o que levou o atendente a perguntar: "Exatamente o quê?", o que levou London a perder a paciência: "O que você quer dizer com 'Exatamente o quê'?", o que levou o atendente a responder: "Foi você quem começou!", o que levou London a gritar: "Não, foi *você* quem…", a partir daí a conversa desceu rapidamente ladeira abaixo.) Mais tarde descobriu-se que o policial que o assaltante de banco viu na rua não era de fato um policial, mas um guarda de trânsito, e se o assaltante não estivesse sob tanto estresse e tivesse prestado atenção, isso seria óbvio, e uma estratégia de fuga diferente poderia ter sido possível. O que teria encurtado muito mais esta história.

Mas, em vez disso, o assaltante de banco entrou correndo pela primeira porta aberta disponível, que levava às escadas do prédio, e portanto não havia exatamente muitas opções a não ser subir os degraus. No último andar, a porta de um apartamento estava escancarada, de modo que foi para onde o assaltante se dirigiu, sem fôlego e suando, com sua máscara de esqui de assaltante de banco torta para que apenas um olho pudesse enxergar o que fosse. Só então o assaltante de banco percebeu que o hall de entrada estava cheio de sapatos, e o apartamento, cheio de pessoas sem sapatos. Uma das mulheres dentro do apartamento avistou a arma e começou a gritar: "Ah, meu Deus, estamos sendo assaltados!", e no mesmo instante o assaltante ouviu passos rápidos nas escadas e presumiu que fosse um policial (não era, era o carteiro), então, na ausência de alternativas, o assaltante de banco fechou a porta e apontou a arma em várias direções diferentes ao acaso, inicialmente gritando: *"Não…! Não, isso não é um assalto… Eu só…"*, antes de pensar melhor e dizer ofegante: *"Bem, talvez seja um assalto! Mas vocês não são as vítimas! Talvez seja mais o caso de serem reféns agora! E eu sinto muito por isso! Estou tendo um dia bastante complicado hoje!"*

O assaltante de banco decerto tinha razão. Não que isso seja uma defesa dos assaltantes de banco, de forma alguma, mas eles também podem ter seus dias ruins no trabalho. Falando francamente, quem de nós não teve um dia vontade de puxar uma arma depois de falar com uma pessoa de vinte anos?

Poucos minutos depois, a rua em frente ao prédio estava apinhada de jornalistas e câmeras, e depois que eles chegaram a polícia apareceu. O fato de a maioria dos jornalistas ter chegado antes da polícia não deve de forma alguma ser interpretado como prova da competência das respectivas profissões, mas, neste caso, serve mais como uma prova de que a polícia tinha coisas mais importantes a tratar e que os jornalistas tinham mais tempo para ler nas redes sociais, porque a irritante jovem do banco que não era banco evidentemente era capaz de se expressar melhor no Twitter do que ao telefone. Nas redes sociais, ela anunciou que tinha visto pela vidraça do banco o assaltante entrar correndo no prédio do outro lado da rua, enquanto a polícia não havia recebido comunicado nenhum até o carteiro, que viu o assaltante nas escadas, ligar para sua esposa, que por acaso trabalhava numa cafeteria em frente à delegacia. Ela atravessou correndo a rua e só depois o alarme soou, sinalizando que um suposto homem armado com uma suposta pistola, usando uma suposta máscara de esqui, havia invadido um dos apartamentos à venda, trancando a corretora de imóveis e os potenciais compradores lá dentro. Foi assim que um assaltante de banco perdeu no assalto a banco, mas conseguiu ganhar na situação de reféns. A vida nem sempre sai como a gente espera.

Assim que o assaltante fechou a porta do apartamento, um pedaço de papel que caíra do bolso do casaco voou para as escadas. Era um desenho infantil de um macaco, uma rã e um alce.

Não era um cavalo e definitivamente não era uma girafa. Isso foi importante.

Porque mesmo que os jovens de vinte anos possam estar errados em muitas coisas na vida (e aqueles de nós que não têm mais vinte anos talvez concordem que a maioria dos jovens de vinte anos erra com tanta frequência que quase todos teriam apenas uma chance em quatro de responder corretamente a uma pergunta de sim ou não), essa jovem de vinte anos em particular estava certa em relação a uma coisa: assaltantes de banco normais pedem grandes quantias e números redondos. Qualquer um pode entrar num banco e gritar: "Manda pra cá dez milhões ou eu atiro!" Mas se alguém entra armado e tenso, pedindo especificamente 6.500 coroas, provavelmente há um motivo.

Ou dois.

18

Entre o homem parado na ponte dez anos atrás e o assaltante de banco que fez reféns em um apartamento não há conexão. Eles nunca se conheceram. A única coisa que realmente têm em comum é o risco moral. Risco moral é um conceito do setor bancário, é claro. Alguém teve que o inventar para descrever a forma como os mercados financeiros operam, porque o fato de os bancos serem imorais nos é tão óbvio que simplesmente chamá-los de "imorais" não bastava. Precisávamos de uma forma de descrever o fato de que é tão improvável que um banco se comporte moralmente que devia até ser um risco se eles tentassem. O homem da ponte colocou seu dinheiro em um banco para que eles pudessem fazer "investimentos seguros", porque todos os investimentos eram seguros naquela época. Então o homem usou esses investimentos seguros como garantia aos empréstimos, e depois fez novos empréstimos para pagar os antigos. "Todo mundo faz isso", disse o banco, e o homem pensou: "Eles devem saber mais do que eu." Então, um dia, de repente, nada mais estava seguro. Chamavam de crise dos mercados financeiros, quebra de bancos, embora as únicas coisas que quebrem são as pessoas. Os bancos ainda estão lá, os mercados financeiros não têm coração que possa ser partido, mas para o homem da ponte as economias de uma vida inteira foram substituídas por uma montanha de dívidas, e ninguém foi capaz de explicar como isso aconteceu. Quando o homem ressaltou que o banco havia prometido que tudo seria "totalmente livre de risco", o banco abriu os braços e disse: "Nada é totalmente livre de risco, você devia saber no que estava se metendo, não devia ter nos dado seu dinheiro."

Então o homem foi a outro banco para pedir dinheiro emprestado para pagar as dívidas que havia contraído porque o primeiro banco havia perdido todas as suas economias. Ele explicou ao segundo banco que poderia perder sua empresa, depois sua casa, e disse a eles que tinha dois filhos para criar. O segundo banco assentiu e foi muito compreensivo, mas uma mulher que trabalhava lá disse a ele: "Você sofreu o que chamamos de risco moral."

O homem não entendeu, então a mulher explicou que risco moral é "quando uma das partes de uma negociação está protegida contra as consequências negativas de suas próprias ações". Quando o homem continuou sem entender, a mulher suspirou e disse: "É quando dois idiotas estão sentados num galho de árvore que estala, e o mais próximo do tronco está segurando a serra." O homem ainda estava piscando sem entender, então a mulher ergueu as sobrancelhas e explicou pela última vez: "Você é o idiota longe do tronco. O banco vai cortar o galho para se salvar. Porque o banco não perdeu o dinheiro dele, só o seu, porque você é o idiota que os deixou segurar a serra." Em seguida, ela calmamente reuniu os papéis do homem, devolveu-os a ele e disse-lhe que não ia autorizar um empréstimo.

— Mas não é culpa minha eles terem perdido todo o meu dinheiro! — o homem exclamou.

A mulher olhou para ele com frieza e declarou:

— É sim. Porque você não deveria ter dado a eles o seu dinheiro.

Dez anos depois, um assaltante de banco entra num apartamento à venda durante a visita dos candidatos à compra. O assaltante de banco nunca teve dinheiro o suficiente para ouvir uma funcionária de banco falar sobre risco moral, mas tinha uma mãe que costumava dizer que "se quiser fazer Deus rir, conte-lhe seus planos", e às vezes isso significava a mesma coisa. O assaltante de banco tinha apenas sete anos quando lhe disseram isso pela primeira vez, e pode ser um pouco cedo demais para ouvir algo dessa natureza, porque significa que "a vida pode seguir todos os tipos de caminhos diferentes, mas provavelmente irá pelo errado". Até crianças de sete anos entendem isso. Elas também entendem se a mãe diz que não gosta de fazer planos, e mesmo que nunca planeje ficar bêbada, ela ainda assim acaba ficando bêbada com demasiada frequência para que seja apenas mera coincidência. A criança de sete anos jurou que jamais beberia destilados e que nunca se tornaria um adulto. Conseguiu cumprir metade da promessa.

E o risco moral? A criança de sete anos soube disso pouco antes da véspera de Natal do mesmo ano. Quando a mãe se ajoelhou no chão da cozinha e deu-lhe um abraço que deixou seu cabelo pulverizado de cinzas de cigarro. Com a voz entrecortada por soluços, a mãe da criança de sete anos disse: "Por favor, não se aborreça comigo, não grite comigo, na verdade não foi culpa minha." A criança não entendeu exatamente o que isso significava, mas aos poucos começou a perceber que, fosse o que fosse, deveria ter alguma ligação com o fato de a criança ter passado o mês anterior vendendo edições de Natal de revistas todos os dias depois da escola, e entregado todo o dinheiro à mãe para que ela pudesse comprar comida para o Natal. A criança olhou nos olhos da mãe, eles brilhavam de álcool e lágrimas, intoxicação e autocomiseração. Ela chorou enquanto se agarrava à criança. E sussurrou: "Você não deveria ter me dado o dinheiro." Isso foi o mais perto que a mulher chegou de pedir perdão à criança.

O assaltante de banco pensa nisso até hoje. Não em como foi terrível, mas em como é estranho não poder odiar a própria mãe. Em como ainda não parece que foi culpa dela.

O assaltante e a mãe foram despejados de seu apartamento em fevereiro depois do Natal, e o assaltante jurou que jamais teria filhos. Quando ele acabou tendo filhos mesmo assim, jurou que jamais seria um pai caótico. Do tipo que não arca com as consequências de ser uma pessoa adulta, do tipo que não consegue pagar as contas e não tem onde morar com os filhos.

E Deus riu.

O homem parado na ponte escreveu uma carta para a mulher do banco que lhe contara sobre o risco moral. Ele escreveu exatamente o que queria que ela ouvisse. Depois pulou. A mulher do banco carrega aquela carta na bolsa há dez anos. Depois ela conheceu o assaltante de banco.

19

Jim e Jack foram os primeiros policiais a chegarem à cena em frente ao prédio. O que não era tanto uma indicação de sua competência, mas um sinal do tamanho da cidade: simplesmente não havia tantos policiais por perto, ainda mais um dia antes da véspera de Ano-Novo.

Os jornalistas já estavam lá, é claro. Ou talvez fossem apenas moradores vizinhos e espectadores curiosos, é difícil dizer nos dias de hoje, quando todo mundo filma, fotografa e documenta todos os momentos de sua vida como se cada indivíduo fosse seu próprio canal televisivo. Todos eles olharam com expectativa para Jim e Jack, como se a polícia devesse saber exatamente o que aconteceria a seguir. Eles não sabiam. Naquela cidade, as pessoas simplesmente não faziam ninguém de refém, e também não assaltavam bancos, ainda mais agora que os bancos não tinham dinheiro físico.

— O que você acha que devemos fazer? — Jack quis saber.

— *Eu*? *Eu* não sei, eu realmente não sei, você é que costuma saber — Jim rebateu sem rodeios.

Jack olhou para ele desanimado.

— Eu nunca trabalhei numa situação de reféns.

— Nem eu, filho. Mas você fez um curso, não foi? Uma coisa de escuta não sei o quê.

— *Escuta ativa* — Jack murmurou. Verdade, ele fez o curso, mas que uso faria disso agora era difícil de imaginar.

— Bem, o curso não te ensinou a falar com quem faz os outros de reféns? — Jim disse, balançando a cabeça em sinal de encorajamento.

— Claro, mas para ser capaz de ouvir tem que ter alguém falando. Como vamos fazer contato com o assaltante? — Jack indagou, porque eles não haviam recebido nenhum tipo de mensagem, nenhum pedido de resgate. Nada. Além disso, ele não conseguia deixar de pensar que, se aquele curso de escuta ativa fosse tão bom assim quanto o professor alegava, Jack certamente já devia ter arrumado uma namorada.

— Não sei, não sei mesmo — confessou Jim.

Jack suspirou.

— Você passou a vida toda trabalhando na polícia, pai, você deve ter *alguma* experiência nesse tipo de coisa, não?

Naturalmente, Jim fez o possível para agir como se com certeza tivesse experiência, já que os pais gostam de ensinar coisas aos filhos, porque no momento em que não pudermos mais fazer isso os filhos deixam de ser nossa responsabilidade e passamos a ser a deles. Então o pai pigarreou e se virou enquanto pegava o celular. Ele ficou ali por um bom tempo, esperando que o filho não perguntasse o que ele estava fazendo. O filho perguntou, é claro.

— Pai... — Jack falou por cima do ombro do pai.

— Hmm — Jim disse.

— É sério que você está googlando "o que fazer numa situação de reféns"?

— Talvez esteja.

Jack gemeu e inclinou-se para a frente apoiando as mãos nos joelhos. Ele estava rosnando silenciosamente para si mesmo porque sabia o que seus chefes, e os chefes de seus chefes, diriam quando ligassem para ele em um futuro muito próximo. As piores palavras que Jack conhecia. "Talvez devêssemos ligar para Estocolmo e pedir ajuda?" Claro, Jack pensou, porque como seria se realmente conseguíssemos fazer algo por nós mesmos nesta cidade? Ele olhou para a varanda do apartamento onde o assaltante de banco estava escondido. Xingou entre os dentes. Ele só precisava de um ponto de partida, alguma forma de estabelecer contato.

— Papai? — ele finalmente suspirou.
— Sim, rapaz?
— O que achou no Google?

―――

Jim leu em voz alta que devemos começar descobrindo quem é o tomador de reféns. E o que ele quer.

20

Muito bem. Um assaltante de banco assalta um banco. Pense nisso por um momento.

Obviamente, o fato não tem nada a ver com você. Tampouco o do homem que pula de uma ponte. Porque você é uma pessoa normal e correta, logo, jamais teria assaltado um banco. Existem certas coisas que todas as pessoas normais entendem que não se deve fazer nunca e em nenhuma circunstância. Você não deve contar mentiras, não deve roubar, não deve matar e não deve atirar pedras nos pássaros. Todos concordamos com isso.

Exceto, talvez, nos cisnes, porque os cisnes podem realmente ser uns filhos da mãe passivo-agressivos. Mas, além dos cisnes, você não deve atirar pedras nos pássaros. E não deve contar mentiras. A não ser que... bem, às vezes é necessário, claro, quando seus filhos perguntam: "Por que está cheirando a chocolate aqui? VOCÊ ESTÁ COMENDO CHOCOLATE?" Mas definitivamente não se deve roubar nem matar, podemos concordar com isso.

Bem, de qualquer modo não se deve matar pessoas. E na maioria das vezes não se deve nem matar cisnes, mesmo que sejam uns filhos da mãe. Por outro lado, você tem permissão para matar animais se eles tiverem chifres e estiverem na floresta. Ou se forem um bacon. Mas nunca se deve matar uma pessoa.

Bem, a menos que essa pessoa seja Hitler. Você tem permissão para matar Hitler, se tiver uma máquina do tempo e a oportunidade para fazê-lo. Porque devemos ter permissão para matar uma pessoa se for para salvar milhões de outras pessoas e evitar uma guerra mundial, qualquer um pode entender isso. Mas quantas pessoas temos de salvar para poder matar alguém? Um milhão? Cento e cinquenta? Duas? Apenas uma? Nenhuma? Obviamente, não teremos uma resposta exata para isso, porque ninguém tem.

Vejamos um exemplo muito mais simples: você tem permissão para roubar? Não, você não deve roubar. Concordamos nisso. Exceto quando se rouba o coração de alguém, porque isso é romântico. Ou se roubarmos harmônicas dos caras que tocam harmônica em festas, porque isso é zelo pelo bem-estar público. Ou se roubarmos algo pequeno porque realmente precisamos. Provavelmente não tem problema nenhum. Mas isso significaria que não há problema em roubar algo um pouco maior? E quem decide o que é maior e menor? Se você realmente tem que roubar, o quanto *tem que* fazer para que seja razoável roubar algo realmente importante? Por exemplo, se você acha que realmente tem que fazer isso e que ninguém vai se machucar, você pode roubar um banco, então?

Não, provavelmente não vai ser legal, mesmo que precise. Nisso talvez você tenha razão. Porque você nunca roubaria um banco, então não tem nada em comum com este assaltante de banco.

Exceto o medo, quem sabe. Porque talvez você tenha ficado realmente apavorado num dado momento da vida, e o assaltante de banco também. Talvez porque o assaltante de banco tivesse filhos pequenos e, portanto, tinha muita prática em ter medo. Talvez você também tenha filhos, e nesse caso deve saber o que é estar o tempo todo em contínuo pavor, com medo de não saber tudo o que deveria, de não ter energia para fazer tudo e de não conseguir enfrentar tudo. No final, ficamos tão acostumados com a sensação de fracasso que, toda vez que *não* desapontamos nossos filhos, ficamos secretamente chocados. É possível que algumas crianças percebam isso. Então, de vez em quando, elas fazem pequenas coisas, nos momentos mais peculiares, para nos animar um pouco. Apenas o suficiente para evitar que nos afoguemos.

Então, o assaltante de banco saiu de casa certa manhã com aquele desenho da rã, do macaco e do alce enfiado no bolso sem perceber. A menina que fez o desenho o colocou ali. A menina tem uma irmã mais velha, e elas deviam brigar, como dizem que as irmãs costumam fazer, mas quase nunca brigavam. A mais nova pode brincar no quarto da irmã mais velha sem que a mais velha grite com ela. A mais velha fica com as coisas de que mais gosta, sem que a mais nova as quebre de propósito. Seus pais costumavam sussurrar: "Nós não as merecemos", quando as meninas eram muito pequenas. Eles estavam certos.

Agora, após o divórcio, durante as semanas em que as meninas ficam na casa de um dos pais, elas ouvem a notícia no carro pela manhã. Um dos pais delas está no noticiário de hoje, mas elas não sabem disso ainda, elas não sabem que um dos pais virou assaltante de banco.

Nas semanas em que as meninas ficam na casa de um dos pais que é assaltante de banco, elas vão de ônibus. Elas adoram isso. Durante todo o trajeto, inventam pequenas histórias sobre os estranhos sentados nos bancos da frente. Aquele homem ali, ele pode ser um bombeiro, sussurra esse pai delas. E ela pode ser uma alienígena, diz a filha mais nova. Depois é a vez da filha mais velha, e ela diz *bem alto*: "Aquele pode ser um homem procurado pela polícia porque matou alguém e está levando a cabeça na mochila, quem sabe?" Daí as mulheres sentadas nos bancos perto deles se mexem desconfortavelmente, e as filhas riem tanto que quase não conseguem respirar, e seu pai tem que fazer uma cara séria e fingir que realmente não é engraçado.

Eles quase sempre se atrasam para chegar ao ponto de ônibus, e, ao atravessarem a ponte para pegarem o ônibus do outro lado, as meninas sempre gritam de tanto rir: "Lá vem o alce! Lá vem o alce!" Porque as pernas desse pai assaltante de banco são muito compridas, desproporcionais, e isso significa que você provoca muitas risadas quando corre. Ninguém percebeu isso antes de as meninas aparecerem, mas as crianças percebem as proporções das pessoas de uma maneira diferente dos adultos, talvez porque sempre nos veem de baixo, e este é o nosso pior ângulo. É por isso que as crianças são tão boas na prática do bullying, esses monstrinhos de pura sagacidade. Elas têm acesso a tudo o que há de mais vulnerável em nós. Mesmo assim, elas nos perdoam, o tempo todo, por quase tudo.

Gente ansiosa

E isso é o que há de mais estranho em ser pai ou mãe de alguém. Não apenas um pai ou mãe assaltante de banco, mas qualquer tipo de pai ou mãe: você é amado apesar de tudo o que você é. Mesmo surpreendentemente tarde na vida, as pessoas parecem incapazes de considerar que seus pais possam não ser superinteligentes, engraçados e imortais. Talvez haja uma razão biológica para isso, que até uma certa idade as crianças amam você incondicional e desesperadamente por uma única razão: porque você é delas. O que é uma jogada muito inteligente da parte da biologia, temos de admitir.

O pai assaltante de banco nunca usa os nomes verdadeiros das meninas. Esse é o tipo de coisa que você nunca percebe até pertencer a outra pessoa, o fato de que aqueles de nós que dão os nomes aos filhos são os que menos desejam usá-los. Damos apelidos àqueles que amamos, porque o amor requer uma palavra que pertence somente a nós. Então, o pai assaltante de banco sempre chama as meninas do que costumava sentir quando elas chutavam a barriga da mãe há seis ou oito anos. Uma delas parecia sempre estar pulando lá dentro, e a outra parecia sempre estar subindo uma árvore. Uma rã. Um macaco. E um alce que faria qualquer coisa por essa rã e esse macaco. Mesmo quando isso é completamente estúpido. Talvez você tenha isso em comum com o assaltante de banco, afinal. Você provavelmente tem alguém na sua vida por quem faria algo estúpido.

Mas obviamente você nunca assaltaria um banco ainda assim. Claro que não.

Mas talvez você tenha se apaixonado? Afinal, quase todo mundo se apaixona. E o amor pode levar você a fazer um bocado de coisas ridículas. Casar, por exemplo. Ter filhos, brincar de família feliz e ter um casamento feliz. Ou pensar que é um casamento feliz, pelo menos. Não feliz, talvez, mas plausível. Um casamento plausível. Porque o quão feliz alguém pode ser, o tempo todo? Como poderia haver tempo para isso? Na maioria das vezes, estamos apenas tentando sobreviver ao dia. Você provavelmente já teve dias assim também. Mas quando sobrevivemos a muitos dias, uma certa manhã você olha por cima do ombro e percebe que está só, a pessoa com quem você se casou se desligou em algum momento ao longo do caminho. Talvez você descubra uma mentira. Foi o que aconteceu com o assaltante de banco. Uma infidelidade vem à tona, e mesmo que, na verdade, ninguém tenha sido infiel a você, você provavelmente pode compreender que isso é o suficiente para desequilibrar uma pessoa.

Especialmente se não fosse apenas um caso passageiro, mas um caso que já vinha acontecendo havia muito tempo. Você não apenas foi vítima de uma traição, mas também de um engodo. É possível que alguém seja infiel sem, na verdade, estar pensando em você, mas um caso extraconjugal requer planejamento. Talvez seja isso o que mais dói, os milhões de pequenas pistas que você não percebeu. Talvez você ficasse ainda mais infeliz se não houvesse nem mesmo uma boa explicação. Por exemplo, talvez você pudesse entender se a traição tivesse a ver com solidão ou desejo: "Você está sempre no trabalho e nunca temos tempo um para o outro." Mas se a explicação for: "Bem, se você quer que eu diga realmente a verdade, eu traí você com o teu chefe", aí então pode ser mais difícil se recuperar do baque. Porque isso significa que o motivo pelo qual você trabalhou tanto e fez tantas horas extras também é o mesmo motivo pelo qual você não tem mais um casamento. E quando você começa a trabalhar na segunda-feira após a separação, seu chefe diz: "Claro que vai ser embaraçoso para todos os envolvidos, então... talvez fosse mais fácil se você não trabalhasse mais aqui." Na sexta você era casado e tinha um emprego, e na segunda você está sem teto e desempregado. O que fazer, então? Consultar um advogado? Processar alguém?

Não.

Porque o assaltante de banco recebeu um aviso: "Não faça uma cena agora. Não faça disso um caos. Pelo bem das crianças!" Então o assaltante não fez.

Gente ansiosa

Não queria ser esse tipo de pai, daí apenas saiu do apartamento, largou o trabalho, de olhos fechados, mandíbula trincada. Pelo bem das crianças. Talvez você tivesse feito o mesmo. Uma vez a rã disse que ouviu um adulto no ônibus dizer que "o amor dói", e o macaco respondeu que talvez seja por isso que os corações acabam saindo esquisitos quando a gente tenta desenhá-los. Como explicar um divórcio para elas depois disso? Como explicar a infidelidade? Como evitar transformar as crianças em pequenos cínicos? Apaixonar-se é algo mágico, afinal, romântico, de tirar o fôlego... Mas paixão e amor são coisas diferentes. Não são? Não teriam que ser? Meu Deus, ninguém aguentaria viver uma nova paixão a cada ano. Quando estamos apaixonados, não conseguimos pensar em mais nada, nos esquecemos dos amigos, do trabalho, de almoçar. Se vivêssemos apaixonados o tempo todo, morreríamos de fome. E estar apaixonado significa estar enfeitiçado... de tempos em tempos. Você tem que ser sensato. O problema é que tudo é relativo, a felicidade baseia-se em expectativas, e hoje temos a internet. Um mundo inteiro a nos perguntar constantemente: "Mas a *sua* vida é tão perfeita assim? E aí? E agora? É tão perfeita *mesmo*? Se não for, mude!"

A verdade é que, se as pessoas realmente fossem tão felizes quanto parecem na internet, não passariam tanto tempo lá, porque ninguém que está tendo um dia bom de verdade gasta metade dele tirando fotos de si mesmo. Qualquer um pode fabricar um mito de sua própria vida se tiver adubo o suficiente, então, se a grama parece mais verde do outro lado da cerca, provavelmente é porque está cheia de merda. Não que isso realmente faça muita diferença, porque agora aprendemos que todo dia precisa ser especial. *Todo* dia.

De repente, vocês se descobrem vivendo lado a lado, não um com o outro. Um de nós pode ficar por um assombroso período de tempo pensando: "Nosso casamento é bom." Ou pelo menos não pior do que o de qualquer outra pessoa. Plausível, em todo o caso. Então, acontece de um de nós querer mais, somente sobreviver ao dia já não basta. Um de nós vai trabalhar e volta para casa, vai trabalhar e volta para casa, vai trabalhar e volta para casa, tentando ser afável em ambos os lugares. E daí descobre que a pessoa com quem se casou e a pessoa para quem trabalha estavam sendo extremamente afáveis uma com a outra o tempo todo.

―――

"Amar um ao outro até que a morte nos separe", não foi isso que dissemos? Não foi isso que prometemos um ao outro? Ou estou lembrando errado? "Ou pelo menos até que um de nós esteja farto." Será que foi isso?

―――

Agora o macaco, a rã, um dos pais e o chefe moram no apartamento, e o outro pai assaltante de banco vive em outro lugar. Porque o apartamento estava no nome do outro pai, e o pai assaltante de banco não queria confusão. Não queria fazer disso um caos. Mas não é muito fácil conseguir uma casa nesta parte da cidade, ou em qualquer outra parte de qualquer outra cidade, se você não tiver um emprego ou economias. Você não coloca seu nome na lista de habitação pública se você é casado, tem filhos e uma vida, porque nunca lhe ocorre que poderia perder tudo no espaço de uma tarde. A pior coisa que um divórcio faz a uma pessoa não é fazer com que todo o tempo que você devotou ao relacionamento pareça desperdiçado, mas que roubou todos os planos que você tinha para o futuro.

Comprar um apartamento está completamente fora de questão, disse o banco, porque quem emprestaria dinheiro a alguém sem um tostão? Só se empresta dinheiro a pessoas que, na verdade, não precisam pedir dinheiro emprestado. Então, onde você vai morar, você pode perguntar. "Você terá que alugar", disse o banco. Mas para alugar um apartamento nesta cidade, quando não se tem um emprego, você tem que dar quatro meses de aluguel adiantados como depósito. Um depósito que você recebe de volta quando sair do apartamento, pelo seu bem.

―――

Então um dia chegou a carta de um advogado. Ela dizia que o outro pai do macaco e da rã decidiu solicitar a guarda exclusiva das filhas porque "a situação atual, em que o outro guardião não tem casa nem emprego, é insustentável. Devemos antes de tudo pensar nas crianças". Como se houvesse outra coisa em que um pai sem casa e sem emprego pudesse pensar.

O outro pai também enviou um e-mail que dizia: "Você precisa pegar suas coisas." O que significa, é claro, que você tem que pegar as coisas que o outro pai e seu ex-chefe, depois de pegarem todas as coisas boas, decidiram que são lixo. Elas estão embaladas no depósito do porão, então o que você faz? Talvez você vá lá tarde da noite, para evitar a vergonha de topar com um dos vizinhos, e talvez perceba que não tem para onde levar suas coisas. Você não tem onde morar e está começando a esfriar lá fora, então você fica no depósito do porão.

Em outro depósito, pertencente a um vizinho que se esqueceu de trancar, há uma caixa cheia de cobertores. Você pega alguns para manter seu corpo aquecido. Por algum motivo, embaixo dos cobertores há uma pistola de brinquedo, então você dorme com ela na mão, pensando que, se algum ladrão maluco entrar durante a noite, você poderá assustá-lo com ela. Aí você começa a chorar, porque percebe que o ladrão maluco é você.

Na manhã seguinte, você devolve os cobertores ao depósito, mas fica com a pistola de brinquedo, porque não sabe onde vai dormir naquela noite e ela pode ser útil. Isso dura uma semana. Você pode não saber exatamente como é a sensação, mas talvez também tenha tido momentos em que se olhou no espelho e pensou: *A vida não devia ser assim.* Isso pode aterrorizar uma pessoa. Então, certa manhã, você faz algo desesperado. Bem, não *você*, obviamente, você teria feito algo diferente, claro. Você teria pesquisado as leis e quais eram os seus direitos, teria procurado um advogado e teria ido ao tribunal. A menos que não fizesse nada disso. Porque talvez você não quisesse armar uma confusão na frente das filhas, você não queria ser um daqueles pais caóticos, e assim talvez você pensasse: "De alguma forma, se eu tiver a chance, vou encontrar uma forma de resolver isso sem perturbá-las."

Então, quando um pequeno apartamento fica disponível bem perto do apartamento onde o macaco e a rã moram, bem perto da ponte, uma sublocação de alguém que já sublocou de outra pessoa, a um custo de seis mil e quinhentas coroas por mês, você pensa: *Se eu puder pagar pelo menos um mês de aluguel, terei tempo para arrumar um emprego, aí eles não poderão tirar minhas filhas de mim, enquanto eu tiver um lugar para morar.* Então, você raspa sua conta bancária, vende tudo o que tem e junta dinheiro o suficiente para um mês, e fica sem dormir trinta noites seguidas, imaginando como vai poder pagar mais um mês. E de repente você não pode.

Nessa situação, você deve dirigir-se às autoridades, isso é o que deve fazer. Mas talvez você fique do lado de fora da porta e pense em sua mãe e em como era o ar lá dentro quando você se sentava em um banco de madeira com um tíquete numerado entre as pontas dos dedos, e se lembra do quanto uma criança pode mentir pelo bem dos pais. Você não pode forçar seu coração a cruzar a soleira da porta. A coisa mais estúpida que as pessoas que têm tudo pensam das pessoas que não têm nada é que é o orgulho que impede uma pessoa de pedir ajuda. Raramente é o caso.

Os viciados são bons em mentir, mas nunca tão bons quanto os filhos. São seus filhos e filhas que têm que inventar desculpas, nunca muito esdrúxulas ou inconcebíveis, mas prosaicas o suficiente para ninguém querer conferir. O dever de casa dos filhos de um viciado nunca é comido pelo cachorro, eles simplesmente esqueceram a mochila em casa. A mãe deles não perdeu a reunião de pais porque foi sequestrada por ninjas, mas porque teve que fazer hora extra no trabalho. A criança não lembra o nome do lugar em que a mãe trabalha, é apenas um trabalho temporário. Ela faz o possível, mamãe faz sim, para nos sustentar agora que papai foi embora, sabe. Você aprende rápido a formular frases de um jeito que impossibilita quaisquer perguntas posteriores. Você fica sabendo que as mulheres do serviço de assistência social podem tirar você de sua mãe se descobrirem que ela conseguiu botar fogo em seu último apartamento quando dormiu com um cigarro na mão, ou se descobrirem que ela roubou o tender de Natal de um supermercado. Então você mente quando o segurança aparece, tira o tender da mão de sua mãe e confessa: "Fui eu que peguei." Ninguém chama a polícia para prender uma criança, não quando é Natal. Então, eles deixam você ir para casa com sua mãe, com fome, mas não sozinho.

Gente ansiosa

Se você tivesse sido esse tipo de criança, crescesse e tivesse seus próprios filhos, nunca os submeteria a isso. Em circunstância alguma eles teriam que aprender a ser mentirosos tão bons, você prometeria isso a si mesmo. Então você não vai até o serviço de assistência social, porque está com medo de que eles tirem as meninas de você. Você aceita o divórcio e não briga pelo seu apartamento ou pelo seu emprego, porque não quer que as meninas tenham pais que estão em guerra. Você tenta resolver tudo por conta própria e acaba tendo um golpe de sorte: consegue arrumar um emprego, apesar de todas as dificuldades, não um emprego que lhe dê uma vida confortável, mas que lhe permita sobreviver por um tempo. Isso é tudo de que você precisa, uma chance. Mas eles dizem que seu primeiro salário ficará retido, o que significa que não vão lhe pagar pelo primeiro mês até que você trabalhe dois meses, como se o primeiro mês não fosse o momento em que você menos pode ficar sem dinheiro.

Você vai ao banco e pede um empréstimo para poder trabalhar sem receber salário, mas o banco diz que não é possível, porque não é um emprego fixo. Você pode ser demitido a qualquer momento. E então como eles poderiam ser ressarcidos? Porque você não tem dinheiro nenhum, tem?! Você tenta explicar que, se tivesse dinheiro, não precisaria de um empréstimo, mas o banco não consegue entender a lógica disso.

Então, o que você faz? Continua lutando. E tem esperança de que tudo passe. Mas você recebe outra carta ameaçadora do advogado. Você não sabe o que fazer, a quem recorrer, você só não quer começar uma briga. Você corre para pegar o ônibus de manhã, imagina que as meninas não vão ver como você está se sentindo, mas elas veem. Dá para ver nos olhos delas que elas querem vender assinaturas de revistas e dar todo o dinheiro a você. Depois de deixá-las na escola, você entra em um beco e se senta na beira da calçada e chora porque não consegue parar de pensar: *Vocês não deveriam me amar.*

Durante toda a sua vida, você se prometeu que enfrentaria tudo. Não seja uma pessoa caótica. Não implore por ajuda. Mas a véspera de Natal chega e você sente um desespero solitário, porque as meninas vão passar o Ano-Novo com você. Um dia antes da véspera de Ano-Novo, você coloca no bolso a última carta do advogado que quer tirar suas filhas de você ao lado da carta do seu senhorio que diz que, se você não pagar o aluguel hoje, sofrerá um despejo. Bem ali, naquele momento, não é preciso quase nada para te desequilibrar. Uma péssima ideia é o suficiente. Você encontra a pistola de brinquedo que parece uma pistola de verdade. Você faz buracos num gorro de lã preto e o enfia na cabeça até cobrir a cara, vai ao banco que não estava preparado para te emprestar dinheiro porque você não tinha dinheiro, pensa com determinação que só vai pedir seis mil e quinhentas coroas para o aluguel, e que vai devolver essa quantia assim que receber seu salário. *Como?*, uma mente mais equilibrada poderia perguntar, mas... bem... talvez você não tenha mesmo pensado lá na frente. Talvez você apenas ache que ia voltar ao banco, com a mesma máscara de esqui e com a mesma pistola, e obrigá-los a pegar o dinheiro de volta? Porque tudo de que você precisa é um mês. Tudo de que precisa é uma única chance para resolver tudo.

Mais tarde revelou-se que aquela maldita pistola de brinquedo, aquela que parecia quase real, parecia real porque *era* real. E que nas escadas do prédio um desenho de um alce, uma rã e um macaco esvoaçou com a brisa, e que em um apartamento no alto do prédio há um tapete encharcado de sangue.

A vida não devia ser assim.

21

Não era uma bomba.

Era uma caixa com as luzes de Natal que um dos vizinhos havia pendurado na varanda. Na verdade, ele andava pensando em deixá-las até o Ano-Novo, mas então teve uma briga com sua mulher, porque ela considerou: "Há luzes demais, você não acha? Por que não podemos ter luzes brancas comuns como todo mundo? Temos que ter luzes piscando com tantas cores diferentes, para que pareça que abrimos um bordel?" Ele rebateu baixinho: "Que tipo de bordéis você já frequentou para saber que eles têm luzes piscando?", e ela então ergueu as sobrancelhas e, de repente, exigiu saber: "Que tipo de bordéis *você* frequentou, já que sabe exatamente como eles são...?", e a briga terminou com ele indo até a varanda e tirando as malditas luzes. Mas ele não se deu ao trabalho de levar a caixa para o depósito no porão, deixou-a no patamar do lado de fora da porta de seu apartamento. Depois, ele e a mulher foram para a casa dos pais dela comemorar o Ano-Novo e discutir sobre bordéis. A caixa ficou do lado de fora da porta, no andar de baixo do apartamento que acabou sendo palco de um drama de reféns. Quando o carteiro do início desta história subiu as escadas e, de repente, avistou o assaltante de banco armado entrando no apartamento aberto para visitação, obviamente não conseguiu descer as escadas rápido o bastante e tropeçou na caixa, que virou acidentalmente, deixando os fios à vista.

Não parecia uma bomba, realmente não parecia, parecia uma caixa virada de luzes de Natal. De um bordel. Mas, em defesa de Jim, talvez pudesse parecer uma bomba, ainda mais se de bomba você só ouviu falar, nunca viu uma. Ou um bordel. É como se você tivesse pavor de cobras e, sentado no vaso sanitário, sentisse, de repente, uma leve corrente de ar nas costas e pensasse na mesma hora: *Cobra!* Obviamente, isso não é lógico nem plausível, mas se fobias fossem lógicas e plausíveis não seriam chamadas de fobias. Jim tinha muito mais medo de bombas do que de luzes de Natal, e, em momentos assim, seu cérebro e seus olhos podem não entrar num acordo. Esse é o problema aqui.

Então os dois policiais estavam parados na rua. Jim procurando por conselhos no Google e Jack telefonando para o proprietário do apartamento onde os reféns estavam para saber o número aproximado de pessoas que poderiam estar lá. O proprietário era uma proprietária, uma mãe com sua jovem família que morava numa cidade completamente diferente. Ela disse que o apartamento havia sido passado para ela por herança e que não ia lá pessoalmente fazia muito tempo. Não comentou nada sobre a visita dos interessados na compra do imóvel. "A corretora de imóveis está encarregada de tudo isso", disse ela. Em seguida, Jack ligou para a delegacia de polícia e falou com a mulher da cafeteria, que era casada com o carteiro, que foi a primeira pessoa a dar o alarme sobre o assaltante de banco. Infelizmente, Jack não descobriu muito mais, exceto o fato de que o assaltante de banco estava "mascarado e era baixinho. Não muito baixo, mas baixo normal! Talvez mais normal do que baixo! Mas o que é normal?".

Jack tentou bolar um plano com base nessas informações escassas, mas não foi muito longe porque seu chefe ligou e — quando Jack não pôde apresentar-lhe um plano imediato — este chefe ligou para o chefe do chefe, e o chefe do chefe do chefe, e todos os chefes concordaram, natural e previsivelmente, que talvez fosse melhor se ligassem para Estocolmo de uma vez. Todos eles, exceto Jack, é claro, que queria cuidar de algo sozinho pela primeira vez na vida. Ele sugeriu que os chefes deixassem que ele e Jim subissem as escadas e fossem ao apartamento para ver se podiam fazer contato com o assaltante de banco. Os chefes concordaram, apesar de suas dúvidas, porque Jack era basicamente o tipo de policial em que os outros policiais confiavam. Mas Jim estava ao lado dele e ouviu quando um dos chefes gritou na linha que eles deveriam "tomar muito cuidado e certificar-se de que não havia explosivos ou outra merda nas escadas, porque pode não ser uma situação de reféns, pode ser um incidente terrorista! Vocês viram alguém carregando algum pacote suspeito? Alguém com barba?". Jack não se incomodou com isso, porque era jovem. Mas Jim ficou seriamente incomodado, porque ele era o pai de alguém.

O elevador estava enguiçado, então ele e Jack subiram pelas escadas e, na subida, bateram em todas as portas para ver se algum dos vizinhos ainda estava no prédio. Ninguém estava em casa, porque um dia antes da véspera de Ano-Novo quem tinha que trabalhar estava trabalhando, e quem não tinha que trabalhar tinha coisas melhores para fazer, e quem não tinha deve ter ouvido as sirenes, visto os repórteres e policiais pela varanda e saído para ver o que estava acontecendo. (Alguns deles estavam com medo de que houvesse uma cobra solta no prédio, porque recentemente houve boatos na internet de que uma cobra havia sido encontrada em um banheiro num bloco de apartamentos na cidade vizinha, então era esse o nível de probabilidade de dramas de reféns naquela região.)

Quando Jack e Jim chegaram ao andar onde estava a caixa e os fios, Jim sentiu tanto medo que deu um mau jeito nas costas (aqui, deve-se observar que Jim há pouco tempo dera um mau jeito nas costas no mesmo lugar ao espirrar inesperadamente, mas ainda assim). Ele puxou Jack para trás e sibilou:

— Uma BOMBA!

Jack revirou os olhos do jeito que só os filhos sabem fazer.

— Isso não é uma bomba.

— Como sabe disso? — Jim quis saber.

— Bombas não são assim — Jack respondeu.

— Talvez seja isso que a pessoa que fez a bomba quer que você pense.

— Pai, controle-se, isso não é...

Se fosse qualquer outro colega, Jim provavelmente o teria deixado subir as escadas. Talvez seja por isso que algumas pessoas acham que é uma má ideia pais e filhos trabalharem juntos. Porque Jim disse em vez disso:

— Não, vou ligar para Estocolmo.

Jack nunca lhe perdoou por isso.

Os chefes, os chefes dos chefes e quem estava acima deles na hierarquia de dar ordens imediatamente deram a ordem para que os dois policiais voltassem para a rua e esperassem por reforços. Obviamente, não foi fácil encontrar reforços, mesmo nas grandes cidades, porque que imbecil assalta um banco na véspera da véspera de Ano-Novo? E que imbecil faz reféns num apartamento que está sendo visitado por interessados em comprá-lo? "E que imbecil vai ver um apartamento para comprar um dia antes da...?", como pensou um dos chefes, e assim continuaram por um bom tempo no rádio. Em seguida, o negociador vindo de Estocolmo ligou para o celular de Jack para dizer que assumiria o comando de toda a operação. Ele estava agora em um carro, a várias horas de distância, mas Jack precisava entender muito claramente que ele deveria apenas "conter a situação" até que o negociador chegasse. O negociador falou com um sotaque que definitivamente não era de Estocolmo, mas isso não importava, porque, se você perguntasse a Jim e Jack, eles diriam que ser de Estocolmo era mais um estado de espírito do que uma descrição de origem geográfica. "Nem todos os idiotas são de Estocolmo, mas todos os de Estocolmo são idiotas", como costumavam dizer na delegacia. O que era uma afirmação extremamente injusta. Porque é possível deixar de ser idiota, mas você não pode deixar de ser natural de Estocolmo.

Depois de falar com o negociador, Jack ficou ainda mais furioso do que da última vez em que teve que falar com um funcionário de atendimento ao cliente de seu provedor de internet. Jim, por sua vez, sentiu o peso da responsabilidade pelo fato de que seu filho não teria a chance de mostrar que poderia prender o assaltante de banco sozinho. Todas as suas decisões pelo resto do dia seriam governadas por esses sentimentos.

— Desculpe, filho, eu não quis dizer... — Jim começou timidamente, sem saber como ia concluir a frase sem admitir que, se Jack fosse filho de qualquer outro homem, Jim provavelmente teria concordado que não era uma bomba. Mas você não corre nenhum risco se o filho for seu.

— Agora não, pai! — Jack respondeu mal-humorado, porque ele estava falando com o chefe de seu chefe ao telefone novamente.

— O que você quer que eu faça? — Jim perguntou, porque ele precisava ser necessário.

— Você pode começar tentando localizar as pessoas que moram nos apartamentos vizinhos, aquelas que não encontramos por sua causa e de sua "bomba", para que a gente possa saber se o resto do prédio está vazio! — Jack rebateu.

Jim assentiu, arrasado. Ele procurou os números de telefone no Google. Primeiro, o dono do apartamento no andar em que Jim tinha visto a bomba. Um homem atendeu dizendo que ele e sua esposa não estavam ali, e quando a esposa retrucou: "Quem é?", irritada no fundo, e o homem revidou: "É do bordel!", Jim não entendeu nada, então perguntou se havia alguém no apartamento deles. Quando o homem disse que não, Jim não quis preocupá-lo falando da bomba, e também não havia como o homem saber naquele momento que se ele tivesse dito: "A propósito, aquela caixa no patamar contém luzes de Natal", então toda a história teria mudado de figura instantaneamente, mas o homem perguntou apenas: "Mais alguma coisa?", e Jim disse: "Não, não, acho que é tudo", agradeceu e desligou.

Em seguida, ligou para os proprietários do apartamento no alto do prédio, aquele que ficava no mesmo andar do apartamento em que o drama dos reféns estava acontecendo. Descobriu que os proprietários eram um jovem casal de vinte e poucos anos, estavam se separando e os dois haviam se mudado. "Então o apartamento está vazio?", Jim perguntou, aliviado. Estava, mas em duas conversas paralelas Jim ainda teve o que ouvir, porque os dois jovens de vinte e poucos anos botaram na cabeça que Jim gostaria de saber por que eles se separaram. O caso era que um deles não convivia com o fato de o outro usar sapatos tão feios, e o outro perdeu o interesse porque o primeiro babava a pasta ao escovar os dentes, e que ambos prefeririam um parceiro que não fosse tão baixo. Um disse que a relação estava condenada porque o outro gostava de coentro, então Jim perguntou: "E você não gosta?", apenas para receber a resposta: "Sim, mas não tanto quanto ela!" O outro disse que eles começaram a se odiar depois de uma discussão que, pelo que Jim pôde entender, começou quando eles não conseguiram encontrar um espremedor de frutas de uma cor que os refletisse como indivíduos, mas também como casal. Foi quando perceberam que não poderiam viver juntos nem mais um minuto, e agora se odiavam. Jim percebeu que os jovens de hoje tinham escolhas demais, este era o problema — se todos esses aplicativos de namoro modernos existissem quando a mulher de Jim o conheceu, ela nunca teria se casado com ele. Se você está constantemente diante de alternativas, nunca poderá se decidir, Jim pensou. Como alguém poderia viver com o estresse de saber que, enquanto seu parceiro estava no banheiro, ele poderia estar deslizando a tela para a direita ou para a esquerda e encontrando sua alma gêmea? Uma geração inteira acabaria tendo infecções do trato urinário porque tinha que ficar esperando para fazer xixi até que a carga do celular de seu parceiro acabasse. Mas obviamente Jim não disse nada disso, apenas perguntou uma última vez: "Quer dizer que o apartamento está vazio?"

Cada um deles confirmou que sim. Tudo o que restou no local foi um espremedor na cor errada. O apartamento seria colocado à venda no Ano-Novo, com uma imobiliária cujo nome nenhum deles conseguia se lembrar, apenas que era "muito cafona, tipo piada de pai cafona!". O outro confirmou: "Quem deu o nome àquela imobiliária tem um senso de humor pior do que os cabeleireiros! Você sabia que tem um aqui chamado 'The Upper Cut'? Como assim, tipo o quê?"

Então, Jim desligou. Ele achou que era uma pena que aqueles dois tivessem se separado, porque se mereciam.

Ele foi até Jack e tentou contar a ele sobre isso, mas Jack apenas disse:

— Agora não, pai! Você conseguiu falar com os vizinhos?

Jim fez que sim.

— Tem alguém em casa? — Jack perguntou.

Jim fez que não.

Gente ansiosa

— Eu só queria dizer que... — ele começou a falar, mas Jack interrompeu-o e retomou a conversa com seu chefe.

— Agora não, pai!

Então, Jim não disse mais nada.

―――

E depois? Bem, depois tudo saiu de controle, pouco a pouco. Todo o drama dos reféns durou várias horas, porque o negociador ficou preso no trânsito por conta do pior engavetamento múltiplo do ano na autoestrada ("Deve ser essa gente de Estocolmo que viaja sem usar pneus adequados para a neve", declarou Jim com conhecimento de causa), então ele nunca chegava. Jim e Jack tiveram que lidar com a situação sozinhos, o que não foi livre de complicações, porque levou muito tempo até conseguirem estabelecer contato com o assaltante de banco (culminando com Jack recebendo uma grande pancada na cabeça, que por si só é uma longa história). Mas eles acabaram conseguindo um telefone dentro do apartamento (que é uma história ainda mais longa), e, depois que o assaltante de banco libertou todos os reféns e o negociador fez uma ligação para aquele telefone, foi quando o tiro de pistola foi ouvido de dentro do apartamento.

Várias horas depois, Jack e Jim ainda estavam sentados na delegacia de polícia, entrevistando todas as testemunhas. O que não ajudou em nada, é claro, porque pelo menos uma delas não estava dizendo a verdade.

22

A verdade é que o assaltante de banco fez um esforço ridículo para não apontar a arma para ninguém dentro do apartamento, para não assustar ninguém. Mas a primeira pessoa para quem o assaltante de banco *acidentalmente* apontou a pistola foi uma mulher chamada Zara. Ela tem cinquenta e alguma coisa e veste-se com o mesmo primor daquelas pessoas que se tornaram financeiramente independentes à custa da dependência financeira de outras pessoas.

O curioso é que, quando o assaltante de banco entrou correndo aos trancos e acabou brandindo a pistola de tal forma que Zara se viu olhando diretamente para o cano da arma, ela nem pareceu assustada. Outra mulher no apartamento, por outro lado, soltou um grito de pânico: "Ah, meu Deus, estamos sendo assaltados!" O que pareceu um pouco estranho, porque o assaltante de banco não tinha a menor intenção de transformar a cena num assalto. Obviamente, ninguém gosta de ser tratado de forma preconceituosa, e o fato de você estar segurando uma arma não o torna automaticamente um assaltante de banco, e, mesmo que seja, você ainda pode ser um assaltante de banco sem necessariamente querer roubar indivíduos. Então, quando a outra mulher gritou "Pegue seu dinheiro, Roger!" para o marido, o assaltante de banco não pôde deixar de se sentir um tanto insultado. Não sem razão. Então um homem de meia-idade que estava perto da janela vestido com uma camisa xadrez — Roger, evidentemente — disse, mal-humorado: "Nós não temos dinheiro!"

Gente ansiosa

O assaltante de banco estava prestes a protestar, mas avistou uma imagem refletida na janela da varanda. Uma pessoa com rosto mascarado e uma arma na mão, e as outras pessoas na sala. Uma delas era uma mulher bem idosa. Outra estava grávida. Uma terceira parecia prestes a chorar. Todas olhando para a pistola, olhos insanos de medo, mas pelo reflexo nenhum olhar era mais insano do que o que estava por trás dos buracos da máscara de esqui. Então o assaltante de banco chegou a uma conclusão avassaladora: *Não são eles os reféns aqui. Sou eu.*

A única pessoa que nem de longe parecia assustada era Zara. Foi quando eles ouviram o som das primeiras sirenes da polícia vindo pela rua.

23

Entrevista com Testemunha
Data: 30 de dezembro
Nome da testemunha: Zara

JIM: Olá! Meu nome é Jim!

ZARA: Sim, sim, está bem. Vamos logo com isso.

JIM: Então, estou aqui para registrar sua versão do que aconteceu. Conte-me com suas próprias palavras.

ZARA: As palavras de quem mais eu usaria?

JIM: Bem, sim, certo. Foi apenas uma força de expressão, imagino. Mas, primeiro, gostaria de alertá-la de que tudo o que disser aqui está sendo gravado. E você pode requisitar a presença de um advogado, se quiser.

ZARA: Por que eu ia querer um advogado?

JIM: Só queria que soubesse disso. Meus chefes dizem que os chefes deles dizem que é importante que tudo seja feito corretamente. Vamos receber uma equipe de investigadores especiais de Estocolmo que vai assumir esta investigação. Meu filho está furioso com isso, ele também é um policial, sabe. Então eu só queria que você soubesse do seu direito de ter um advogado presente.

ZARA: Escute, eu pagaria por um advogado se *eu* tivesse ameaçado alguém com uma arma. Não quando sou eu a ameaçada.

JIM: Eu entendo. Certamente não tive a intenção de ser impertinente, claro que não. Eu sei que você teve um dia difícil, sei disso. Você apenas precisa responder a todas as minhas perguntas da forma mais franca possível. Gostaria de um café?

Gente ansiosa

ZARA: É assim que você chama aquilo? Eu vi o que saiu daquela máquina lá fora, e eu não beberia aquela coisa mesmo que você e eu fôssemos as últimas pessoas no planeta e você me prometesse que era veneno.

JIM: Não sei se isso é mais um insulto a mim ou ao café.

ZARA: Você disse que queria que eu respondesse às suas perguntas com franqueza.

JIM: Sim, suponho que sim, não é? Bem, posso começar perguntando por que você estava no apartamento?

ZARA: Que pergunta idiota. Você é quem estava nas escadas quando fomos libertados?

JIM: Sim, era eu.

ZARA: Então você foi o primeiro a entrar no apartamento depois que nós saímos? E você ainda assim conseguiu deixar o assaltante de banco escapar?

JIM: Na verdade, eu não fui o primeiro a entrar. Esperei por Jack, meu colega. Você deve ter visto ele primeiro. Ele foi o primeiro homem a entrar no apartamento.

ZARA: Todos vocês, policiais, são parecidos, sabiam disso?

JIM: Jack é meu filho. Talvez seja por isso.

ZARA: Jim e Jack?

JIM: Sim. Como Jim Beam e Jack Daniel's.

ZARA: Isso é para ser engraçado?

JIM: Não, não. Minha mulher também nunca achou engraçado.

ZARA: Então você é casado? Meus parabéns.

JIM: Sim, talvez isso não seja totalmente relevante neste momento. Você pode me dar uma breve explicação de por que estava visitando o apartamento?

ZARA: Foi uma visita a um imóvel à venda. Essa frase também é difícil de entender?

JIM: Então você estava lá para ver o apartamento?

ZARA: Você é tão afiado quanto uma caixa de flocos encharcada, não é?

JIM: Isso significa que sim?
ZARA: Significa o que significa.
JIM: O que quero dizer é: você planejava *comprar* o apartamento?
ZARA: Você é corretor de imóveis ou policial?
JIM: Só quero dizer que seria fácil supor que você pode ser um pouco rica demais para se interessar por aquele apartamento.
ZARA: Ah, seria, é?
JIM: Bem, o que quero dizer é que meus colegas e eu podemos pensar assim. Um deles, pelo menos. Meu filho, quero dizer. Com base em algumas declarações de testemunhas, quero dizer. Você parece uma pessoa muito bem de vida, é a isso que me refiro. E, à primeira vista, este apartamento não parece o tipo de imóvel que alguém como você gostaria de comprar.
ZARA: Ouça, o problema da classe média é achar que alguém possa ser rico demais para comprar certas coisas. O que não é verdade. Você só pode ser pobre demais.
JIM: Bem, talvez devêssemos prosseguir. Por falar nisso, eu soletrei seu sobrenome de forma correta?
ZARA: Não.
JIM: Não?
ZARA: Mas há uma razão perfeitamente lógica para você ter soletrado errado.
JIM: Ah, é?
ZARA: Sim, pelo simples fato de que você é um idiota.
JIM: Desculpe. Você pode soletrar para mim?
ZARA: I-d-i-o-t-a.
JIM: Estou me referindo ao seu nome.
ZARA: Nós ficaríamos aqui a noite toda, e alguns de nós realmente temos muito trabalho importante para fazer, então por que não faço um resumo para você? Um lunático com uma arma de fogo na mão prendeu a mim e a um grupo de pobres e menos abastados reféns por metade de um dia, você e seus colegas

cercaram o prédio, e tudo passou na televisão, mas ainda assim vocês conseguiram deixar o assaltante escapar. Agora, por exemplo, você poderia ter priorizado estar lá fora nas ruas tentando encontrar o assaltante de banco mencionado, mas em vez disso está sentado aqui suando porque nunca viu um sobrenome com mais de três consoantes antes. Seus chefes não poderiam fazer meus impostos desaparecerem mais rápido se eu lhes desse fósforos.

JIM: Suponho que você esteja abalada.

ZARA: Isso é muito inteligente da sua parte.

JIM: Só quis dizer que está em choque. Afinal, ninguém espera ser ameaçado com uma arma quando vai visitar um apartamento, não é? Os jornais podem continuar dizendo que o mercado imobiliário está difícil hoje em dia, mas fazer reféns talvez seja ir *um pouco* longe demais. Quer dizer, os jornais dizem um dia que é um "mercado comprador", no dia seguinte que é um "mercado vendedor", mas no final certamente é sempre apenas o maldito mercado bancário? Você não acha?

ZARA: Isso é para ser uma piada?

JIM: Não, não, é para ser uma conversa casual. Só quero dizer que, do jeito que a sociedade está hoje em dia, o assaltante de banco teria recursos policiais muito mais limitados destinados à procura dele se realmente tivesse conseguido roubar aquele banco do que se ele, como foi o caso aqui, fizesse todos vocês de reféns. Quer dizer, todo mundo odeia os bancos. É como as pessoas costumam dizer: "Às vezes é difícil saber quem são os maiores bandidos, se são os assaltantes de bancos ou os donos dos bancos."

ZARA: As pessoas dizem isso?

JIM: Sim. Acho que sim. Elas dizem isso, não é? Eu li no jornal ontem sobre quanto esses diretores de bancos ganham. Eles moram em casas do tamanho de

	palácios que valem cinquenta milhões, enquanto pessoas comuns mal conseguem pagar uma hipoteca.
ZARA:	Posso fazer uma pergunta?
JIM:	Claro.
ZARA:	Por que gente como você sempre acha que pessoas bem-sucedidas devem ser punidas por seu sucesso?
JIM:	O quê?
ZARA:	Vocês fazem algum tipo de RPG de conspiração avançada na Academia de Polícia, onde são levados a pensar que policiais ganham a mesma coisa que diretores de bancos, ou vocês simplesmente não são capazes de fazer um pouco de matemática básica?
JIM:	Sim, bem. Quer dizer, não.
ZARA:	Ou vocês apenas acham que o mundo deve algo a vocês?
JIM:	Acabei de me lembrar, eu ainda não perguntei o que você faz da vida.
ZARA:	Sou diretora de um banco.

24

A verdade é que Zara, que parece ter pouco mais de cinquenta anos, mas exatamente quanto ninguém jamais ousou perguntar, nunca esteve interessada em comprar o apartamento. Não porque não pudesse pagar, é claro, ela provavelmente poderia tê-lo comprado com os trocados que encontrava entre as almofadas do sofá em seu próprio apartamento. (Zara considerava as moedas pequenos e repulsivos paraísos de bactérias que são tocados por sabe-se lá quantos dedos da classe média, e ela preferiria queimar as almofadas do sofá a pegar uma; então coloquemos assim: ela sem dúvida poderia ter comprado aquele apartamento que valia o preço do seu sofá.) Assim, ela foi visitar o imóvel com o nariz já meio torto, usando brincos de diamante grandes o bastante para nocautear uma criança de porte médio, se necessário. Mas nem mesmo isso, se você olhasse bem de perto, podia esconder a dor que corria dentro dela.

A primeira coisa que precisamos entender aqui é que Zara começou a consultar uma psicóloga recentemente, porque Zara exerce um tipo de carreira que, se dura muito tempo, às vezes a pessoa vai precisar procurar ajuda profissional para obter uma orientação sobre o que poderia fazer da própria vida além de ter uma carreira. Sua primeira sessão com a psicóloga não foi muito auspiciosa. Zara começou pegando uma fotografia emoldurada sobre a mesa:

— Quem é?

A psicóloga respondeu:

— Minha mãe.

Zara perguntou:

— Você se dá bem com ela?

A psicóloga respondeu:

— Ela faleceu há pouco tempo.

Zara perguntou:

— E como era seu relacionamento com ela antes disso?

A psicóloga notou que uma resposta mais normal teria sido oferecer condolências pela morte de sua mãe, mas tentou manter uma expressão neutra e disse:

— Não estamos aqui para falar de mim.

Ao que Zara respondeu:

— Se vou deixar meu carro com um mecânico, primeiro quero saber se o próprio carro dele não é uma carcaça imprestável.

A psicóloga respirou fundo.

— Sei. Então, deixe-me apenas dizer que minha mãe e eu tínhamos um relacionamento muito bom. Está melhor assim?

Zara assentiu com ceticismo e perguntou:

— Algum de seus pacientes já cometeu suicídio?

A psicóloga comprimiu o corpo e respondeu:

— Não.

Zara deu de ombros e acrescentou:

— Até onde você sabe.

Isso foi algo bastante cruel de se dizer a uma psicóloga. Entretanto, a psicóloga se recuperou rápido o suficiente para dizer:

— Eu me formei há relativamente pouco tempo. Não tive muitos pacientes, mas sei que todos ainda estão vivos. Por que você está fazendo essas perguntas?

Zara olhou para a única foto nas paredes do consultório, franziu os lábios pensativamente e disse, com uma franqueza surpreendente:

— Eu quero saber se você pode me ajudar.

A psicóloga pegou uma caneta, deu um sorriso profissional e disse:

— Com o quê?

Zara respondeu que estava tendo "problemas para dormir". Seu médico receitou comprimidos para dormir, mas agora ele se recusava a prescrever mais, a menos que ela falasse com um psicólogo primeiro.

— Então, aqui estou eu — Zara declarou e bateu no relógio, como se ela fosse paga por hora e não o contrário.

A psicóloga perguntou:

— Você acha que sua dificuldade para dormir tem relação com seu trabalho? Você disse no telefone que é diretora de um banco. Talvez seja um trabalho estressante e de muita pressão.

Zara respondeu:

— Na verdade, não.

A psicóloga suspirou e perguntou:

— O que você espera realizar em nossas sessões?

Zara rebateu de pronto com uma pergunta:

— Vamos fazer psiquiatria ou psicologia?

A psicóloga perguntou:

— E você sabe qual é a diferença?

Zara respondeu:

— Uma pessoa precisa de psicologia se acha que é um golfinho. Vai precisar de psiquiatria se matou todos os golfinhos.

A psicóloga ficou constrangida. Na próxima vez que se encontraram, ela não estava usando seu broche de golfinho.

Na segunda sessão, Zara perguntou, do nada:

— Como você explicaria as crises de pânico?

A psicóloga esclareceu daquele jeito que só os psicólogos sabem fazer diante de uma pergunta dessa:

— Elas são difíceis de definir. Mas, segundo a maioria dos especialistas, as crises de pânico são a experiência de...

Zara interrompeu:

— Não, quero saber como *você* as explicaria!

A psicóloga se remexeu desconfortavelmente na cadeira e ponderou várias respostas diferentes. Por fim, disse:

— Eu diria que uma crise de pânico é quando a dor psicológica se torna tão forte que se manifesta fisicamente. A ansiedade se torna tão aguda que o cérebro não consegue... Bem, na ausência de palavras melhores, eu diria que o cérebro não tem velocidade de dados o suficiente para processar todas as informações. O firewall entra em colapso, por assim dizer. E a ansiedade nos domina por completo.

— Você não é muito boa na sua profissão — Zara respondeu secamente.

— Em que sentido?

— Eu já sei mais sobre você do que você sobre mim.

— É mesmo?

— Seus pais trabalhavam com computadores. Programadores, possivelmente.

— Mas como... como você soube *disso*?

— Foi difícil lidar com a vergonha? O fato de eles terem trabalhado com coisas que tinham uma aplicação tangível no mundo real, enquanto você trabalha com...

Zara ficou em silêncio abruptamente e parecia estar procurando as palavras certas. Então a psicóloga, um tanto afrontada, completou:

— ... sentimentos? Eu trabalho com sentimentos.

— Eu ia dizer "adornos". Mas tudo bem, vamos dizer "sentimentos", se isso faz você se sentir melhor.

— Meu pai é programador. Minha mãe era analista de sistemas. Como você sabia?

Zara gemeu como se estivesse tentando ensinar uma torradeira a ler.

— E isso importa?

— Sim!

Zara gemeu para a torradeira novamente.

— Quando pedi que explicasse as crises de pânico com suas próprias palavras, não com a definição que aprendeu na faculdade, você usou as palavras "velocidade de dados", "processar" e "firewall". Palavras que não se encaixam facilmente no vocabulário comum, geralmente elas vêm dos pais. Se houve um bom relacionamento com eles.

A psicóloga tentou recuperar a iniciativa na conversa:

— É por isso que você é boa no seu trabalho no banco? Porque é capaz de ler as pessoas?

Zara esticou as costas como um gato entediado.

— Querida, você não é tão difícil de ler. Pessoas como você nunca são tão complicadas quanto gostariam, ainda mais as que frequentaram uma universidade. Sua geração não quer estudar um assunto, vocês só querem estudar a si mesmos.

A psicóloga pareceu um tanto ofendida. Possivelmente mais do que nunca.

— Estamos aqui para falar de *você*, Zara. O que espera conseguir com isso?

— Comprimidos para dormir, como eu disse antes. De preferência os que podem ser ingeridos com vinho tinto.

— Não posso prescrever comprimidos para dormir. Só seu médico pode fazer isso.

— O que estou fazendo aqui, então? — Zara questionou.

— Você é a pessoa mais indicada para responder isso — a psicóloga rebateu.

Esse foi o nível em que o relacionamento das duas começou. A partir daí, foi ladeira abaixo. Mas vale observar desde já que não foi nada difícil para a psicóloga fazer um diagnóstico desta nova paciente: Zara sofria de solidão. Mas, em vez de dizer isso (a psicóloga não se atolou em mais de meia década de dívidas estudantis só para aprender a dizer o que pensa), a psicóloga explicou que Zara demonstrava sinais de estar com "esgotamento nervoso".

Zara não tirou os olhos do feed de notícias em seu celular enquanto respondia:

— Sim, bem, estou esgotada porque não consigo dormir, então me passe uns comprimidos para dormir!

A psicóloga não queria passar coisa nenhuma. Em vez disso, começou a fazer perguntas, com a intenção de ajudar Zara a enxergar sua própria ansiedade em um contexto mais amplo. Uma delas foi:

— Você está preocupada com a sobrevivência do planeta?

Zara respondeu:

— Na verdade, não.

A psicóloga sorriu cordialmente.

— Deixe-me colocar assim: qual você acha que é o maior problema do mundo?

Zara acenou com a cabeça rapidamente e respondeu como se a resposta fosse óbvia:

— Os pobres.

A psicóloga a corrigiu amigavelmente:

— Você quer dizer... a *pobreza*.

Zara deu de ombros.

— Pode ser. Se for melhor para você.

Quando elas se despediram, Zara não deu um aperto de mãos. Na saída, ela trocou de posição uma fotografia na estante da psicóloga e reordenou três livros. Psicólogos não deveriam ter pacientes favoritos, mas se esta psicóloga tivesse um definitivamente não seria Zara.

Foi só na terceira sessão que a psicóloga percebeu como Zara estava mal. Foi logo depois que Zara explicou que "a democracia como sistema está condenada, porque os idiotas acreditarão em qualquer coisa, desde que a história seja boa o suficiente". A psicóloga fez o possível para ignorar o comentário e perguntou a Zara sobre sua infância e seu trabalho, questionando repetidamente como Zara "se sente". *Como você se sente quando isso acontece? Como você se sente falando sobre isso? Como você se sente quando pensa em como se sente, isso é difícil?* Então, no final, Zara sentiu algo.

Elas ficaram falando sobre outra coisa por um longo tempo, e, de repente, Zara parecia estar olhando bem dentro dela e, quando falou, sussurrou as palavras, como se sua voz não fosse mais sua.

— Estou com câncer.

O silêncio na sala foi tão pesado que se podia ouvir os batimentos cardíacos das duas mulheres. Os dedos pousando sobre o bloco de notas, a respiração cada vez mais superficial, os pulmões enchendo-se não mais do que um terço a cada respiração, com medo de fazer barulho.

— Sinto muito saber disso — a psicóloga disse por fim, com a voz trêmula e uma dignidade cuidadosamente profissional.

— Eu também sinto muito. E me deprimo, na verdade — Zara disse, enxugando os olhos.

— Que... que tipo de câncer? — a psicóloga perguntou.

— E isso importa? — Zara sussurrou.

— Não. Não, claro que não. Desculpe. Foi insensível da minha parte.

Zara olhou pela janela, sem ver nada de verdade, por tanto tempo que a luz de fora parecia ter tempo para mudar. Da manhã para o meio-dia. Em seguida, ela ergueu ligeiramente o queixo e disse:

— Você não precisa se desculpar. É um câncer inventado.

— Como assim...?

— Eu não tenho câncer nenhum. Eu menti. Mas era isso que eu estava dizendo: a democracia não funciona!

E foi então que a psicóloga percebeu que Zara era uma pessoa muito doente.

— Isso é um... um assunto delicado demais para se brincar — ela conseguiu dizer.

Zara ergueu as sobrancelhas.

— Então seria melhor se eu estivesse com câncer?

— Não! O quê? Claro que não, mas...

— Certamente é melhor brincar com esse assunto do que ter câncer de verdade. Ou você prefere que eu esteja com câncer?

O pescoço da psicóloga ficou vermelho de indignação.

— Mas... não! Claro que não gostaria que você estivesse com câncer!

Zara juntou as mãos no colo e disse em tom sério:

— Mas é assim que estou me *sentindo*.

A psicóloga teve dificuldade de dormir naquela noite. Zara às vezes tem esse efeito nas pessoas. Na próxima vez que Zara foi ao consultório, a psicóloga havia retirado a fotografia de sua mãe da mesa, e, durante essa sessão, Zara chegou a pensar em contar a verdade sobre a causa de sua insônia. Ela trazia uma carta na bolsa que explicava tudo, e se a tivesse mostrado naquele dia, tudo que aconteceu depois disso poderia ter sido diferente. Mas, em vez disso, ela apenas ficou sentada por um longo tempo olhando para o quadro na parede. Era de uma mulher olhando para um mar sem fim, em direção ao horizonte. A psicóloga umedeceu os lábios e perguntou gentilmente:

— Em que você pensa quando olha esse quadro?

— Eu penso que, se eu tivesse que escolher apenas um quadro para colocar na parede, não seria esse.

A psicóloga deu um sorriso tenso.

— Costumo perguntar aos meus pacientes o que eles acham da mulher no quadro. Quem é ela? Ela está feliz? O que você acha?

Os ombros de Zara balançaram com indiferença.

— Não sei o que é a felicidade para ela.

A psicóloga não disse nada por um tempo antes de admitir:

— Nunca ouvi essa resposta antes.

Zara bufou.

— Isso porque você faz a pergunta como se houvesse apenas um tipo de felicidade. Mas felicidade é como dinheiro.

A psicóloga sorriu com a superioridade que só quem se considera uma pessoa muito profunda consegue.

— Isso parece superficial.

Zara resmungou como uma adolescente tentando explicar qualquer coisa para alguém que não fosse adolescente.

— Eu não disse que dinheiro é felicidade. Eu disse que felicidade é *como* dinheiro. Um valor inventado que representa uma coisa que não podemos pesar ou medir.

A voz da psicóloga vacilou, só por um instante.

— Bem... Sim, talvez. Mas podemos medir e avaliar o custo da depressão. E sabemos que é muito comum que as pessoas que sofrem de depressão tenham medo de se sentir felizes. Porque mesmo a depressão pode ser uma espécie de bolha segura, pode fazer você começar a pensar: *Se eu não estou infeliz, se não estou com raiva, quem sou eu então?*

Zara torceu o nariz.

— Você acredita nisso?

— Sim.

— Isso porque pessoas como você sempre olham para as pessoas mais ricas do que vocês e dizem: "Sim, elas podem ser mais ricas, mas são *felizes*?" Como se esse fosse o sentido da vida para qualquer um, exceto para um completo idiota, que já vive por aí sendo feliz o tempo todo.

A psicóloga anotou algo, depois perguntou, ainda olhando para o bloco de notas:

— Qual o sentido da vida, então? Na sua opinião?

A resposta de Zara foi a resposta de uma pessoa que passou muitos anos pensando nisso. Alguém que decidiu que, para ela, era mais importante fazer um trabalho relevante do que viver uma vida feliz.

— Ter um propósito. Um objetivo. Uma direção. E você quer saber a verdade? A verdade é que muito mais gente prefere ser rica do que feliz.

A psicóloga sorriu novamente.

— Diz a diretora de um banco à psicóloga.

Zara bufou novamente.

— Pode me lembrar novamente de quanto você ganha por hora? Posso vir aqui de graça se isso me deixa feliz?

A psicóloga soltou uma risada, uma risada involuntária, à beira do não profissional. Isso a surpreendeu tanto que ela corou. Ela fez uma tentativa débil de se recompor e disse:

— Não. Mas talvez eu deixasse você vir aqui de graça, se isso *me* deixasse feliz.

Então Zara, de repente, soltou uma risada, não conscientemente, mas como se o som tivesse escapado dela. Já fazia um tempo que isso não acontecia.

Elas ficaram sentadas em silêncio por um longo tempo depois disso, um tanto sem jeito, até que Zara finalmente apontou em direção à mulher na parede.

— O que você acha que ela está fazendo?

A psicóloga olhou para o quadro e piscou lentamente.

— O mesmo que todo mundo. Procurando.

— Pelo quê?

Os ombros da psicóloga subiram dois centímetros, depois baixaram quatro.

— Por algo em que se agarrar. Algo por que lutar. Algo pelo qual ansiar.

Zara tirou os olhos do quadro e olhou além da psicóloga, para fora da janela.

— E se ela estiver pensando em se matar?

A psicóloga não desviou o olhar do quadro, apenas sorriu e não revelou nenhum dos sentimentos que se agitavam dentro dela. Para dominar essa expressão facial, são necessários anos de treinamento e dois pais que você ama e não quer afligir nunca.

— Por que você acha que é nisso que ela está pensando?

— As pessoas inteligentes não pensam nisso de vez em quando?

A princípio, a psicóloga ia responder com alguma frase profissional que havia aprendido no seu treinamento, mas ela sabia que isso não ajudaria. Então, respondeu com franqueza:

— Sim. Talvez. O que você acha que nos impede?

Zara inclinou-se para a frente, moveu duas canetas na mesa para que ficassem paralelas e respondeu:

— Medo de altura.

Não há uma pessoa neste planeta que poderia dizer ali naquele momento com um pingo de certeza se ela estava brincando ou não. A psicóloga considerou sua próxima pergunta por um longo tempo.

— Posso perguntar, Zara, se você tem algum passatempo?

— Passatempo? — Zara repetiu, mas não de forma totalmente arrogante. A psicóloga elaborou melhor.

— Sim. Você está envolvida em alguma obra de caridade, por exemplo?

Zara balançou a cabeça em silêncio. A psicóloga pensou a princípio que fosse uma gentileza ela não ter apenas disparado de volta com um insulto, mas o olhar de Zara a fez hesitar, como se a pergunta tivesse caído e quebrado algo dentro dela.

— Você está bem? Eu disse algo de errado? — a psicóloga perguntou ansiosa, mas Zara já havia olhado a hora, se levantado e agora estava caminhando na direção da porta. A psicóloga, que não era psicóloga por tempo o suficiente para não entrar em pânico com a ideia de perder um paciente, descobriu-se dizendo algo bem pouco profissional:

— Não vá fazer nenhuma besteira!

Zara parou na porta, surpresa.

— Tipo o quê?

A psicóloga não soube o que dizer, então sorriu sem jeito e disse:

— Bem, não faça nenhuma besteira... antes de você pagar minha conta.

Zara soltou uma risada repentina. A psicóloga riu também. Foi mais difícil identificar até que ponto isso também foi pouco profissional.

Enquanto Zara estava no elevador, a psicóloga sentou-se em seu consultório olhando para a mulher na pintura, cercada pelo céu. Zara foi a primeira pessoa que sugeriu que a mulher poderia estar pensando em acabar com a própria vida, ninguém nunca vira o quadro dessa forma.

A própria psicóloga sempre sentiu que a mulher olhava para o horizonte de um modo que só podia ter duas explicações: expectativa ou medo. Foi por isso que ela pintou o quadro, como um lembrete para si mesma. Era o tipo de assunto que os psicólogos adoram, porque você pode olhar séculos para ele sem perceber a coisa mais óbvia. O fato de a mulher estar parada em uma ponte.

25

Entrevista com Testemunha (Continuação)

JIM: Agora estou me sentindo um idiota.

ZARA: Não creio que seja um sentimento novo para você.

JIM: Se eu soubesse que você era diretora de um banco, claro que não teria dito isso. Bem, quer dizer, de qualquer modo eu não deveria ter dito isso. Não sei bem o que dizer agora.

ZARA: Nesse caso, talvez eu possa simplesmente ir embora?

JIM: Não, espere. Olha, isso tudo é um pouco constrangedor. Minha mulher sempre me disse que eu deveria apenas manter minha boca fechada. Vou me limitar às perguntas de praxe de agora em diante, está bem?

ZARA: Vamos tentar.

JIM: Você pode descrever o assaltante? Qualquer coisa que possa lembrar dele, qualquer coisa que ache que pode ser útil para nossa investigação.

ZARA: Você já parece saber o mais importante.

JIM: Como o quê?

ZARA: Pela forma como fala, é evidente que sabe que se trata de um homem. Isso explica muita coisa.

JIM: Tenho a sensação de que acho que vou me arrepender de perguntar isso, mas posso saber por quê?

ZARA: Vocês não conseguem nem mijar sem errar o alvo. Obviamente, as coisas vão dar errado se pegarem uma pistola.

JIM: Posso interpretar isso como significando que você não se lembra de nenhum detalhe da aparência dele?

ZARA: Se alguém está usando uma máscara e apontando uma arma para você, um psicólogo provavelmente compa-

Gente ansiosa

raria o trauma a quase ser atropelado por um caminhão: é improvável que vá se lembrar do número na placa do veículo.

JIM: Devo dizer que é uma observação muito perspicaz.

ZARA: Isso é um alívio, porque o que você pensa realmente importa muito para mim. Posso ir agora?

JIM: Ainda não, infelizmente. Reconhece este desenho?

ZARA: É um desenho mesmo? Parece que alguém derrubou uma amostra de urina.

JIM: Vou interpretar isso como um não à questão de saber se você reconhece ou não o desenho.

ZARA: Muito inteligente da sua parte.

JIM: Em que local do apartamento você estava quando o assaltante entrou?

ZARA: Perto da porta da varanda.

JIM: E onde você ficou até os reféns serem libertados?

ZARA: Que diferença isso faz?

JIM: Muita diferença.

ZARA: Não consigo imaginar por quê.

JIM: Olha, você não é suspeita. Ainda não, de qualquer modo.

ZARA: Como é?

JIM: Veja bem. O que estou tentando fazer com que entenda é que você precisa tentar entender que meu colega está convencido de que um dos reféns ajudou o assaltante de banco a fugir. E parece estranho que você estivesse lá, para ser franco. Para início de conversa, você não tinha motivos para querer comprar o apartamento. E você não parece ter se assustado quando o assaltante apontou a arma para você.

ZARA: Então agora vocês suspeitam que *eu* ajudei o assaltante a fugir?

JIM: Não. Não, de forma alguma. Olha, você não é nem um pouco suspeita. Bem, ainda não, de qualquer modo. Quer dizer, você não é nem um pouco suspeita! Mas meu colega acha que tudo parece um pouco estranho.

ZARA:	Sério? Você sabe com o que eu acho que seu colega parece?
JIM:	Você pode me dizer o que aconteceu no apartamento, por favor? Para poder gravar? Esse é meu trabalho aqui.
ZARA:	Claro.
JIM:	Ótimo. Quantos compradores potenciais havia no apartamento?
ZARA:	Defina "compradores potenciais".
JIM:	Quero saber quantas pessoas queriam comprar o apartamento.
ZARA:	Cinco.
JIM:	Cinco?
ZARA:	Dois casais. Uma mulher.
JIM:	Além desses, você e a corretora de imóveis. Sete reféns no total?
ZARA:	Cinco mais dois são sete, sim. Você é muito inteligente.
JIM:	Mas havia oito reféns?
ZARA:	Você não contou o coelho.
JIM:	O coelho?
ZARA:	Você ouviu.
JIM:	Que coelho?
ZARA:	Quer que eu conte o que aconteceu ou não?
JIM:	Desculpe.
ZARA:	Você realmente acha que um dos reféns ajudou o assaltante de banco a fugir?
JIM:	Você não acha?
ZARA:	Não.
JIM:	Por que não?
ZARA:	Eram todos uns idiotas.
JIM:	E o assaltante?
ZARA:	Que é que tem o assaltante?
JIM:	Você acha que ele atirou em si mesmo intencionalmente ou por acidente?
ZARA:	Do que você está falando?

Gente ansiosa

JIM: Ouvimos um tiro de pistola vindo do apartamento, depois que vocês foram libertados. Quando entramos no apartamento, o chão estava coberto de sangue.

ZARA: Sangue? Onde?

JIM: No tapete e no chão da sala de estar.

ZARA: Ah. Em nenhum outro lugar?

JIM: Não.

ZARA: Ok.

JIM: Como?

ZARA: O quê?

JIM: Quando você disse "ok" parecia que ia dizer mais alguma coisa.

ZARA: Definitivamente não.

JIM: Desculpe. Bem, meu colega está convencido de que foi lá na sala que ele se matou. Era isso que eu ia dizer.

ZARA: E vocês ainda não sabem quem é o assaltante?

JIM: Não.

ZARA: Ouça, se você não explicar logo como podem suspeitar de que eu possa estar envolvida nisso, você vai acabar desejando que eu *tivesse* ligado para o meu advogado.

JIM: Ninguém suspeita de nada! Meu colega gostaria de saber por que você estava lá no apartamento, se sua intenção não era comprá-lo.

ZARA: Minha psicóloga disse que eu precisava de um passatempo.

JIM: Ver apartamentos à venda é seu passatempo?

ZARA: Pessoas como você são mais interessantes do que você possa imaginar.

JIM: Pessoas como eu?

ZARA: Pessoas da sua faixa socioeconômica. É interessante ver como vocês vivem. Como conseguem suportar. Visitei uns poucos apartamentos à venda, depois visitei mais alguns, é como heroína. Você já experimentou heroína? Você sente nojo de si mesmo, mas é difícil parar.

JIM:	Você está me dizendo que ficou viciada em ver apartamentos de pessoas que ganham muito menos do que você?
ZARA:	Sim. Como uma criança que prende passarinhos em potes de vidro. A mesma atração ligeiramente proibida.
JIM:	Você quer dizer insetos? As pessoas fazem isso com insetos.
ZARA:	Claro. Se isso faz você se sentir melhor.
JIM:	Então você estava nesse apartamento por mero passatempo?
ZARA:	Isso é uma tatuagem de verdade no seu braço?
JIM:	É.
ZARA:	É para ser uma âncora?
JIM:	É.
ZARA:	Você perdeu uma aposta ou algo assim?
JIM:	O que quer dizer com isso?
ZARA:	Alguém estava ameaçando sua família? Ou você fez isso voluntariamente?
JIM:	Voluntariamente.
ZARA:	Por que pessoas como você odeiam tanto o dinheiro?
JIM:	Sem comentários. Eu só gostaria que você me dissesse, para que possamos gravar, por que as outras testemunhas afirmaram que você não pareceu ter nem um pouco de medo quando viu a pistola do assaltante. Você achou que era de brinquedo?
ZARA:	Eu percebi na mesma hora que era real. É por isso que eu não estava com medo. Eu fiquei surpresa.
JIM:	É uma reação incomum a uma pistola.
ZARA:	Para você, talvez. Mas eu andei pensando em me matar por um bom tempo, então, quando vi a pistola, fiquei surpresa.
JIM:	Não sei o que dizer diante disso. Desculpe. Você estava pensando em se matar?
ZARA:	Estava. Então fiquei surpresa quando percebi que não queria morrer. Foi um choque.
JIM:	Você começou a fazer terapia por causa desses pensamentos suicidas?

Gente ansiosa

ZARA: Não. Eu precisava de um psicólogo porque estava com problemas para dormir. Porque eu costumava ficar acordada pensando que poderia me matar se tivesse comprimidos para dormir o suficiente.

JIM: E foi sua psicóloga quem sugeriu que você precisava de um passatempo?

ZARA: Foi. Isso foi depois de eu contar a ela sobre o meu câncer.

JIM: Ah. Lamento muito ouvir isso. Que triste.

ZARA: Ok, olhe…

26

Na vez seguinte em que a psicóloga e Zara se encontraram, Zara disse que havia de fato encontrado um passatempo. Ela começara a "visitar apartamentos de classe média". Disse que era muito divertido porque em vários apartamentos que viu parecia que as próprias pessoas que moravam lá faziam a limpeza. A psicóloga tentou explicar que não era bem isso que tinha em mente quando disse "envolvimento em obras de caridade", mas Zara respondeu que em uma das visitas que fez havia "um homem que estava pensando em reformar ele mesmo o apartamento, com suas próprias *mãos*, as mesmas mãos com que ele *come*, então não venha me dizer que não estou fazendo tudo o que posso para confraternizar com os membros mais desafortunados da sociedade!". A psicóloga ficou sem saber até como começar a responder a isso, mas Zara notou suas sobrancelhas arqueadas, o queixo caído, e bufou:

— Eu aborreci você agora? Jesus, é impossível não incomodar pessoas como você no momento em que a gente começa a dizer qualquer coisa.

A psicóloga assentiu com paciência e na mesma hora se arrependeu da pergunta que fez a seguir:

— Você pode me dar um exemplo de uma situação em que pessoas como *eu* ficaram aborrecidas com você sem que fosse sua intenção?

Zara deu de ombros e contou a história de como foi chamada de "preconceituosa" ao entrevistar um jovem para um emprego no banco, só porque o olhou quando ele entrou na sala e exclamou: "Ah! Pensei que você estava se candidatando a uma vaga no nosso departamento de TI, pessoas assim desse seu tipo costumam entender de computadores!"

Zara passou um longo tempo explicando à psicóloga que, na verdade, aquilo tinha sido um elogio. Hoje em dia fazer um elogio a alguém significa também que você tem preconceito?

A psicóloga tentou encontrar uma forma de abordar o assunto sem realmente falar sobre o assunto, então disse:

— Você parece se envolver em muitas desavenças, Zara. Uma técnica que eu recomendaria seria fazer a si mesma três perguntas antes de se exaltar. Primeira: Os atos da pessoa em questão têm a intenção de prejudicá-la pessoalmente? Segunda: Você tem todas as informações sobre a situação? Terceira: Você tem algo a ganhar com um conflito?

Zara inclinou tanto a cabeça que seu pescoço estalou. Ela compreendeu todas as palavras, mas a forma como foram colocadas numa frase fazia tanto sentido como se tivessem sido tiradas aleatoriamente de uma cartola.

— Por que eu precisaria de ajuda para evitar conflitos? Os conflitos são bons. Só os fracos acreditam na harmonia e, como recompensa, ficam flutuando pela vida com um sentimento de superioridade moral, enquanto o resto de nós se preocupa em fazer outras coisas.

— Como o quê? — a psicóloga quis saber.

— Em vencer.

— E isso é importante?

— Você não consegue nada se não vencer, querida. Ninguém termina na cabeceira de uma mesa de diretoria por acaso.

A psicóloga tentou encontrar o caminho de volta à sua pergunta original, fosse ela qual fosse.

— E... os vencedores ganham muito dinheiro, o que também é importante, eu presumo. O que você faz com o seu?

— Eu compro distância de outras pessoas.

A psicóloga nunca tinha ouvido essa resposta antes.

— O que quer dizer?

— Restaurantes caros têm um espaço maior entre as mesas. A primeira classe em aviões não tem assentos no meio. Hotéis exclusivos têm entradas separadas para os hóspedes alojados em suítes. A coisa mais cara que você pode comprar nos lugares mais densamente povoados do planeta é a distância.

A psicóloga recostou-se na cadeira. Não era difícil encontrar nos livros técnicos exemplos da personalidade de Zara: ela evitava contato visual, não cumprimentava com um aperto de mão, sua empatia — para usar um termo leve — deixava a desejar e talvez, por isso mesmo, optara por trabalhar com números. E ela não conseguia deixar de endireitar compulsivamente a fotografia na estante toda vez que a psicóloga a retirava da posição propositadamente antes de cada sessão. Era difícil perguntar diretamente esse tipo de coisa a alguém como Zara, então a psicóloga perguntou:

— Por que você gosta do seu trabalho?

— Porque sou analista. A maioria das pessoas que fazem o mesmo trabalho que eu faço são economistas — Zara respondeu de imediato.

— Qual a diferença?

— Os economistas só abordam os problemas diretamente. É por isso que economistas nunca preveem uma quebra do mercado de ações.

— E você está dizendo que os analistas conseguem prever?

— Os analistas *esperam* quebras. Os economistas só ganham dinheiro quando as coisas vão bem para os clientes do banco, enquanto os analistas ganham dinheiro o tempo todo.

— Isso faz você se sentir culpada? — a psicóloga perguntou, sobretudo para ver se Zara achava que a palavra "culpa" era um sentimento ou um item desnecessário não solicitado.

— É culpa do crupiê se você perde seu dinheiro no cassino? — Zara perguntou.

— Não tenho certeza se é uma comparação justa.

— Por que não?

— Porque você usa palavras como "quebra do mercado de ações", mas nunca é o mercado de ações ou os bancos que quebram. São as pessoas.

— Há uma explicação muito lógica para você pensar assim.

— É mesmo?
— É porque você acha que o mundo deve algo a você. Não deve nada.
— Você ainda não respondeu à minha pergunta. Eu perguntei por que você gosta do seu trabalho. Tudo o que você fez foi me dizer por que é *boa* nisso.
— Apenas os fracos gostam de seus empregos.
— Eu não acho que isso seja verdade.
— Isso é porque você gosta do seu trabalho.
— Você fala como se houvesse algo de errado nisso.
— Ficou aborrecida agora? Pessoas como você realmente parecem se aborrecer demais, e sabe por quê?
— Não.
— Porque você está errada. Se parasse de estar errada o tempo todo, não ficaria tão aborrecida.

A psicóloga olhou para o relógio em sua mesa. Ela ainda acreditava que o maior problema de Zara era sua solidão, mas talvez haja uma diferença entre solidão e falta de amigos. Mas, em vez de dizer isso, a psicóloga murmurou em tom resignado:

— Sabe de uma coisa... acho que agora pode ser um bom momento para pararmos.

Despreocupada, Zara assentiu e se levantou. Colocou a cadeira de volta sob a mesa com muita precisão. Ela estava meio de lado quando disse:

— Você acha que existem pessoas más? — A pergunta soou como se ela, na verdade, não quisesse deixar as palavras saírem.

A psicóloga fez o possível para não parecer surpresa. Ela conseguiu responder:

— Está me perguntando como psicóloga ou de uma perspectiva puramente filosófica?

Zara parecia estar falando com uma torradeira novamente.

— Enfiaram um dicionário no seu traseiro quando era criança ou você acabou assim por vontade própria? Apenas responda à pergunta: você acha que existem pessoas más?

A psicóloga remexeu-se tanto em sua cadeira que quase virou as calças do avesso.

— Eu provavelmente teria que dizer... sim. Acho que existem pessoas más.

— Você acha que elas sabem disso?

— O que quer dizer?

O olhar de Zara caiu sobre o quadro da mulher na ponte.

— Pela minha experiência, há muitas pessoas que são canalhas de verdade. Pessoas emocionalmente frias e insensíveis. Mas nem mesmo nós queremos acreditar que somos ruins.

A psicóloga refletiu sobre a resposta por um longo tempo antes de responder:

— Sim. Para ser sincera, acho que quase todos nós precisamos dizer a nós mesmos que estamos ajudando a tornar o mundo melhor. Ou, pelo menos, que não o estamos piorando. Que estamos do lado certo. Que mesmo... Eu não sei... Que talvez até nossas piores ações sirvam a algum tipo de propósito superior. Porque praticamente todo mundo distingue entre o bem e o mal, então, se violamos nosso próprio código moral, temos que inventar uma desculpa para nós mesmos. Acho que na criminologia isso é conhecido como técnicas de neutralização. Pode ser por convicção religiosa ou política, ou a crença de que não tínhamos escolha, mas precisamos de algo para justificar nossas más ações. Porque eu honestamente acredito que existem muito poucas pessoas que poderiam viver sabendo que são... *más*.

Zara não disse nada, apenas agarrou sua bolsa grande demais com força demais e, por apenas uma fração de segundo, parecia que estava prestes a confessar algo. Sua mão estava na metade do caminho para a carta. Ela até se permitiu, muito fugazmente, cogitar a possibilidade de confessar que mentira sobre seu passatempo. Ela não começara a ver apartamentos recentemente, ela já fazia isso há dez anos. Não era um passatempo, era uma obsessão.

Mas nenhuma palavra escapou. Ela fechou a bolsa, a porta se fechou atrás dela e a sala ficou em silêncio. A psicóloga permaneceu sentada em sua mesa, surpresa com a forma como se sentia confusa. Tentou fazer algumas anotações para a próxima sessão, mas se viu abrindo seu laptop e olhando os detalhes dos apartamentos à venda. Tentou descobrir qual deles Zara estaria pensando em visitar. O que era obviamente impossível, mas poderia ter sido simples se Zara tivesse explicado que todos os apartamentos que via deviam ter varanda, e que todas as varandas deviam ter uma vista que se estendia por todo o caminho até a ponte.

Nesse ínterim, Zara estava no elevador. Enquanto descia, ela apertou o botão de parada de emergência para chorar em paz. A carta em sua bolsa ainda estava fechada, Zara nunca ousara lê-la, pois sabia que a psicóloga tinha razão. Zara era uma das pessoas que, no fundo, não conseguiria ser capaz de viver sabendo o que sabia de si mesma.

27

Esta é uma história sobre um assalto a banco, uma visita a um apartamento e um drama de reféns. Mais do que isso, é uma história sobre idiotas. Mas talvez não seja só isso.

Dez anos atrás, um homem escreveu uma carta e enviou-a para uma mulher de um banco. Em seguida, deixou os filhos na escola, lhes disse baixinho que os amava, seguiu em frente sozinho e estacionou o carro perto da água. Daí subiu no corrimão de uma ponte e pulou. Uma semana depois, uma adolescente subiu no corrimão da mesma ponte.

Obviamente, não faz nenhuma diferença saber quem era a garota. Ela era apenas uma pessoa entre bilhões, e bilhões de pessoas nunca se tornam indivíduos para nós. São apenas pessoas. Não passamos de estranhos de passagem uns pelos outros, a ansiedade de um roçando brevemente a de outro enquanto as fibras de seus casacos se tocam por segundos numa calçada movimentada de algum lugar. Nunca sabemos de fato o que fazemos um ao outro, um com o outro, um pelo outro. Mas a adolescente na ponte chamava-se Nadia. Aconteceu uma semana depois que o homem saltou para a morte do corrimão onde ela estava. Ela não sabia quase nada sobre o homem, mas frequentava a mesma escola que os filhos dele, e todo mundo estava falando disso. Foi assim que ela teve a ideia. Ninguém, na verdade, pode explicar, seja antes ou depois, o que faz um adolescente desistir da vida. Às vezes dói muito ser gente. Não se entender, não gostar do corpo em que se está preso. Ver nossos olhos no espelho e questionar de quem são eles, sempre com a mesma pergunta: "O que há de errado comigo? Por que me sinto assim?"

―――

Ela não está traumatizada, não está oprimida por algum sofrimento específico. Ela só está triste, o tempo todo. Uma criaturinha maléfica que não teria aparecido em nenhum raio X vivia em seu peito, correndo em seu sangue e enchendo sua cabeça de sussurros, dizendo que ela não era boa o suficiente, que era fraca, feia e nunca seria mais do que uma derrotada. Você pode colocar na cabeça a ideia de fazer algumas coisas incrivelmente estúpidas quando já não tem mais lágrimas para chorar, quando não é capaz de silenciar as vozes que ninguém mais pode ouvir, quando nunca esteve em um ambiente onde se sentia normal. No final, você se esgota de tanto comprimir os músculos das costas, de nunca relaxar os ombros, de passar a vida inteira se agarrando nas paredes em desespero, sempre com medo de que alguém esteja observando, porque ninguém deveria fazer isso que você faz.

Tudo o que Nadia sabia é que ela nunca se sentiu como alguém que tivesse algo em comum com outra pessoa. Ela sempre esteve completamente sozinha em cada emoção. Ela se sentava em uma sala de aula com seus contemporâneos, parecendo que tudo estava normal, mas por dentro ela estava parada em uma floresta gritando até seu coração explodir. As árvores cresciam até que um dia a luz do sol não pôde mais romper a folhagem e a escuridão lá dentro tornou-se impenetrável.

Então, ela ficou em uma ponte olhando por cima do corrimão para a água lá embaixo e sabia que seria como bater no concreto quando pousasse, ela não se afogaria, apenas morreria com o impacto. Esse pensamento a consolou, porque desde pequena tinha medo de se afogar. Não da morte em si, mas dos momentos antes do fim. O pânico e a impotência. Um adulto sem noção disse a ela que uma pessoa que está se afogando não parece estar se afogando. "Quando você está se afogando, não consegue pedir socorro, não consegue agitar os braços, apenas afunda. Sua família pode estar na praia acenando alegremente para você, sem saber que você está morrendo."

    Nadia se sentiu assim durante toda a vida. Ela viveu entre eles. Tinha se sentado à mesa do jantar com seus pais, pensando: *Vocês não conseguem ver?* Mas eles não viam e ela não dizia nada. Um dia ela simplesmente não foi à escola. Arrumou o quarto, fez a cama e saiu de casa sem casaco porque não precisaria de um casaco. Passou o dia todo na cidade, congelando, vagando como se quisesse que a cidade a visse uma última vez e entendesse o que tinha feito por não conseguir ouvir os gritos silenciosos dela. Ela não tinha nenhum plano real, apenas uma consequência. Quando o pôr do sol surgiu, ela se viu de pé no corrimão da ponte. Foi tão fácil. Tudo o que precisava fazer era mover um pé, depois o outro.

Foi aquele adolescente chamado Jack que a viu. Ele não conseguia explicar por que ficou retornando à ponte, noite após noite, durante uma semana. Seus pais haviam proibido, é claro, mas ele nunca deu ouvidos. Ele fugia e corria para lá como se esperasse ver o homem parado na ponte novamente, para que pudesse voltar no tempo e fazer tudo certo desta vez. Em vez disso, quando viu a adolescente no corrimão, não soube o que gritar para ela. Então não gritou nada. Apenas correu e puxou-a para baixo com tanta força que ela bateu com a parte de trás da cabeça no asfalto e ficou inconsciente.

Ela acordou no hospital. Tudo aconteceu tão rápido que ela, pelo canto do olho, só teve um vislumbre do garoto correndo em sua direção. Quando as enfermeiras perguntaram o que havia acontecido, ela nem tinha certeza do que foi, mas a parte de trás de sua cabeça estava sangrando, então ela disse que havia subido no corrimão da ponte para tirar uma foto do pôr do sol, depois caiu para trás e bateu a cabeça. Estava tão acostumada a dizer o que ela sabia que as outras pessoas queriam ouvir, para que não se preocupassem, que mentiu sem pensar. As enfermeiras ainda pareciam preocupadas, desconfiadas, mas ela era boa em mentir. Passara a vida inteira praticando. Então, no final, elas disseram: "Subir no corrimão de uma ponte, que coisa boba de se fazer! Foi pura sorte você não ter escorregado para o outro lado!" Ela assentiu com os lábios secos e disse que sim. Uma sorte.

Ela poderia ter voltado direto do hospital para a ponte, mas não o fez. Era impossível explicar por quê, até para si mesma, porque ela nunca saberia com certeza o que teria feito se aquele garoto não a tivesse puxado para baixo. Teria dado um passo para a frente ou para trás? Então, todos os dias depois disso, ela tentou entender a diferença entre ela e o homem que havia pulado. Isso a levou a escolher uma profissão, uma carreira, uma vida inteira. Ela se tornou psicóloga. As pessoas que a procuravam eram as que sofriam tanto que pareciam estar em cima do corrimão de uma ponte com um pé além da borda, e ela ficava sentada em sua cadeira na frente delas com olhos que diziam: *Eu já estive lá. Conheço uma maneira melhor de descer.*

Claro que às vezes não conseguia deixar de pensar nas razões pelas quais quis pular, todas as coisas que pensava estarem faltando em seu reflexo. Sua solidão à mesa de jantar. Mas ela encontrou formas de enfrentar, de abrir um túnel para sair de si mesma, de descer da ponte. Algumas pessoas aceitam que nunca ficarão livres de sua ansiedade, apenas aprenderão a suportá-la. Ela tentou ser uma dessas pessoas. Dizia a si mesma que é por isso que devemos sempre ser gentis com as outras pessoas, mesmo com as idiotas, porque nunca se sabe o quão pesado é o fardo delas. Com o tempo, ela percebeu que, no fundo, quase todo mundo se faz o mesmo tipo de pergunta: Sou uma boa pessoa? Deixo alguém ter orgulho de mim? Sou útil para a sociedade? Sou competente no meu trabalho? Sou uma pessoa generosa e atenciosa? Sei dar prazer ao outro na cama? Alguém quer a minha amizade? Cuido bem dos meus filhos? Sou uma boa pessoa?

As pessoas querem ser boas. Lá no fundo. Ser gentis. O problema, claro, é que nem sempre é possível ser gentil com idiotas, porque são idiotas. Isso se tornou um projeto de toda a vida para Nadia, assim como é para nós.

Ela nunca mais encontrou o garoto da ponte. Às vezes, acredita sinceramente que o inventou. Um anjo, talvez. Jack também nunca mais viu Nadia. Ele nunca mais voltou para a ponte. Mas aquele foi o dia em que seu plano de ser um policial tornou-se inabalável, quando ele percebeu que poderia fazer a diferença.

Dez anos depois, Nadia voltará para a cidade, após concluir os estudos para ser uma psicóloga. Ela vai ter uma paciente chamada Zara, que visitará um apartamento à venda e se verá envolvida em uma situação de reféns. Jack e seu pai, Jim, vão entrevistar todas as testemunhas. O apartamento onde tudo aconteceu tem uma varanda, de onde se avista a ponte. É por isso que Zara está lá. Dez anos antes, ela encontrou uma carta no tapete de sua porta, escrita pelo homem que pulou. O nome dele estava escrito com esmero no verso do envelope, ela se lembrou do encontro deles, e, embora os jornais nunca tivessem publicado o nome da pessoa que a polícia encontrou na água, a cidade era pequena demais para ela não saber.

Zara ainda leva a carta consigo na bolsa, todos os dias. Ela só foi até a ponte uma vez, uma semana depois que ele subiu no corrimão, e viu uma garota subir no mesmo corrimão e um garoto que a salvou. Zara nem se moveu, ficou apenas escondida na escuridão, tremendo. Ela ainda estava lá quando a ambulância chegou e levou a garota para o hospital. O garoto desapareceu. Zara foi até a ponte e encontrou a carteira e a identidade da garota com o nome dela. Nadia.

Zara passou dez anos acompanhando em segredo a vida, a educação de Nadia e o início de sua carreira, a distância, porque nunca ousou aproximar-se dela. Passou dez anos olhando para a ponte, também a distância, das varandas dos apartamentos que estão à venda. Pelo mesmo motivo. Porque ela tem medo de que, se for até a ponte novamente, talvez outra pessoa pule, e se ela procurar Nadia e descobrir a verdade sobre si mesma, talvez seja Zara quem pule. Porque Zara é humana o suficiente para querer ouvir qual é a diferença entre aquele homem e Nadia, embora perceba que ela, na verdade, não quer saber. Que ela carrega a culpa. Que ela é a pessoa má. Talvez todos digam que gostariam de saber isso sobre si mesmos, mas ninguém quer saber na verdade. Por isso Zara ainda não abriu o envelope.

———

Isso tudo é uma história complicada e improvável. Talvez seja por isso que pensamos que as histórias tratam de uma coisa quando, na verdade, estão tratando de outra. Esta, por exemplo, pode não ser realmente a história de um assalto a banco, de uma visita a um apartamento, ou de um drama de reféns. Talvez nem seja uma história sobre idiotas.

Talvez seja a história de uma ponte.

28

A verdade? A verdade é que aquela maldita corretora de imóveis era uma péssima corretora, e a visita ao apartamento foi um completo desastre desde o início. Mesmo que os potenciais compradores não concordassem em nada, eles poderiam pelo menos concordar com isso, porque nada une um grupo de estranhos de forma mais eficaz do que a oportunidade de se reunir e lamentar um caso perdido.

O anúncio, ou como quiser chamá-lo, era um horror de mal escrito, com fotos tão fora de foco que o fotógrafo devia acreditar que tirar uma "foto panorâmica" era conseguir jogar a câmera para o outro lado da sala. "Imobiliária NOS TRINQUES! TUDO NOS TRINQUES?" estava escrito acima da data agendada, e quem meteria na cabeça a ideia estapafúrdia de visitar um apartamento à venda um dia antes da véspera de Ano-Novo? Havia velas perfumadas no banheiro e uma tigela com limas na mesa de centro, parecendo uma iniciativa corajosa de alguém que só ouvira falar de visitas a apartamentos sem nunca ter feito uma, mas o closet estava abarrotado de roupas e no banheiro havia um par de chinelos que devia pertencer a alguém que passara os últimos cinquenta anos arrastando os pés pelo apartamento sem nunca levantá-los do chão. A estante estava atulhada de livros, que não foram nem organizados por cores. Tinha ainda mais livros empilhados nos peitoris das janelas e na mesa da cozinha. A geladeira estava coberta com desenhos amarelados feitos pelos netos do proprietário. A essa altura, Zara já havia visitado uma quantidade considerável de apartamentos para ser capaz de detectar um amador: uma visita a um imóvel deve fazer parecer que ninguém reside nele, porque, caso contrário, só um assassino em série iria querer morar ali. Uma visita deve fazer parecer que qualquer pessoa poderia viver ali se quisesse. As pessoas não querem comprar uma imagem, querem comprar uma moldura. Elas manuseiam livros numa estante, não na mesa da cozinha. Talvez Zara pudesse ter falado com a corretora de imóveis e apontado isso, se ao menos a corretora não fosse um ser humano, e se ao menos Zara não odiasse seres humanos. Especialmente quando falam.

Em vez disso, Zara ficou circulando pelo apartamento, tentando parecer interessada, como fazem as pessoas que realmente desejam comprar um imóvel. Foi um grande desafio para ela, porque só um drogado colecionador de aparas de unhas poderia se interessar em morar naquele muquifo. Então, quando ninguém estava olhando em sua direção, Zara saiu para a varanda, aproximou-se do corrimão e olhou em direção à ponte até começar a tremer incontrolavelmente. A mesma reação de sempre, vez após vez nos últimos dez anos. A carta que nunca tinha aberto estava na bolsa. Ela já aprendera a chorar quase sem derramar uma lágrima, por razões práticas.

A porta da varanda estava entreaberta e ela podia ouvir vozes, não apenas as de sua cabeça, mas de dentro do apartamento. Dois casais estavam andando por ali, tentando ignorar toda aquela mobília horrorosa e imaginando em seu lugar seus próprios móveis realmente horrorosos. O casal mais velho estava casado havia muito tempo, mas o casal mais jovem parecia ter se casado recentemente. Podemos avaliar isso pela maneira como as pessoas que se amam discutem: quanto mais tempo estão juntas, menos palavras precisam para começar uma briga.

O casal mais velho chamava-se Anna-Lena e Roger. Aposentados há alguns anos, mas não há tempo o suficiente para terem se acostumado com isso. Estavam sempre se estressando com alguma coisa, embora não houvesse nada para que precisassem se apressar. Anna-Lena era uma mulher de sentimentos fortes, Roger, um homem de opiniões fortes, e se você já se perguntou quem escreve na internet todas aquelas críticas detalhadas, de uma a cinco estrelas, de aparelhos domésticos a peças de teatro, dispensadores de fitas adesivas ou pequenos enfeites de vidro, saiba que são Anna-Lena e Roger. Às vezes, eles nem mesmo testavam os produtos em questão, mas não eram o tipo de gente que vê nisso um obstáculo que os impeça de escrever uma crítica contundente. Se tivéssemos que experimentar cada coisa, ler sobre cada uma e descobrir a verdade, nunca teríamos tempo para formular uma opinião sobre nada. Anna-Lena usava um top de uma cor que em geral vemos apenas em pisos de parquê. Roger vestia jeans e uma camisa xadrez que recebeu uma crítica ácida on-line de uma estrela porque "havia encolhido vários centímetros!", não muito tempo depois de a balança de banheiro de Roger ter recebido a sentença condenatória de que estava "desregulada!". Anna-Lena puxou uma das cortinas e disse: "Cortinas verdes? Quem ainda usa cortinas verdes? Francamente, as coisas que as pessoas fazem hoje em dia. Talvez sejam daltônicas. Ou irlandesas." Ela não disse isso a ninguém em particular, tinha apenas o hábito de pensar em voz alta, porque era o que parecia mais apropriado a uma mulher acostumada ao fato de ninguém dar-lhe ouvidos mesmo.

Roger estava chutando o rodapé e resmungando: "Aqui está solto", sem ouvir uma palavra do que Anna-Lena disse. O rodapé pode ter se soltado porque Roger passou dez minutos chutando-o, mas para um homem como Roger uma verdade é uma verdade, independentemente de sua causa. De vez em quando, Anna-Lena cochichava com ele sobre o que achava dos outros potenciais compradores do apartamento. Infelizmente, Anna-Lena era tão boa em falar baixo quanto em pensar baixo, então seu cochicho era praticamente um grito, o que equivale a um peido em um avião que você acha que não será notado se soltá-lo um pouco de cada vez. Você nunca consegue ser tão discreto quanto imagina.

— Aquela mulher ali na varanda, Roger, o que ela quer com este apartamento? Está na cara que é rica demais para querer isso, então o que está fazendo aqui? E ainda está de sapatos. Todo mundo sabe que se tira os sapatos em visitas a um apartamento!

Gente ansiosa

Roger não respondeu. Anna-Lena olhava fixamente para Zara pela janela da varanda, como se fosse Zara que tivesse peidado. Então, Anna-Lena aproximou-se ainda mais de Roger e sussurrou:

— E aquelas mulheres ali no hall, elas não parecem ter condições de pagar para morar aqui! Parecem?

Com isso, Roger parou de chutar o rodapé, voltou-se para a esposa e olhou-a bem nos olhos. Depois disse cinco palavrinhas que nunca dissera a nenhuma outra mulher no planeta.

— Pelo amor de Deus, querida.

Eles já nem discutem mais, a menos que discutam o tempo todo. Quando estamos presos um ao outro por tempo o suficiente, pode parecer que não há diferença entre não discutir mais e não se importar mais.

— Pelo amor de Deus, querida, lembre-se de dizer a todos com quem falar que este lugar precisa de uma *reforma séria*! Assim ninguém vai querer fazer uma oferta — Roger continuou.

Anna-Lena pareceu confusa:

— Mas isso é bom, não é?

Roger suspirou.

— Pelo amor de Deus, querida. Bom para nós, sim. Porque *nós* podemos fazer a reforma. Mas os outros... Podemos dizer a quilômetros de distância que nenhum deles entende nada de reformas.

Anna-Lena assentiu, torceu o nariz e farejou o ar de modo explícito.

— Há um cheiro inconfundível de umidade aqui, não é? Talvez até de mofo? — Roger a ensinara a fazer sempre essa pergunta à corretora de imóveis em voz alta, para que os outros potenciais compradores ouvissem e ficassem preocupados.

Roger fechou os olhos em frustração.

— Pelo amor de Deus, querida, você deve dizer isso à corretora de imóveis, não a mim.

Magoada, Anna-Lena assentiu, depois pensou em voz alta:

— Eu estava apenas ensaiando.

Zara podia ouvi-los da posição em que estava no corrimão da varanda. O mesmo pânico circulando dentro dela, a mesma náusea, as mesmas pontas dos dedos trêmulas toda vez que ela via a ponte. Talvez estivesse se enganando ao pensar que um dia se sentiria melhor, ou talvez pior, que seria tão insuportável que ela mesma um dia se jogaria. Ela olhou para baixo, mas não tinha certeza se era alto o suficiente. Essa é a única coisa que alguém que quer viver e alguém que quer morrer têm em comum: se você vai se jogar de alguma coisa, precisa ter bastante certeza da altura. Zara não tinha muita certeza de qual era o caso dela: só porque não se preza muito a vida, não significa necessariamente que queremos a alternativa. E assim ela passou uma década procurando e frequentando essas visitas a apartamentos, olhando das varandas para a ponte, equilibrando-se bem no meio de tudo o que havia de pior dentro dela.

Ela ouviu vozes diferentes de dentro do apartamento. Era o outro casal mais jovem, Julia e Ro. Uma delas era loura, a outra tinha cabelos pretos, e elas discutiam ruidosamente como se faz quando somos jovens e pensamos que cada sensação que vibra em todos os nossos hormônios é completamente única. Julia era a grávida. Ro, a irritada. Uma estava vestida com roupas que pareciam confeccionadas por ela mesma com capas que roubara de mágicos assassinados, a outra vestia-se como se vendesse drogas na frente de uma pista de boliche. Ro (que era um apelido, é claro, mas do tipo que ficou grudado nela por tanto tempo que até ela o usava para se apresentar, o que foi apenas um dos muitos motivos pelos quais Zara a achou irritante) estava andando por ali e segurava seu celular na direção do teto, repetindo: "Não tem nenhum sinal aqui, cara!", enquanto Julia retrucava: "Bem, isso é *terrível*, porque aí poderíamos realmente ter que *falar* uma com a outra se morássemos aqui! Pare de tentar mudar de assunto o tempo todo, precisamos tomar uma decisão sobre os pássaros!"

Gente ansiosa

Elas raramente concordavam em qualquer assunto, mas, para sermos justos com Ro, ela nem sempre percebia isso. Quase toda vez que Ro perguntava a Julia: "Você está chateada?", Julia respondia: "NÃO!", e Ro dava de ombros, imperturbável como uma família numa propaganda de produtos de limpeza, o que obviamente só deixava Julia ainda mais chateada, porque era evidente que ela estava chateada. Mas desta vez até Ro percebeu que elas estavam discutindo, porque discutiam sobre pássaros. Ro criava pássaros quando ela e Julia foram morar juntas, não para almoçá-los, mas como animais de estimação. "Ela é uma pirata?", a mãe de Julia perguntou na primeira vez que esse assunto foi mencionado, mas Julia tolerava os pássaros porque estava apaixonada e porque não conseguia deixar de se perguntar quanto tempo de vida aqueles bichos tinham.

Muito tempo, no fim das contas. Quando Julia descobriu isso e tentou lidar com a situação de forma adulta, escapulindo da cama uma noite e sacudindo a gaiola na janela para soltá-los, uma daquelas deploráveis criaturas caiu na rua e morreu. Um *pássaro*! Julia teve que convidar alguns dos filhos dos vizinhos para tomar refrigerante no dia seguinte enquanto Ro estava no trabalho, para que pudesse culpar um deles quando Ro encontrasse a gaiola aberta. E os outros pássaros? Ainda estavam empoleirados na gaiola. Que tipo de insulto à evolução fez com que essas criaturas conseguissem se manter vivas?

— Não vou sacrificá-los e não quero mais falar sobre isso — disse Ro, parecendo magoada e olhando em torno do apartamento com as mãos enfiadas nos bolsos do vestido. Seu vestido tinha bolsos porque ela não só gostava de ficar bonita, como ainda gostava de ter um lugar para colocar as mãos.

— Está bem, está bem. Então, o que você acha do apartamento? Acho que devemos ficar com ele! — Julia disse sem fôlego, porque o elevador estava quebrado, e toda vez que Ro dizia "Estamos grávidas" para família e amigos como se fosse um esporte de equipe, Julia sentia vontade de derramar cera derretida nos ouvidos dela enquanto dormia. Não que Julia não amasse Ro, porque amava sim, tanto que era quase insuportável, mas elas tinham visto mais de vinte apartamentos nas últimas duas semanas e Ro sempre encontrava algum defeito em cada um deles. Era como se ela, na verdade, não quisesse se mudar. Mas Julia acordava todas as noites no apartamento em que moravam para fazer a brincadeira preferida de todas as mulheres grávidas, "chutes ou gases?", e depois não conseguia voltar a dormir porque Ro e os pássaros roncavam, então ela estava mais do que pronta para se mudar para qualquer lugar, contanto que tivesse mais de um quarto.

— Sem sinal — Ro repetiu taciturnamente.

— E daí? Vamos ficar com ele! — Julia persistiu.

— Não sei, não tenho certeza. Preciso verificar o quarto de hobbies — Ro disse.

— Aquilo é um closet planejado — Julia corrigiu.

— Ou um quarto de hobbies! Eu só vou pegar a fita métrica! — Ro balançou a cabeça alegremente, porque uma de suas características mais encantadoras e, ao mesmo tempo, mais irritantes era que não importava o que discutissem, ela poderia ficar com um humor maravilhoso em um piscar de olhos se pensasse em queijo.

— Você sabe perfeitamente bem que não terá permissão para armazenar queijo no meu closet — Julia declarou num tom severo, porque no apartamento em que moravam havia um depósito no porão que Julia chamava de Museu dos Hobbies Abandonados. A cada três meses, Ro ficava obcecada por algo, vestidos dos anos 1950 ou bouillabaisse, jogos de café antigos ou CrossFit, bonsais ou podcasts sobre a Segunda Guerra Mundial, então ela passava três meses estudando o assunto em questão com devoção irrestrita em fóruns da internet lotados de pessoas que claramente não deveriam ter permissão de acesso a Wi-Fi em qualquer cela acolchoada em que estivessem trancadas. Depois ela, de repente, se cansava e imediatamente encontrava uma nova obsessão. O único hobby de Ro que permaneceu constante desde que elas se conheceram foi o de colecionar sapatos, e nada poderia resumir uma pessoa de forma mais clara do que o fato de ela possuir duzentos pares de sapatos, embora sempre calçasse os errados quando estava chovendo ou nevando.

— Não, eu não sei disso perfeitamente bem! Porque ainda não medi, então não sei se haveria espaço para colocar queijo lá! E minhas plantas também precisam... — Ro começou, porque ela havia acabado de decidir que começaria a cultivar plantas com luz artificial no quarto de hobbies. Que era um closet. Ou...

Nesse ínterim, Anna-Lena estava correndo a mão por uma capa de almofada e pensando em tubarões. Ela andava pensando muito nesses animais recentemente porque, no casamento, ela e Roger pareciam tubarões, o que era uma fonte de tristeza silenciosa para Anna-Lena. Ela continuava esfregando a capa da almofada e se distraía pensando em voz alta: "Será que é da IKEA? Sim, definitivamente é da IKEA. Eu reconheço. Eles têm uma versão floral também. A versão floral é mais bonita. Francamente, as coisas que as pessoas fazem hoje em dia."

Você podia acordar Anna-Lena no meio da noite e pedir que ela recitasse todo o catálogo da IKEA. Não que houvesse motivo para isso, é claro, mas você poderia se quisesse, essa é a questão. Anna-Lena e Roger já visitaram todas as lojas da IKEA em todo o país. Roger tem muitos defeitos e falhas, Anna-Lena sabe que as pessoas pensam isso dele, mas Anna-Lena sempre se lembra de que ele a ama numa loja da IKEA. Quando se vive há muito tempo com outra pessoa, são as pequenas coisas que importam. Em um casamento longo, você não precisa de palavras para brigar, mas também não precisa de palavras para dizer "Eu te amo". Outro dia, quando estavam na IKEA, Roger sugeriu que, quando fossem almoçar na cafeteria, cada um deveria comer uma fatia de bolo. Porque ele entendeu que era um dia importante para Anna-Lena, e porque era importante para ela, era importante para ele também. Porque é assim que ele a ama.

Ela continuou esfregando a capa da almofada que era mais bonita no padrão floral e olhou para as duas mulheres, a grávida e sua esposa, de uma forma que Anna-Lena achou discreta. Roger também estava olhando para elas. Ele segurava o prospecto da imobiliária com o layout do apartamento na mão e resmungou:

— Pelo amor de Deus, querida, olhe para isso! Por que elas têm que chamar o quarto pequeno de "quarto da criança"? Poderia muito bem ser um maldito quarto de dormir perfeitamente comum!

Roger não gostava quando havia grávidas em visitas a apartamentos à venda, porque casais que esperam um bebê sempre fazem ofertas mais altas. Também não gostava de quartos de crianças. É por isso que Anna-Lena sempre faz todas as perguntas que consegue imaginar quando eles caminham pela seção infantil da IKEA. Para ajudar a distraí-lo daquele sofrimento incompreensível. Porque é assim que ela o ama.

Ro avistou Roger e sorriu, como se eles não estivessem de fato em guerra um com o outro.

— Oi! Eu sou a Ro, aquela ali é minha mulher, Julia. Posso pegar sua fita métrica emprestada? Eu esqueci a minha!

— Claro que não! — Roger retrucou, segurando sua fita métrica, calculadora de bolso e bloco de notas com tanta força que suas sobrancelhas começaram a se contrair.

— Calma, eu só quero... — Ro começou.

— Todos nós temos que ser responsáveis por nossos próprios atos! — Anna-Lena interrompeu bruscamente.

Ro pareceu surpresa. A surpresa deixou-a nervosa. O nervosismo deixou-a com fome. Não havia muito que ela pudesse comer nas imediações, então ela pegou uma lima na tigela sobre a mesa de centro. Anna-Lena viu isso e exclamou:

— Meu Deus, que raios você está fazendo? Você não pode comer isso! Estas limas são só para ver!

Ro largou a fruta e enfiou as mãos nos bolsos do vestido. Ela voltou para junto de sua mulher e cochichou:

— Não. Este apartamento não é para ser nosso, querida. Ele é bom e tal, mas estou sentindo más vibrações aqui dentro. Acho que nunca poderemos ser o melhor de nós aqui, entende? Lembra que eu disse que li sobre energias positivas para casais naquele mês em que estava pensando em me tornar designer de interiores? Quando soube que tínhamos que dormir voltadas para o leste? E depois esqueci se era com a cabeça ou os pés... Bem... Deixa pra lá! Eu só não quero este apartamento. Podemos ir embora?

Zara estava parada na varanda. Ela reuniu os destroços de seus sentimentos em uma expressão de escárnio e voltou para o interior do apartamento. Assim que entrou, a mulher grávida soltou um grito. A princípio, soou como um rugido de raiva gutural de um animal que acabou de ser chutado, mas depois as palavras ficaram mais claras:

— Não! Já chega, Ro! Posso aguentar os pássaros, posso aguentar seu gosto horrível para música e posso aguentar um monte de outras merdas, mas não vou sair daqui antes de comprarmos este apartamento! Mesmo que eu tenha que dar à luz o nosso filho aqui mesmo neste tapete!

O apartamento ficou completamente em silêncio. Todo mundo estava olhando para Julia. A única pessoa que não olhava para Julia era Zara, porque ela estava parada perto da porta da varanda olhando para o assaltante de banco. Um segundo se passou, depois dois, nos quais Zara era a única pessoa na sala que havia percebido o que estava para acontecer.

Depois Anna-Lena também avistou a figura com máscara de esqui e gritou:

— Ah, meu Deus, estamos sendo assaltados! — Todos ficaram boquiabertos ao mesmo tempo, mas nenhuma palavra saiu. O medo pode entorpecer as pessoas que avistam uma pistola, pode desligar tudo, exceto os sinais mais importantes do cérebro, pode silenciar todos os ruídos de fundo. Outro segundo se passou, depois mais um, no qual tudo o que ouviram foram os próprios batimentos cardíacos. Primeiro o coração para, depois dispara. Primeiro vem o choque de não entender o que está acontecendo, depois vem o choque de perceber *exatamente* o que está acontecendo. O instinto de sobrevivência e o medo de morrer começam a lutar, abrindo espaço no meio para alguns pensamentos surpreendentemente irracionais. Não é incomum ver uma pistola e pensar: "Eu desliguei a máquina de café hoje de manhã?", em vez de: "O que vai ser dos meus filhos?"

Mas até o assaltante de banco ficou em silêncio, tão assustado quanto todos os outros. Depois de um tempo, o choque transformou-se aos poucos em confusão. Anna-Lena balbuciou:

— Você está aqui para nos *assaltar*, não é? — O assaltante de banco parecia estar prestes a protestar, mas não teve tempo antes que Anna-Lena começasse a puxar Roger como se ele fosse uma cortina verde, gritando: — Pegue seu dinheiro, Roger!

Roger semicerrou os olhos com ceticismo para o assaltante e estava visivelmente envolvido em uma complicada batalha interna, porque por um lado Roger era muito avarento, mas por outro não estava particularmente atraído pela ideia de morrer num apartamento com tanto potencial para reformas. Então, ele puxou a carteira do bolso de trás da calça, onde homens como ele sempre guardam as carteiras, exceto quando estão na praia e guardam no sapato, mas não encontrou nada de útil nela. Daí virou-se para a pessoa mais próxima, que por acaso era Zara, parada perto da porta da varanda, e perguntou:

— Você tem algum dinheiro com você?

Zara pareceu chocada. Difícil saber se era por causa da pistola ou da pergunta.

— Dinheiro? Sério, eu pareço uma traficante de drogas?

Os olhos do assaltante de banco, visíveis através dos dois orifícios da máscara suada repetidamente ajustados, disparavam pela sala.

Por fim, o assaltante gritou:

— Não...! Não, isso não é um assalto... Eu só... — Em seguida corrigiu essa declaração com uma voz ofegante: — Bem, talvez seja um assalto! Mas vocês não são as vítimas! Talvez seja mais o caso de serem reféns agora! E eu sinto muito por isso! Estou tendo um dia bastante complicado hoje!

Foi assim que tudo começou.

29

Entrevista com Testemunha
Data: 30 de dezembro
Nome da testemunha: Anna-Lena

JACK: Olá, meu nome é Jack.

ANNA-LENA: Não quero mais falar com nenhum policial.

JACK: Posso entender isso. Eu só tenho algumas perguntas breves.

ANNA-LENA: Se Roger estivesse aqui, ele diria que vocês são todos idiotas, todos vocês, por terem conseguido deixar escapar um assaltante de banco que estava cercado dentro de um apartamento!

JACK: É por isso que preciso fazer minhas perguntas. Para que possamos encontrar o perpetrador.

ANNA-LENA: Eu quero ir para casa.

JACK: Acredite em mim, eu entendo isso, estamos apenas tentando descobrir o que aconteceu dentro do apartamento. Você pode me dizer o que aconteceu quando o perpetrador entrou com a pistola na mão?

ANNA-LENA: Aquela mulher, Zara, estava de sapatos. E a outra, Ro, ia comer uma das limas. Não se faz uma coisa dessas em visitas a apartamentos! Existem regras implícitas!

JACK: Como é que é?

ANNA-LENA: Ela ia comer uma lima. As limas que estavam na mesa! Você não pode comer as limas, porque a imobiliária as colocou ali só como decoração, não são para comer. Eu ia procurar a corretora para dizer isso a ela, para fazer com que essa Ro fosse expulsa, porque você simplesmente não pode se comportar assim. Mas nesse exato momento aquele

	lunático irrompeu pela porta sacudindo uma pistola.
JACK:	Entendo. E depois, o que aconteceu?
ANNA-LENA:	Você devia falar com Roger. Ele tem uma memória muito boa.
JACK:	Roger é seu marido? E vocês foram olhar o apartamento juntos?
ANNA-LENA:	Sim. Roger disse que seria um bom investimento. Esta mesa é da IKEA? Sim, é, não é? Eu reconheço. Eles fazem uma dessas em marfim também. Combinaria mais com as paredes.
JACK:	Devo confessar que não sou responsável pela forma como nossas salas de interrogatório são mobiliadas.
ANNA-LENA:	Só porque é uma sala de interrogatório não significa que não possa ter uma boa aparência, não é? Já que vocês estiveram na IKEA, a mesa de marfim está bem ao lado de uma mesa igual a esta na seção de self-service. Mas mesmo assim vocês escolheram esta. Bem, cada um com suas próprias escolhas.
JACK:	Vou ver se falo isso com meu chefe.
ANNA-LENA:	Bem, isso é com você.
JACK:	Quando Roger disse que o apartamento seria um "bom investimento", isso significava que vocês não iriam residir lá? Vocês apenas o comprariam para vender mais tarde?
ANNA-LENA:	Por que está perguntando isso?
JACK:	Só estou tentando entender quem estava no apartamento e por quê, para que possamos descartar a possibilidade de que algum dos reféns estivesse de alguma forma conectado ao assaltante de banco.
ANNA-LENA:	Conectado?
JACK:	Achamos que alguém pode tê-lo ajudado.
ANNA-LENA:	E você acha que poderia ter sido eu e o Roger?
JACK:	Não, não. Só precisamos fazer algumas perguntas de rotina, só isso.
ANNA-LENA:	Então você acha que foi ela, aquela Zara?
JACK:	Eu não disse isso.

Gente ansiosa

ANNA-LENA: Você disse que acha que alguém ajudou o assaltante de banco. Que Zara era suspeita, eu pude ver isso no momento em que pus os olhos nela, ela obviamente é rica demais para querer aquele apartamento. E ouvi aquela grávida dizer à mulher dela que Zara se parecia com a "Cruela Cruel". Eu acho que isso é um personagem de um filme, não é? Parece suspeito, de qualquer modo. Ou você acha que foi Estelle quem ajudou o assaltante? Ela tem quase noventa anos, sabe. Você vai começar a acusar gente de noventa anos de ajudar criminosos agora? É assim que trabalha a polícia hoje em dia?

JACK: Eu não estou acusando ninguém.

ANNA-LENA: Roger e eu nunca ajudamos ninguém numa visita a um apartamento que está à venda, posso lhe garantir. Roger diz que, no momento em que entramos, é uma guerra e estamos cercados de inimigos. É por isso que ele sempre quer que eu diga a todos que o apartamento precisa de muitas reformas e que o custo para isso seria alto demais. E também que tem cheiro de umidade. Coisas assim. Roger é um negociador de primeira. Fizemos alguns investimentos extremamente bons.

JACK: Então vocês já fizeram isso antes? Compraram um apartamento apenas para passá-lo adiante?

ANNA-LENA: Não adianta investir se você não vai vender, Roger diz. Aí a gente compra, o Roger faz as reformas, eu me concentro na decoração, depois a gente vende e compra outro apartamento.

JACK: Isso parece uma coisa incomum para duas pessoas aposentadas fazerem.

ANNA-LENA: Roger e eu gostamos de trabalhar em projetos juntos.

JACK: Você está bem?

ANNA-LENA: Estou.

JACK: Parece que está chorando.

ANNA-LENA: Tive um dia muito difícil!

JACK: Desculpe. Foi insensível da minha parte.

ANNA-LENA: Eu sei que Roger nem sempre parece ser particularmente sensível, mas ele é. Ele gosta que tenhamos um projeto em comum porque se preocupa se a gente não tiver o que conversar. Ele acha que não sou interessante o suficiente para ficar comigo o dia todo, a menos que tenhamos um projeto.

JACK: Tenho certeza de que não é verdade.

ANNA-LENA: E o que você sabe para dizer isso?

JACK: Acho que não sei de nada. Desculpe. Eu gostaria agora de fazer algumas perguntas sobre os outros potenciais compradores.

ANNA-LENA: Roger é mais sensível do que parece.

JACK: Tudo bem. Você pode me dizer algo sobre as outras pessoas presentes na visita ao imóvel?

ANNA-LENA: Elas estavam procurando um lar.

JACK: Como?

ANNA-LENA: Roger diz que existem dois tipos de comprador. Quem procura um investimento e quem quer um lar. Aqueles que procuram um lar são idiotas emotivos, eles pagam qualquer coisa porque acham que todos os seus problemas vão simplesmente desaparecer no momento em que se mudarem.

JACK: Não tenho certeza se entendi.

ANNA-LENA: Roger e eu não deixamos nossos sentimentos atrapalharem nossos investimentos. Mas todo mundo faz isso. Como aquelas duas mulheres lá, a que estava grávida e a outra.

JACK: Julia e Ro?

ANNA-LENA: Isso!

JACK: Você acha que elas eram do tipo que estavam "procurando um lar"?

ANNA-LENA: Era visível. Pessoas assim vão ver um apartamento pensando que tudo seria melhor se ao menos vivessem lá. Que acordariam de manhã e não teriam dificuldade para respirar. Que não teriam que se olhar no espelho do banheiro com um peso invisível

Gente ansiosa

no peito. Que brigariam menos. Talvez toquem as mãos uma da outra como faziam quando se casaram, quando não podiam evitar de se tocar. Isso é o que elas pensam.

JACK: Você vai ter que me desculpar, mas parece que... está chorando de novo?

ANNA-LENA: Não me diga o que estou fazendo!

JACK: Ok, ok. Mas você parece ter pensado bastante em como as pessoas se comportam ao visitarem um imóvel, é justo dizer isso?

ANNA-LENA: Roger é que pensa tudo. Roger é muito inteligente, sabe. Você precisa conhecer seu inimigo, diz ele, e tudo o que seu inimigo quer é acabar logo com aquilo. Eles só querem se mudar e acabar com aquilo para nunca mais precisarem se mudar. Roger não é assim. Uma vez vimos um documentário sobre tubarões, Roger se interessa muito por documentários, e existe um tipo específico de tubarão que morre se ele para de se movimentar. Tem alguma coisa a ver com a maneira como eles absorvem oxigênio, eles não podem respirar a menos que estejam em movimento o tempo todo. Foi nisso que nosso casamento acabou.

JACK: Desculpe, infelizmente não entendi.

ANNA-LENA: Você sabe qual é a pior coisa de ser aposentada?

JACK: Não.

ANNA-LENA: É que você fica tempo demais pensando. As pessoas precisam de um projeto, então Roger e eu nos tornamos tubarões, e, se não continuássemos nos movimentando, nosso casamento não teria oxigênio. Portanto, compramos, reformamos e vendemos. Compramos, reformamos e vendemos. Eu sugeri que tentássemos o golfe, mas Roger não gosta de golfe.

JACK: Desculpe interromper, mas será que não estamos saindo um pouco do assunto aqui? Você só precisa me contar sobre a situação dos reféns. Não sobre você e seu marido.

ANNA-LENA: Mas esse é o problema.

JACK:	Qual?
ANNA-LENA:	Acho que ele não quer mais ser meu marido.
JACK:	Por que diz isso?
ANNA-LENA:	Você sabe quantas lojas da IKEA existem na Suécia?
JACK:	Não.
ANNA-LENA:	Vinte. Você sabe em quantas eu e o Roger já fomos?
JACK:	Não.
ANNA-LENA:	Em todas elas. Cada uma delas. Fomos à última recentemente e não achei que Roger estivesse contando, mas, quando estávamos na cafeteria almoçando, Roger de repente disse que cada um de nós deveria comer uma fatia de bolo também. Nunca comemos bolo na IKEA. Sempre almoçamos, mas nunca comemos bolo. E foi nesse momento que eu soube que ele estava contando. Eu sei que Roger não parece romântico, mas às vezes ele pode ser o homem mais romântico do planeta, sabe.
JACK:	Isso certamente parece romântico.
ANNA-LENA:	Ele pode parecer duro na superfície, mas ele não odeia crianças.
JACK:	O quê?
ANNA-LENA:	Todo mundo acha que ele odeia crianças porque fica com muita raiva quando as imobiliárias colocam "quarto das crianças" na planta. Mas ele só fica com raiva porque diz que a nomenclatura "quarto das crianças" joga o preço nas alturas, como você não acreditaria. Ele não odeia crianças. Ele adora crianças. É por isso que tenho que distraí-lo quando estamos andando pela seção infantil da IKEA.
JACK:	Sinto muito.
ANNA-LENA:	Por quê?
JACK:	Desculpe, achei que isso significava que vocês não poderiam ter filhos. E se for esse o caso, sinto muito.
ANNA-LENA:	Nós temos dois filhos!
JACK:	Peço desculpas. Eu entendi errado.
ANNA-LENA:	Você tem filhos?

Gente ansiosa

JACK: Não.

ANNA-LENA: Nossos dois têm mais ou menos a sua idade, mas não querem filhos. Nosso filho diz que prefere se concentrar na carreira profissional, e nossa filha diz que o mundo já está superpovoado.

JACK: Ah.

ANNA-LENA: Dá para imaginar que mãe ruim você deve ter sido para que seus filhos não queiram ser pais?

JACK: Eu nunca pensei nisso.

ANNA-LENA: Roger teria sido um avô muito bom, sabe. Mas agora ele nem quer ser meu marido.

JACK: Tenho certeza de que as coisas vão dar certo entre vocês, não importa o que aconteceu.

ANNA-LENA: Você não sabe o que aconteceu. Você não sabe o que eu fiz, foi tudo culpa minha. Mas eu só queria parar, há anos que tem sido nada além de um apartamento após o outro, e agora chega para mim. Também estou procurando um lar. Mas eu não tinha o direito de fazer o que fiz com Roger. Eu nunca deveria ter pago por aquele maldito coelho.

30

Quando as pessoas são idiotas, fazer reféns é mais difícil do que se imagina.

O assaltante de banco hesitou, a máscara de esqui dava cócegas, todos de olhos arregalados. O assaltante tentou pensar em algo para dizer, mas foi impedido por Roger, que, de mão erguida, falou: "Nós não temos dinheiro!"

Anna-Lena estava parada atrás do marido e logo depois repetiu por cima do ombro dele: "Nós não temos *dinheiro*, entendeu?" Ela esfregou duas pontas dos dedos para sinalizar dinheiro, porque Anna-Lena costumava achar que Roger falava uma língua que só ela entendia, como se ele fosse um cavalo e Anna-Lena algum tipo de intérprete equina, então ela estava sempre tentando traduzir o que ele dizia ao resto do mundo. Quando estavam em um restaurante e Roger pedia a conta, Anna-Lena sempre se voltava para o garçom e dizia sem emitir som: "A conta, por favor", enquanto fazia o gesto de escrever na palma da mão. Roger sem dúvida acharia isso insuportável se ele se importasse em prestar atenção ao que Anna-Lena fazia.

— Eu não quero o dinheiro de vocês... Por favor, fiquem apenas quietos... Estou tentando ouvir se... — o assaltante de banco falou, apurando os ouvidos na direção da porta do apartamento para tentar saber se as escadas já estavam cheias de policiais.

— O que está fazendo aqui se não quer dinheiro? Se vai nos fazer reféns, você devia ser um pouco mais específico em suas demandas — Zara bufou perto da porta da varanda, dando a nítida impressão de achar que o assaltante estava tendo um desempenho abaixo do esperado.

— Será que podem me dar um minuto para pensar? — o assaltante de banco pediu.

Lamentavelmente, parecia que as pessoas dentro daquele apartamento específico não estavam preparadas para conceder isso ao assaltante de banco. Você pode supor que, se alguém tem uma pistola na mão, seria lógico concluir que as pessoas fariam exatamente o que lhes fosse ordenado, mas certas pessoas que nunca viram uma pistola na vida acham que é tão improvável que isso aconteça que, mesmo quando *está* acontecendo, elas não conseguem levar a sério.

Roger quase nunca viu uma pistola, mesmo na televisão, porque Roger prefere documentários sobre tubarões, então ele ergueu a mão novamente (desta vez a outra mão, para mostrar que estava falando sério) e exigiu saber, em alto e bom som:

— Isso é um *assalto* ou não? Ou é algum tipo de *situação de reféns*? O que é que vai ser? Escolha logo.

Anna-Lena ficou um tanto preocupada depois que Roger ergueu a outra mão, porque nada de bom acontecia quando Roger gesticulava com as duas mãos em um curto espaço de tempo, então ela sussurrou:

— Seria melhor não provocar, não é, Roger?

— Pelo amor de Deus, querida, será que não temos direito a informações precisas? — Roger respondeu, irritado, depois voltou-se para o assaltante de banco mais uma vez e repetiu: — Isso é um assalto ou não?

Anna-Lena se esticou para ver por cima do ombro do marido, fez o sinal de arma com o polegar e o indicador, depois agitou-os enquanto sussurrava a palavra "Bang?" duas vezes, em seguida acrescentando "Assalto?" à sua interpretação, só para deixar claro.

O assaltante respirou fundo várias vezes, de olhos fechados, do jeito que se faz quando as crianças estão brigando no banco de trás do carro e começamos a nos estressar, a perder a paciência, e gritamos com elas um pouco mais alto do que pretendíamos, e elas, de repente, ficam tão assustadas que se calam por completo e acabamos nos odiando por termos gritado. Porque não queremos ser um pai ou uma mãe desse tipo. E o tom de voz que usamos depois disso — quando nos desculpamos e explicamos que nós as amamos, mas que só precisávamos nos concentrar na direção do carro — foi o tom que o assaltante usou para se dirigir a todos no apartamento.

— Podem... Posso pedir a todos que se deitem no chão e fiquem quietos um tempinho? Assim eu posso... pensar um pouco?

Ninguém se deitou. Roger recusou-se categoricamente, dizendo: "Não até sabermos o que está acontecendo!" Zara não quis, porque: "Você viu o estado desse chão? É por isso que as pessoas comuns têm animais de estimação, porque literalmente não faz diferença para elas!" Julia exigiu ser dispensada, porque: "Olha, se você me fizer sentar, mesmo que seja numa *poltrona*, vou demorar vinte minutos para me levantar, então não vou deitar em lugar nenhum."

Pela primeira vez, o assaltante de banco percebeu que Julia estava grávida. Ro saltou na frente de Julia na mesma hora, erguendo os braços e sorrindo para acalmar os ânimos.

— Por favor, não ligue para a minha mulher, ela é apenas um pouco cabeça quente, por favor, não atire! Faremos exatamente o que você disser!

— Eu não sou cabeça quente — Julia protestou.

— A p-i-s-t-o-l-a! — Ro cochichou. Ela não parecia tão assustada assim desde a última vez em que tentou fotografar seus sapatos e, por engano, clicou no botão de selfie.

— Nem parece uma pistola de verdade — Julia salientou.

— Ah, que ótimo. Vamos nos arriscar, então. Afinal, estaremos só arriscando a vida do nosso filho — Ro retrucou. Nesse momento, o assaltante de banco sentiu que já bastava e apontou para Julia.

— Eu... eu... não percebi que você estava grávida. Você pode sair. Não quero machucar ninguém, especialmente um bebê, só preciso pensar um pouco.

Ao ouvir isso, Roger teve uma ideia, uma ideia tão brilhante que só Roger poderia tê-la.

— Sim! Vai, vai! Vai embora! — ele exclamou. Então ele avançou até o assaltante de banco e acrescentou em tom sério: — Então você poderia deixar todos irem embora, não poderia? Você só precisa de um refém, não é? Isso facilitaria muito mais as coisas.

Roger cutucou o próprio peito com o polegar repetidamente para indicar quem deveria ser o refém e acrescentou:

— Além da corretora de imóveis. Eu posso ficar aqui com a corretora de imóveis.

Julia olhou desconfiada para ele e retrucou:

— Isso seria muito conveniente para você, não seria? Assim você pode fazer uma oferta pelo apartamento depois que todo mundo sair!

— Fique fora disso! — Roger exigiu.

— Não tem a *menor* chance de deixarmos você sozinho aqui com a corretora! — Julia retrucou.

Afrontado, Roger sacudiu toda a pele flácida da metade inferior do rosto.

— De qualquer modo, este apartamento não é adequado para vocês! Ele vai precisar de alguém que seja bom em DIY!

Julia, competitiva demais para deixar passar, retrucou:

— Minha esposa é muito boa em DIY!

— O quê? — Ro disse surpresa, sem saber por um segundo que a esposa era ela.

Anna-Lena pensou em voz alta:

— Não grite. Pense no bebê.

Roger balançou a cabeça agressivamente:

— Exatamente! Pense no bebê!

Anna-Lena fez cara de feliz porque o marido a tinha ouvido, mas os olhos de Julia se estreitaram de ódio.

— Eu não vou a lugar nenhum antes de comprar este apartamento, seu bode velho miserável.

Ro puxou seu braço ansiosamente e sibilou:

— Por que você sempre tem que discutir com todo mundo?

Porque Ro tinha visto aquele olhar em seus olhos antes. No primeiro encontro delas, há vários anos, Julia estava parada na frente de um bar fumando enquanto Ro estava lá dentro pedindo bebidas. Dois minutos depois, um segurança se aproximou de Ro, apontou para a janela e perguntou: "Você está com ela?" Ro disse que sim e na mesma hora foi expulsa do bar. Aparentemente, havia uma área delimitada para fumantes fora do bar, ali era o único lugar onde era permitido fumar, mas Julia estava dois metros além da fronteira. Quando o segurança mandou que ela entrasse no retângulo, Julia começou a pular na linha, zombando dele: "E aqui? Posso ficar AQUI? E se eu segurar meu cigarro dentro do cercadinho enquanto estou do lado de fora? Que tal aqui? E se o *cigarro* ficar fora, mas eu soprar a fumaça para *dentro* do cercadinho?" Quando Julia tinha um pouco de álcool no corpo, ela costumava ter problemas para respeitar qualquer tipo de autoridade, o que pode ser considerado um traço de caráter ruim para revelar num primeiro encontro, mas, quando Ro estava sendo expulsa, ela perguntou ao segurança como ele sabia que ela e Julia estavam juntas, e ele respondeu bruscamente: "Quando eu disse a ela para ir embora, ela apontou para você pela janela e disse: 'Aquela lá é minha namorada, não vou embora sem ela!'" Foi a primeira vez que Ro conseguiu ser namorada de alguém. Foi naquela noite que ela deixou de ser inutilmente apaixonada para ser irrevogavelmente apaixonada.

Mais tarde, revelou-se que a personalidade de Julia quando estava bêbada era exatamente a mesma de Julia quando estava grávida, então os últimos oito meses foram bastante tumultuados — mas a vida é cheia de surpresas.

— Por favor, Jules? — Ro disse timidamente.

Julia sussurrou de volta:

— Se sairmos agora, este apartamento pode muito bem já estar vendido quando voltarmos! Quantos apartamentos nós vimos? Vinte? Você encontrou defeitos em cada um deles, e eu não aguento mais! Então, eu vou ficar com a droga deste aqui, e ninguém vai chegar e dizer que eu...

— A p-i-s-t-o-l-a! — Ro repetiu.

— É você que vai peidar um pirralho de quase cinco quilos pelo útero a qualquer momento, Ro? Não, né? Então cala a boca!

— Não é justo apelar para a cartada da gravidez toda vez que temos uma discussão, Jules, já conversamos sobre isso... — Ro murmurou, enfiando as mãos nos bolsos do vestido, e então Julia percebeu que ela deve ter ido um pouco longe demais, porque as mãos de Ro só tinham mergulhado tão fundo em seus bolsos quando os filhos dos vizinhos mataram um de seus pássaros.

O assaltante de banco tossiu baixinho e disse:

— Com licença? Eu não quero interromper, mas... — Em seguida, ergueu a pistola um pouco mais alto para que todos pudessem ver e se lembrar exatamente do que estava acontecendo ali.

Julia cruzou os braços sobre o peito e repetiu, uma última vez:

— Não vou a lugar nenhum.

Ro soltou um suspiro tão profundo que seria possível encontrar petróleo lá embaixo, então acenou com a cabeça com firmeza:

— E eu não vou a lugar nenhum sem ela.

Obviamente, este teria sido um momento muito comovente se Zara não tivesse estragado tudo bufando para Ro:

— Ninguém ofereceu a *você* a chance de ir embora. Você não está grávida.

Ro enfiou as mãos nos bolsos com tanta força que chegou a fazer buracos, depois murmurou:

— Na verdade, estamos nessa jornada juntas.

Roger, que estava ficando cada vez mais frustrado porque ninguém parecia estar se concentrando na coisa mais importante ali — que Roger não havia recebido nenhuma informação precisa —, agora estava apontando para o assaltante de banco com as duas mãos:

— Então, o que você quer, hein? É o apartamento que você quer?

Anna-Lena descreveu um quadrado no ar com as mãos, como uma mímica tentando dizer "apartamento". O assaltante de banco gemeu com resignação para os dois.

— Por que eu deveria... Você não pode simplesmente... Você está sugerindo que estou tentando roubar o apartamento?

Roger pareceu reconhecer o quão ridículo isso soou quando foi dito em voz alta, mas visto que Roger era um homem que nunca estava errado, mesmo quando estava obviamente errado, ele esclareceu:

— Agora olhe aqui! Tem um potencial enorme para reforma!

Anna-Lena, atrás de Roger, brandiu no ar um martelo imaginário, a título de ilustração.

O assaltante de banco tossiu baixinho de novo, e pôde sentir o início de uma dor de cabeça, então disse:

— Vocês não podem simplesmente... se deitar? Só um pouquinho? Eu não estava tentando... Quer dizer, eu ia assaltar um banco, mas eu não tive nenhuma intenção... Olha, não era isso que eu tinha em mente!

Por vários motivos, o silêncio que se seguiu foi tão completo que o único som que se ouviu foram os soluços do assaltante. É uma combinação constrangedora, alguém chorar com uma arma na mão, por isso ninguém ali soube como reagir. Ro cutucou Julia e murmurou: "Agora veja o que você fez", e Julia respondeu baixinho: "Foi *você* quem..." Roger virou-se para Anna-Lena e sussurrou: "Ele realmente tem um potencial imenso para uma boa reforma", e Anna-Lena respondeu rapidamente: "Sim, tem mesmo, não é? Você tem toda a razão! Mas... este cheiro que sinto não é de umidade? Talvez mofo?"

O assaltante de banco ainda soluçava. Ninguém queria olhar na direção dele, porque, como vimos, é difícil não sentir constrangimento diante de uma expressão armada de emoção, então foi Estelle quem acabou tomando a frente com cautela. Ou ela não tinha noção de nada, ou definitivamente sabia de tudo. Pode parecer um pouco estranho que Estelle não tenha sido mencionada com frequência até agora nesta história, não porque Estelle seja fácil de esquecer, mas porque ela é muito difícil de lembrar. Estelle tem o que podemos chamar de personalidade transparente. Com 87 anos, o corpo retorcido e curvado como um gengibre, ela locomoveu-se até o assaltante de banco.

— Algum problema, meu bem? — perguntou. Quando o assaltante de banco não respondeu, ela continuou balbuciando de forma singularmente imperturbável: — Meu nome é Estelle, vim aqui dar uma olhada no apartamento para minha filha. Meu marido, Knut, está estacionando o carro. Não é nada fácil encontrar uma vaga para estacionar por aqui, e acho que não será mais fácil agora que a rua está cheia de viaturas da polícia. Desculpe, não quis preocupar você. Não quis dizer que foi sua culpa se Knut não conseguiu encontrar uma vaga para estacionar, é claro. Você está se sentindo bem? Gostaria de um copo d'água?

A pistola não parecia incomodar Estelle, mas, por outro lado, ela parecia ser uma pessoa tão gentil que, se fosse assassinada, provavelmente teria considerado um elogio o fato de alguém tê-la notado. Usando um lenço de papel para secar as lágrimas, o assaltante de banco respondeu baixinho:

— Sim, por favor.

— Temos limas! — Ro gritou, apontando para a tigela na mesa de centro, cheia de pelo menos duas dúzias. As limas pareciam ser um adorno tão popular em visitas a apartamentos que é tentador pensar que, se as imobiliárias fossem varridas do planeta, a superfície da terra ficaria coberta com uma camada tão espessa de limas que só sobreviveriam os jovens com canivetes afiados e uma inexplicável preferência por cerveja mexicana.

Estelle foi buscar um copo d'água e o assaltante de banco ergueu ligeiramente a máscara para poder bebê-la.

— Está melhor? — Estelle perguntou.

O assaltante fez que sim e devolveu o copo a ela.

— Eu... lamento muito por tudo isso.

— Ah, não se preocupe, meu bem, não importa — disse Estelle. — Devo dizer que achei inteligente da sua parte não ter vindo aqui para assaltar o apartamento. Porque isso não teria sido muito inteligente, não é, porque a polícia saberia em segundos onde encontrar você! Era o banco do outro lado da rua que você planejava assaltar? Não é um desses bancos modernos, que não têm dinheiro vivo?

— Sim. Obrigado. Eu percebi isso — o assaltante respondeu com os dentes cerrados.

— Inteligente! — Zara declarou.

O assaltante de banco virou-se para ela, perdendo totalmente o controle e gritando do jeito que se faz quando as crianças começam a brigar no banco de trás do carro:

— Eu não *sabia*, tá bom? Qualquer um pode cometer um *erro*!

Roger, cujo instinto sempre que alguém gritava, independentemente do contexto, era sempre gritar mais alto, gritou:

— *Tudo que eu quero é uma informação!*

Então o assaltante de banco gritou:

— *Deixe-me pensar!*

Ao que Roger gritou:

— *Você não é muito competente como assaltante de banco, sabia?*

Em seguida, o assaltante brandiu a pistola e gritou:

— *Sorte sua, não é?*

Ro rapidamente deu um passo à frente e gritou:

— *Ok, parem de gritar agora! Não é bom para o bebê!*

O que era indiscutivelmente uma verdade, claro, porque os bebês acham qualquer gritaria perturbadora, Ro havia lido isso no mesmo livro que lhe dissera que a gravidez era uma jornada compartilhada. Após esse pronunciamento, ela se voltou para Julia como se esperasse uma medalha. Julia revirou os olhos.

— Sério, Ro? Alguém está apontando uma arma para nós e você está preocupada com algumas vozes alteradas?

Nesse ínterim, Estelle deu um tapinha gentil no braço do assaltante de banco e explicou:

— Sim, aquelas duas vão ter um bebê juntas, embora elas sejam de… Bem, você sabe.

Ela piscou para o assaltante de banco como se isso fosse tudo o que precisava dizer. Não parece ter funcionado. Então Estelle ajeitou a saia e mudou de tática:

Gente ansiosa

— Bem, não vejo por que tenhamos que brigar. Não podemos começar nos apresentando? Meu nome é Estelle. Você ainda não disse qual é o seu nome.

Com uma inclinação de cabeça e um gesto em direção à máscara, o assaltante de banco disse:

— Eu... Olhe... Essa não é uma boa pergunta para me fazer.

Estelle acenou com a cabeça desculpando-se imediatamente e virou-se para os outros.

— Bem, talvez então devêssemos supor que nosso amigo aqui quer permanecer anônimo. Mas vocês todos poderiam se apresentar, não poderiam? — ela disse, apontando para Roger.

— Roger — Roger murmurou.

— E meu nome é Anna-Lena! — Anna-Lena disse, acostumada a não lhe perguntarem nada.

— Eu sou a Ro, e esta é minha mulher, Juli... Ai! — Ro disse, segurando sua canela.

O assaltante de banco olhou para todos eles, depois fez um ligeiro gesto com a cabeça.

— Ok. Olá.

— Então agora todos nós nos conhecemos! Adorável! — Estelle declarou, tão feliz que bateu palmas. E, para uma pessoa tão frágil, ela podia bater palmas com uma força surpreendente. O que não é aconselhável de se fazer numa sala em que alguém está segurando uma arma, porque naquele instante todos acharam que o súbito aplauso tivesse sido um tiro e se jogaram no chão.

O assaltante de banco olhou surpreso para os corpos deitados e, coçando a cabeça, virou-se para Estelle e disse:

— Obrigado. Isso foi muito útil da sua parte.

Anna-Lena estava deitada em posição fetal sobre o tapete na frente do sofá e teve dificuldade para respirar por meio minuto, até que percebeu que era porque Roger, quando pensou ter ouvido um tiro de pistola, havia se jogado em cima dela.

31

Entrevista com Testemunha
Data: 30 de dezembro
Nome da testemunha: Estelle

JIM: Eu realmente lamento por tudo isso. Tentaremos levá-la para casa o mais rápido possível.

ESTELLE: Ah, não se preocupe. Para ser franca, tudo foi bastante emocionante. Na maior parte do tempo não acontecem coisas emocionantes quando se tem quase noventa anos!

JIM: Claro, sim. Bem, meu colega e eu gostaríamos muito de pedir-lhe que olhasse este desenho. Nós o encontramos nas escadas do prédio e achamos que mostra um macaco, uma rã e um alce. A senhora reconhece isso?

ESTELLE: Não, não, acho que não. É realmente um alce?

JIM: Não sei, não sei mesmo. Para ser sincero, não tenho certeza se isso de fato importa. A senhora se importaria de me dizer o que estava fazendo naquele apartamento?

ESTELLE: Eu estava lá com meu marido, Knut. Bem, ele não estava lá na hora. Ele ainda estava estacionando o carro. Íamos dar uma olhada no apartamento para nossa filha.

JIM: Notou algo em particular sobre as outras pessoas que já estavam lá antes de o assaltante de banco aparecer?

ESTELLE: Ah, não. Antes eu só tive tempo de falar com aquelas mulheres simpáticas de… você sabe… de Estocolmo.

JIM: Que mulheres?

ESTELLE: Ah, você sabe. As "de Estocolmo".

Gente ansiosa

JIM: A senhora está piscando como se eu devesse saber o que isso significa.

ESTELLE: Ro e Jules. Elas vão ter um bebê juntas. Mesmo que ambas sejam de… "Estocolmo".

JIM: A senhora quer dizer que elas são homossexuais?

ESTELLE: Não há nada de errado nisso.

JIM: Eu não disse que havia, disse?

ESTELLE: Tudo bem hoje em dia.

JIM: Claro que sim. Eu não insinuei o contrário.

ESTELLE: Eu acho maravilhoso, realmente acho, que hoje em dia todo mundo seja livre para amar quem quiser.

JIM: Gostaria de deixar absolutamente claro que compartilho dessa visão.

ESTELLE: Na minha época, seria considerado bastante insólito, sabe, duas pessoas se casarem e terem um filho quando as duas são, bem, você sabe.

JIM: De Estocolmo?

ESTELLE: Sim. Mas, na verdade, sempre gostei de Estocolmo, sabe. É preciso deixar as pessoas viverem a vida como quiserem. Quer dizer, isso não significa que eu estive em Estocolmo, não fui, claro que não. Eu não sou, quer dizer, eu nunca… Eu sou casada e feliz. Com Knut. E estou muito feliz com o de costume, sabe.

JIM: Não tenho mais a menor ideia do que estamos falando.

32

Quando a primeira sirene da polícia foi ouvida na rua, o assaltante de banco correu para a varanda e espiou por cima do corrimão. Foi assim que as primeiras fotos de celular borradas do "pistoleiro mascarado" apareceram na internet. Depois mais policiais apareceram.

— Merda, merda, merda, merda, merda — o assaltante repetiu baixinho, voltando depressa para dentro do apartamento, onde todos, exceto Julia, ainda estavam deitados no chão.

— Não posso mais ficar deitada aí porque preciso ir ao banheiro! Ou você quer que eu faça tudo no chão? — Julia protestou defensivamente, embora o assaltante não tenha dado nenhum sinal de que fosse dizer alguma coisa.

— Não que isso fizesse muita diferença — Zara disse, olhando para o piso de parquê com cara de nojo.

Ro, que parecia ter muita experiência em ouvir gritos, apesar de não ter realmente dito nada, sentou-se e deu um tapinha consolador na perna do assaltante de banco.

— Não leve os gritos de Julia com você para o lado pessoal. Ela está um pouco sensível, porque o bebê está dançando disco music na barriga dela, sabe?

— Informações pessoais não, Ro! — Julia rugiu.

Elas têm uma definição para o que é considerado pessoal, Julia e Ro, embora Julia seja a única que entende essa definição.

— Na verdade, eu estava falando com nosso assaltante de banco aqui. Você me disse para eu não conversar com os outros potenciais compradores — Ro falou na defensiva.

— Mas eu não sou um assaltante de... — começou o assaltante de banco, mas foi abafado por Julia.

— Não faz diferença, Ro, pare de fazer amigos! Eu sei como isso acaba, eles contam a história de suas vidas e depois você fica com pena quando temos que fazer uma oferta maior do que a deles pelo imóvel!

— Isso aconteceu *uma vez* — Ro gritou atrás dela.

— *Três vezes!* — Julia disse, chegando à porta do banheiro.

Ro gesticulou se desculpando com o assaltante de banco:

— Julia diz que sou o tipo de pessoa que se recusa a comer peixe frito depois de ver os golfinhos no centro de vida marinha.

O assaltante de banco assentiu com compreensão.

— Minhas filhas são assim.

Ro sorriu.

— Você tem filhas? Quantos anos elas têm?

Os números deram um nó na garganta do assaltante de banco:

— Seis e oito.

Zara pigarreou e perguntou:

— Elas vão herdar os negócios da família, então?

Magoado, o assaltante de banco piscou e olhou para a pistola.

— Eu nunca... fiz isso antes. Eu não... eu não sou delinquente.

— Eu espero mesmo que não, porque você é terrivelmente ruim nisso — Zara declarou.

— Por que você tem que ser tão crítica? — Ro gritou com ela.

— Não estou sendo crítica, estou dando um feedback — Zara disse.

— Não consigo imaginar você sendo competente em roubar pessoas — Ro falou.

— Eu não roubo pessoas, eu roubo bancos — o assaltante interrompeu.

— E até que ponto é competente nisso, numa escala de um a dez? — Zara perguntou.

O assaltante de banco olhou para ela timidamente.

— Dois, talvez.

— Você pelo menos tem um plano de como vai sair daqui? — Zara perguntou.

— Pare de ser tão exigente! Criticar não ajuda ninguém a melhorar! — Ro disse criticando.

Zara examinou Ro atentamente.

— Sua personalidade é assim mesmo? Você está feliz com isso?

— Logo *você* vem me dizer isso — Ro começou, então o assaltante tentou acalmar os ânimos.

— Vocês poderiam apenas... por favor? Eu não tenho um plano. Eu preciso pensar. Não era para ser assim.

— O quê? — Ro perguntou.

— A vida — o assaltante resmungou.

Zara tirou o celular do bolso:

— Ok, vamos chamar a polícia e resolver isso.

— Não! Não! — o assaltante de banco disse.

Zara revirou os olhos.

— Do que você está com medo? Você acha sinceramente que eles não sabem que você está aqui? Você tem que ligar para eles e dizer quanto de resgate você quer, pelo menos.

— Não dá para ligar, não tem sinal aqui — disse Ro.

— Já estamos na prisão? — Zara se perguntou, sacudindo o celular como se isso pudesse ajudar.

Ro enfiou as mãos nos bolsos e disse, meio para si mesma:

— Na verdade não é tão ruim, porque eu li que as crianças que crescem sem olhar para telas são mais inteligentes. A tecnologia impede o desenvolvimento do cérebro.

Zara balançou a cabeça sarcasticamente.

— É mesmo? Diga-me então os nomes de todos os vencedores do prêmio Nobel que cresceram em comunidades amish.

Gente ansiosa

— Na verdade, eu li que há pesquisas comprovando que sinais de celular causam câncer — Ro insistiu.

— Sim, mas e se for uma emergência? E se você se mudar para cá e seu bebê se engasgar com um amendoim e morrer porque você não pode chamar uma ambulância? — Zara disse.

— Do que está falando? Para começo de conversa, de onde o bebê conseguiria o amendoim?

— Talvez alguém tenha colocado uns amendoins na caixa de correio durante a noite.

— Sua mente é mesmo tão doentia assim?

— Não sou eu que quero que meu bebê morra engasgado...

A discussão foi interrompida por Julia, que, de repente, se materializou ao lado delas novamente.

— Sobre o que você está discutindo agora?

— Foi ela que começou! Eu estava apenas tentando ser amigável, e isso não é a mesma coisa que não querer comer peixe frito! — Ro retrucou em defesa, apontando para Zara.

Julia gemeu e olhou em tom de desculpas para Zara.

— Ro contou a você sobre o centro de vida marinha? E golfinhos nem são peixes.

— O que isso tem a ver? Além do mais, você não estava indo ao banheiro?

— Estava ocupado — Julia respondeu, dando de ombros.

O assaltante de banco puxou a máscara de esqui com uma das mãos e contou as pessoas na sala. Então gaguejou:

— Espera aí... O que você quer dizer com ocupado?

— Ocupado! — Julia repetiu, como se isso fosse ajudar.

O assaltante de banco foi até a porta do banheiro e tentou abri-la. Estava trancada.

E foi assim que isso se transformou na história de um coelho.

33

Entrevista com Testemunha (Continuação)

ESTELLE: Gostaria de deixar claro que não tenho dúvida de que Estocolmo é muito aprazível. Para quem gosta de quem é de lá. E posso lhe dizer agora que acho que Knut, como eu, não tem qualquer preconceito, porque uma vez, quando éramos mais jovens, eu estava arrumando o escritório dele e encontrei uma revista inteira só sobre Estocolmo.

JIM: Que ótimo.

ESTELLE: Eu não pensava assim naquela época. Na verdade, tivemos uma briga e tanto por causa disso, Knut e eu.

JIM: Entendo. Então, a senhora estava conversando com Ro e Julia quando o assaltante de banco entrou no apartamento?

ESTELLE: Elas criam pássaros. E discutiam muito o tempo todo. Mas de uma forma meiga. Claro, o outro casal estava discutindo também, Roger e Anna-Lena, mas não era uma discussão meiga, não, nem de longe.

JIM: Sobre o que Roger e Anna-Lena estavam discutindo?

ESTELLE: O coelho.

JIM: Que coelho?

ESTELLE: Ah, é uma longa história, para ser sincera. Eles estavam discutindo sobre o custo do apartamento, por metro quadrado, sabe. Roger estava preocupado com o fato de todos estarem aumentando os preços dos imóveis. Ele disse que o mercado imobiliário estava sendo manipulado por imobiliárias filhas da mãe, banqueiros filhos da mãe e os filhos da mãe de Estocolmo.

Gente ansiosa

JIM: Espere aí, ele disse que os homossexuais estavam manipulando o mercado imobiliário?

ESTELLE: Os homossexuais? Por que eles estariam fazendo isso? Que coisa terrível de se dizer! Quem diria uma coisa dessas?

JIM: A senhora disse que os de Estocolmo estavam fazendo isso.

ESTELLE: Sim, mas quis dizer os de Estocolmo. Não os "de Estocolmo".

JIM: Tem diferença?

ESTELLE: Tem. Uma coisa são os de Estocolmo, outra são os "de Estocolmo".

JIM: Desculpe, mas fiquei confuso agora. Deixe-me tentar escrever isso em ordem cronológica.

ESTELLE: Não tenha pressa, leve o tempo que precisar. Não estou com pressa.

JIM: Lamento, mas acho que seria melhor voltarmos à primeira pergunta.

ESTELLE: E qual foi?

JIM: A senhora notou algo em particular nos outros potenciais compradores?

ESTELLE: Zara parecia triste. E Anna-Lena não gostou das cortinas verdes. Ro estava preocupada que o closet não fosse grande o suficiente. Mas é um desses closets planejados, como chamam hoje em dia. Eu não sabia disso até ouvir Jules chamá-los assim.

JIM: Não, espere, isso não pode estar certo. Não há nenhum closet planejado na planta do imóvel.

ESTELLE: Talvez pareça menor aí?

JIM: A planta deve ter as medidas reais em escala, certo?

ESTELLE: Ah, deve?

JIM: Na planta, o closet não tem nem um metro quadrado de tamanho. Posso perguntar o tamanho exato desse closet planejado?

ESTELLE: Não sou muito boa em medidas. Mas Ro disse que queria usá-lo como um quarto de hobbies. Ela produz

	seu próprio queijo, sabe. E cultiva flores. Bem, ou algum tipo de planta, que seja. Jules não está muito feliz com a ideia. Uma vez, Ro tentou fazer seu próprio champanhe e fez uma sujeirada na gaveta de roupas íntimas de Jules. Ro disse que isso provocou "uma briga infernal".
JIM:	Desculpe, mas podemos tentar nos concentrar no tamanho do closet?
ESTELLE:	Jules insistiu que era um closet planejado.
JIM:	É grande o suficiente para se esconder?
ESTELLE:	Quem?
JIM:	Qualquer um.
ESTELLE:	Acho que sim. É importante?
JIM:	Não. Não, provavelmente não. Mas meu colega fez questão de que eu perguntasse a todas as testemunhas sobre possíveis esconderijos. A senhora gostaria de um pouco de café?
ESTELLE:	Uma xícara de café cairia muito bem, eu não recusaria de forma alguma.

34

O assaltante de banco olhou para a porta do banheiro. Depois para todos os reféns.

— Vocês acham que tem alguém aí dentro? — perguntou.

Zara respondeu de uma forma que poderia ser considerada sarcástica:

— O que você acha?

O assaltante de banco piscou tantas vezes que parecia código Morse.

— Então vocês acham *mesmo* que tem alguém aí?

— Seus pais por acaso tinham o mesmo sobrenome antes de se conhecerem? — Zara perguntou.

Ro se ofendeu pelo assaltante de banco e retrucou:

— Por que você tem que ser sempre uma vaca?

Julia chutou a canela de Ro e sibilou:

— Não se envolva nisso, Ro!

— E não é você que está sempre dizendo que devemos ensinar nosso filho a enfrentar qualquer tentativa de bullying? Eu não vou ficar aqui e deixar que ela fale assim com... — Ro protestou.

— Fale assim com quem? Um assaltante de banco? E isso é bullying? Deus me livre que alguém que está nos ameaçando com uma arma se sinta ofendido! — Julia disse com um gemido.

— Eu não sou... — o assaltante de banco começou, mas Julia ergueu um dedo em alerta.

— Sabe de uma coisa? Foi você quem causou tudo isso, então podia apenas fazer o favor de calar a boca.

Zara, que estava olhando para a poeira em suas roupas e não poderia ter parecido mais enojada se ela simplesmente tivesse pulado em cima de um monte de esterco, observou:

— Que bom que o filho de vocês tem pelo menos *uma* mãe que não é comunista.

Julia virou-se para ela:

— E *você* pode calar a boca também.

Zara realmente se calou. Ninguém ficou mais surpreso com isso do que a própria Zara.

Enquanto isso, Roger levantava-se do chão cautelosamente. Ele ajudou Anna-Lena a se pôr de pé, ela olhou-o nos olhos e ele ficou sem saber para onde olhar. Os dois não estavam acostumados a se tocar sem apagar as luzes primeiro. Anna-Lena corou, Roger virou-se e começou a bater distraidamente nas paredes, tentando parecer ocupado. Ele sempre batia nas paredes numa visita a apartamentos à venda, Anna-Lena não tinha certeza do porquê, mas ele dizia que era porque precisava saber "se poderia furá-las". Isso era importante para Roger, furar paredes, e tão importante quanto saber se a parede era estrutural. Se você arranca uma parede de sustentação, o teto desaba. E, aparentemente, você podia ouvir se uma parede era estrutural se batesse nela, pelo menos poderia se você fosse Roger, então ele fazia isso em todos os lugares, em cada visita, ficava toc-toc-toc. Anna-Lena às vezes costumava pensar que cada pessoa tem alguns momentos que revelam quem ela realmente é, pequenas amostras que desvendam toda a sua alma, e a de Roger era esse toc-toc. Porque às vezes, por um momento tão breve que ninguém além de Anna-Lena notaria, ele ficava imóvel logo após um toc-toc, olhando para a parede com expectativa. Como uma criança faria. Como se esperasse que um dia alguém batesse de volta. Esses eram os momentos preferidos de Anna-Lena com Roger.

Gente ansiosa

Toc-toc-toc. Toc. Toc. Toc.

De repente, ele parou bem no meio de um toc-toc ao ouvir a conversa entre Ro, Julia e Zara sobre a porta do banheiro trancada. Um arrepio percorreu sua espinha quando percebeu que a coisa mais terrível de todas poderia estar escondida lá: outro potencial comprador. Então, ele decidiu assumir o controle da situação no mesmo instante. Avançou direto para o banheiro trancado e tinha acabado de erguer a mão para bater quando Anna-Lena gritou:

— *Não!*

Roger virou-se surpreso e olhou para a esposa. Ela estava tremendo e corando até a ponta dos dedos.

— Por favor... não abra a porta — ela sussurrou. Roger nunca a tinha visto tão assustada e não tinha a menor ideia de qual poderia ser o motivo. Zara estava parada ao lado deles, olhando de um para o outro. Então, como era de esperar, ela caminhou até a porta do banheiro e bateu. Após uma breve pausa, alguém bateu em resposta.

A essa altura, as lágrimas corriam pelo rosto de Anna-Lena.

35

Entrevista com Testemunha
Data: 30 de dezembro
Nome da testemunha: Roger

JACK: Você está bem?

ROGER: Que tipo de pergunta é essa?

JACK: Seu nariz parece estar sangrando.

ROGER: Sim, bem, às vezes acontece, o charlatão diz que é "estresse". Não importa, apenas faça suas perguntas.

JACK: Está bem. Você foi ver o apartamento à venda com sua esposa, Anna-Lena?

ROGER: Como sabe disso?

JACK: Está nas minhas anotações.

ROGER: Por que você tem anotações sobre minha esposa?

JACK: Estamos entrevistando todas as testemunhas.

ROGER: Você não deveria ter anotações sobre minha esposa.

JACK: Acalme-se, por favor.

ROGER: Estou absolutamente calmo.

JACK: Segundo minha experiência, isso é o que dizem pessoas que estão tudo menos calmas.

ROGER: Não vou responder a nenhuma pergunta sobre minha esposa!

JACK: Não, tudo bem. Poderia então responder a algumas perguntas sobre o perpetrador?

ROGER: Como posso responder antes de você perguntar?

JACK: Para começar: onde acha que ele está se escondendo?

ROGER: Quem?

JACK: Quem você acha?

ROGER: O assaltante de banco?

JACK: Não, Wally.

Gente ansiosa

ROGER: Quem é esse?

JACK: Não sabe quem é Wally? É o título de um antigo livro infantil, *Onde está Wally?*. Esqueça, eu estava sendo sarcástico.

ROGER: Não tenho motivo para ler livros infantis.

JACK: Desculpe. Você pode me dizer onde acha que o *perpetrador* está se escondendo?

ROGER: Como vou saber?

JACK: Espero que me perdoe por pressioná-lo por uma resposta, mas temos motivos para acreditar que o perpetrador ainda está dentro do apartamento. Achei que talvez você pudesse ajudar, porque sua esposa diz que você faz pesquisas exaustivas antes de cada visita a um imóvel. E que você verifica todas as medidas nas plantas.

ROGER: Não se pode confiar em corretores de imóveis. Alguns deles não conseguem nem medir uma régua usando outra régua.

JACK: Isso é exatamente o que quero dizer. Você descobriu algo especial neste apartamento em particular?

ROGER: Descobri. A corretora de imóveis é uma idiota.

JACK: Por quê?

ROGER: Faltavam uns noventa centímetros nas medidas, entre uma parede e outra.

JACK: Sério? Entre quais paredes? Você pode me mostrar na planta?

ROGER: Ora, você pode ouvir isso se bater. A lacuna.

JACK: Por que isso?

ROGER: Provavelmente porque este apartamento e o apartamento do lado eram um único apartamento maior, no passado, quando as pessoas por aqui tinham mais dinheiro e os apartamentos eram mais baratos. Agora, todo o mercado imobiliário está sendo manipulado para ferrar com o povo. A culpa é das imobiliárias. E dos bancos. E dessa gente de Estocolmo. Aumentando os preços e tudo o mais. Por que raios você está revirando os olhos?

JACK:	Desculpe. Eu não quero me intrometer, mas você e sua esposa não compraram e venderam vários apartamentos para fazer investimentos especulativos nos últimos anos? Certamente isso deve elevar os preços também, não?
ROGER:	Então agora há algo de errado em ganhar um pouco de dinheiro também?
JACK:	Eu não disse isso.
ROGER:	Eu sou um bom negociador, e isso não é crime, sabe?
JACK:	Não, não, claro que não.
ROGER:	Pelo menos pensei que eu fosse um bom negociador.
JACK:	Como assim?
ROGER:	Eu era engenheiro. Antes de me aposentar. Isso está escrito aí nas suas anotações?
JACK:	O quê? Não.
ROGER:	Então isso não é relevante? Uma vida inteira de trabalho e isso não é relevante o suficiente para ser incluído em suas anotações? Você sabe o que meus colegas fizeram nesses últimos anos?
JACK:	Não.
ROGER:	Eles estavam fingindo. Igual a ela.
JACK:	Sua esposa?
ROGER:	Não, Wally.
JACK:	O quê?
ROGER:	Você acha que as pessoas da sua geração são as únicas que podem ser sarcásticas, garoto?

36

Julia apontou com a cabeça em direção à porta do banheiro, estendeu a mão para o assaltante de banco e exigiu:

— Me dê a arma.

— De... de jeito nenhum! O que está pensando em fazer? — o assaltante gaguejou, escondendo a pistola de vista como se fosse um gatinho e alguém tivesse acabado de perguntar ao assaltante se tinha visto um gatinho em algum lugar.

— Estou grávida e preciso ir ao banheiro. Me dê essa pistola para que eu possa atirar na fechadura — Julia repetiu.

— Não — o assaltante protestou.

Julia abriu os braços.

— Você terá que fazer isso então. Basta atirar na fechadura.

— Eu não quero.

Os olhos de Julia se estreitaram de uma forma inquietante.

— Como assim você não quer? Você está mantendo todos nós reféns, a polícia está lá fora e tem um indivíduo desconhecido no banheiro. Pode ser qualquer um. Você precisa ter um pouco de respeito próprio! De que outra forma seria um assaltante de banco de sucesso? Você não pode deixar as pessoas lhe dizerem o que fazer o tempo todo!

— Mas você está me dizendo o que fazer... — o assaltante de banco começou a dizer, mas Julia interrompeu:

— Atire na fechadura, eu disse!

Por um momento, parecia que o assaltante de banco faria o que ela disse, mas, de repente, houve um pequeno clique, a maçaneta da porta se abaixou lentamente e uma voz disse de dentro do banheiro:

— Não atire. Por favor, não atire!

Um homem vestido com uma fantasia de coelho apareceu. Bem, para falar a verdade, não era uma fantasia completa. Na realidade era apenas uma cabeça de coelho, porque, fora isso, o homem trajava apenas cuecas e meias. Ele parecia ter uns cinquenta anos e, se quisermos ser diplomáticos, tinha o tipo de corpo que não era exatamente favorecido pela proporção entre roupa e pele.

— Não me machuque, por favor, estou apenas fazendo meu trabalho! — o homem choramingou de dentro da cabeça de coelho com um sotaque de Estocolmo enquanto colocava as mãos para cima. Ele era evidentemente de Estocolmo, um dos nascidos lá, não apenas "de Estocolmo", no sentido de que Jim e Jack usavam quando, na verdade, queriam dizer "idiota". (O que, é claro, não significa que o homem não fosse um idiota também, porque ainda é um país livre.) E ele certamente não era aquele "de Estocolmo" no sentido empregado por Estelle para descrever o tipo de unidade familiar que não tem absolutamente nada de errado (e mesmo que ele fosse, obviamente não haveria nada de errado nisso). Ele era apenas um indivíduo de Estocolmo totalmente comum, que por acaso estava falando dentro da cabeça do coelho:

— Diga a eles para não atirarem em mim, Anna-Lena!

Todos ficaram em silêncio. O silêncio maior foi o de Roger. Ele olhava para Anna-Lena, ela olhava para o coelho e chorava, seus dedos adejando pelos quadris enquanto evitava o olhar surpreso de Roger. Ela não conseguia se lembrar da última vez em que vira o marido surpreso, algo que não costuma acontecer quando se está casada há tanto tempo. Apenas uma coisa espera-se na vida, ter uma única pessoa com quem se possa contar a ponto de não valorizá-la mais. E, naquele preciso momento, Anna-Lena soube que tudo estava arruinado para Roger. Ela sussurrou em desespero:

— Não o machuque. Este é Lennart.

— Você *conhece* essa pessoa? — Roger gaguejou.

Gente ansiosa

Anna-Lena assentiu com tristeza.

— Conheço, mas não é o que você está pensando, Roger!

— Ele é... ele é...? — Roger esforçou-se ao máximo antes de enfim conseguir pronunciar as palavras insuportáveis: — ... outro potencial comprador?

Anna-Lena não conseguiu responder, então Roger girou o corpo e avançou na direção da porta do banheiro com tanto ímpeto que Julia e Ro (Zara, para ajudar, apenas saiu da frente com um pulinho) foram obrigadas a segurá-lo com todas as suas forças para que ele não pudesse estrangular o coelho.

— Por que minha mulher está chorando? Quem é você? Você também veio ver o apartamento para comprar? Responda agora mesmo! — Roger berrou.

Ele não obteve uma resposta imediata, e isso transtornou Anna-Lena também. Roger sempre foi um homem importante e respeitado no trabalho, e até seus chefes o escutavam lá. A aposentadoria não foi algo que Roger pediu por sua própria vontade, foi um acontecimento repentino que o consternou. Nos primeiros meses, ele passava de carro pelo escritório, às vezes várias vezes ao dia, porque esperava ver algum sinal de que as pessoas lá dentro não conseguiriam se virar sem a ajuda dele. Ele nunca viu sinal algum. Não foi nada difícil substituí-lo, então ele foi para casa e a empresa continuou existindo. Perceber isso foi um imenso fardo para Roger suportar, e tornou-o mais lento.

— *Responda-me!* — ele exigiu do coelho, mas o coelho estava atrapalhado tentando arrancar sua cabeça de coelho. E ela não saía. Gotas de suor quicavam de um pelo a outro em suas costas nuas, como uma partida de fliperama particularmente asquerosa, e sua cueca agora também estava meio caída.

A um canto, o assaltante de banco olhava tudo em silêncio, e Zara sentiu que era hora de oferecer mais um feedback, então ela deu um empurrão no assaltante.

— Você não vai fazer nada?

— Fazer o quê? — o assaltante quis saber.

— Assuma o controle! Que tipo de assaltante que faz reféns você é? — Zara exigiu saber.

— Não faço reféns, sou um assaltante de banco — o assaltante resmungou.

— "Assaltante de banco" acabou sendo uma ótima escolha, não foi?

— Por favor, pare de me pressionar.

— Ora, apenas atire no coelho para que possamos resolver as coisas. Assim você ganha um pouco de respeito. Você só precisa atirar na perna.

— *Não, não atire!* — o coelho gritou.

— Pare de me dar ordens — o assaltante de banco disse.

— Ele pode ser um policial — Zara sugeriu.

— Eu ainda não quero...

— Me passa essa arma, então.

— Não!

Indiferente, Zara virou-se para o coelho.

— Quem é você? Você é um tira ou o quê? Responda ou vamos atirar.

— Sou eu quem atira aqui! Bem, não sou eu, na verdade! — o assaltante de banco protestou.

Zara deu um tapinha condescendente no braço do assaltante.

— Hmm. Claro que é. Claro que é.

O assaltante de banco bateu o pé no chão, uma sensação de frustração completa.

— Ninguém me escuta aqui! Vocês são os piores reféns de todos os tempos!

— Por favor, não atire, minha cabeça está presa! — Lennart gritou de dentro da cabeça de coelho, e continuou: — Anna-Lena pode explicar tudo, nós estamos... eu estou... eu estou com ela.

———

De repente, não havia ar o suficiente para Roger. Ele virou-se para Anna-Lena outra vez, tão lentamente que ela não conseguia se lembrar dele se virando para ela desse jeito desde aquele dia, no início dos anos 1990, em que ele percebeu que ela havia usado a fita VHS errada para gravar um episódio de uma novela e acidentalmente gravou em cima de um importante documentário sobre antílopes. Roger não conseguia encontrar palavras para a traição dela, nem naquela época nem agora. Sempre foram pessoas de palavras simples. Anna-Lena deve ter alimentado esperanças de que as coisas melhorariam quando eles tivessem filhos, mas aconteceu o contrário. Ter filhos pode levar a uma sequência de anos em que os sentimentos das crianças sugam todo o oxigênio de uma família, e isso pode ser tão emocionalmente intenso que alguns adultos passam anos sem ter a oportunidade de abrir-se com alguém para falar de seus próprios sentimentos, e se desperdiçamos uma oportunidade dessas por muito tempo, às vezes nos esquecemos de como fazer.

O amor de Roger por Anna-Lena era visível de outras formas. Pequenos detalhes, como verificar os parafusos e as dobradiças da portinha espelhada do armário do banheiro todos os dias, para que sempre abrisse e fechasse com a menor resistência possível. A qualquer hora do dia em que Anna-Lena abrisse o armário, ela não precisaria enfrentar nenhuma dificuldade, Roger sabia disso. Anna-Lena interessou-se por design de interiores tarde na vida, mas ela havia lido em um livro que todo designer precisava de uma "âncora" em cada novo projeto. Algo sólido e definido com base no qual tudo o mais poderia ser construído, espalhando-se a partir daí em círculos cada vez maiores. Para Anna-Lena, essa âncora era seu armário do banheiro. Roger entendia isso porque apreciava o valor de objetos imóveis, como paredes de sustentação. Você não pode fazer com que os objetos se adaptem a você, simplesmente tem que se adaptar a eles. Por isso, Roger sempre desparafusava o armário do banheiro por último toda vez que se mudavam de um apartamento e o instalava primeiro quando chegavam para morar em um novo. Era assim que ele a amava. Mas agora ela estava ali, cheia de surpresas, e confessando:

— Este é Lennart, ele e eu... Bem, nós somos... Nós temos uma... Você nunca deveria descobrir, querido!

Silêncio. Traição.

— Então vocês dois... Você e... Vocês dois... Pelas minhas costas? — Roger disse, com algum esforço.

— Não é o que você está pensando — Anna-Lena insistiu.

— Não é nada do que você está pensando — o coelho o assegurou.

— Não é mesmo — Anna-Lena acrescentou.

— Bem... Talvez seja um pouco, dependendo do que você esteja pensando — o coelho concedeu.

— Fique quieto, Lennart! — Anna-Lena disse.

— Então diga a verdade a ele — o coelho sugeriu.

Anna-Lena respirou fundo e fechou os olhos.

— Lennart é apenas um... Fizemos contato pela internet. Não era para ser... Apenas aconteceu, Roger.

Os braços de Roger pendiam frouxos ao lado do corpo, perdidos. No final, ele virou-se para o assaltante de banco, apontou para o coelho e sussurrou:

— Quanto você quer para atirar nele?

— Todos poderiam, por favor, parar de me dizer para atirar nas pessoas? — o assaltante de banco implorou.

— Podemos fazer com que pareça um acidente — Roger disse.

Anna-Lena deu alguns passos desesperados na direção de Roger, tentando pegar as pontas dos dedos do marido.

— Por favor, querido... Roger, acalme-se...

Roger não tinha intenção de se acalmar. Ele estendeu uma das mãos para o coelho e jurou:

— Você vai morrer! Está me ouvindo? Você vai morrer!

Em pânico, Anna-Lena deixou escapar a única coisa em que conseguiu pensar que chamaria a atenção dele:

— Roger, espere! Se alguém morrer aqui, este apartamento será uma cena de crime e então o preço por metro quadrado pode subir! As pessoas adoram cenas de crime!

Roger parou ao ouvir isso, seus punhos estavam tremendo, mas ele respirou fundo e conseguiu se acalmar um pouco. Afinal, preço era sempre preço. Seus ombros afundaram primeiro, seguidos pelo restante do corpo, tanto interna quanto externamente. Ele olhou para o chão e sussurrou:

— Há quanto tempo isso está acontecendo? Entre você e esse... esse maldito coelho?

— Um ano — Anna-Lena respondeu.

— Um *ano*?!

— Por favor, Roger, eu só fiz isso por você.

As faces de Roger tremiam de desespero e confusão, seus lábios se moviam, mas todas as suas emoções permaneceram presas dentro do peito. O homem com cabeça de coelho pareceu ver uma oportunidade de explicar o que realmente estava acontecendo, o que ele fez com um tom que só um homem de meia-idade com sotaque de Estocolmo tão amplo quanto uma autoestrada poderia fazer:

— Ouça, Rog... Você se importa que eu te chame de Rog? Não se sinta mal com isso! As mulheres muitas vezes recorrem a mim, sabe, porque fico feliz em fazer coisas que elas podem não ser capazes de persuadir seus maridos a fazer.

O rosto de Roger estava contorcido em uma grande ruga.

— Que tipo de coisas? Que tipo de relacionamento vocês dois estão realmente tendo?

— Um acordo de *negócios*, sou um profissional! — o coelho corrigiu.

— Profissional? Você está *pagando* para dormir com ele, Anna-Lena? — Roger exclamou.

Os olhos de Anna-Lena dobraram de tamanho.

— Você ficou maluco? — ela sibilou.

O coelho se aproximou de Roger para resolver o mal-entendido.

— Não, não, não esse tipo de profissional. Eu não durmo com pessoas. Bem, não profissionalmente. Eu faço performances disruptivas em visitas a imóveis, sou um disruptor profissional, aqui está meu cartão. — O coelho pescou um cartão de visita em uma de suas meias. *Lennart Sem Limites Ltda.*, dizia, o *Ltda.* indicando a seriedade do trabalho.

Anna-Lena mordeu o lábio e disse:

— Sim, Lennart está me ajudando. Ajudando a nós!

— Mas que raios...? — Roger exclamou.

O coelho balançou a cabeça orgulhosamente.

— Ah, sim, Rog. Às vezes eu sou um vizinho alcoólatra, às vezes eu apenas alugo o apartamento de cima daquele onde a visita está acontecendo e assisto a um filme erótico com o volume bem alto. Mas este aqui é meu pacote mais caro. — Ele apontou para si mesmo, das meias brancas à cueca, depois para o peito nu, até chegar à cabeça de coelho, que ainda não tinha conseguido remover. Depois, anunciou com orgulho: — Este é "o coelho-cocô", veja. O pacote premium. Se você encomendá-lo, eu entro no apartamento antes de todo mundo e me escondo no banheiro. Então, quando os outros potenciais compradores abrem a porta, eles avistam um homem adulto, nu, com cabeça de coelho, sentado no vaso sanitário, fazendo suas necessidades. As pessoas nunca superam essa visão. Elas podem se livrar de pisos riscados e papéis de parede feios ao se mudarem, não é? Mas de um coelho cagando? — O coelho bateu nas têmporas da cabeça de coelho para demonstrar: — Ele fica preso aqui! Você não ia gostar de morar num lugar onde visse isso, não é?!

Todos os ali presentes, ao olharem para o coelho, só puderam concordar com tal afirmação.

Anna-Lena estendeu a mão para o braço de Roger, mas ele a retirou com um puxão como se o tivesse queimado. Ela resmungou:

— Por favor, Roger, você não se lembra daquela visita que fizemos no ano passado a um apartamento que ficava num edifício da virada do século recém-reformado, quando um vizinho bêbado apareceu de repente e começou a atirar espaguete à bolonhesa em todos os potenciais compradores?

Roger sentiu-se tão afrontado que bufou alto.

— Claro que me lembro! Compramos aquele apartamento por 325 mil abaixo do valor de mercado!

O coelho balançou a cabeça, feliz.

— Não gosto de me gabar, mas o vizinho alcoólatra que joga espaguete é um dos meus personagens mais populares.

Roger olhou para Anna-Lena.

— Você quer dizer que... Mas... E todas as minhas negociações com as imobiliárias? Todas as minhas *táticas*?

Gente ansiosa

Anna-Lena não conseguiu encarar o olhar dele.

— Você fica tão chateado quando sua proposta de compra perde. Eu só queria que você... ganhasse.

Ela não estava dizendo toda a verdade. Que ela havia se tornado o tipo de pessoa que só queria um lar, sossegar em casa. Que queria parar agora. Que gostaria de ir ao cinema de vez em quando e ver algo inventado em vez de outro documentário na televisão. Que não queria mais ser um tubarão. Ela temia que essa traição fosse demais para Roger.

— Quantas vezes? — Roger sussurrou com a voz entrecortada.

— Três — Anna-Lena mentiu.

— Seis, na verdade! Eu sei todos os endereços de cor... — o coelho corrigiu.

— Cale a boca, Lennart! — Anna-Lena soluçou.

Lennart assentiu obedientemente e começou a puxar com força a cabeça de coelho novamente. Passou muito tempo absorvido nisso, antes de declarar:

— Acho que algo se soltou um pouco naquela hora!

Roger apenas olhou para o chão com os dedos dos pés firmemente cerrados nos sapatos, porque Roger era o tipo de homem que sentia a emoção nos pés. Ele começou a andar em um amplo semicírculo, até a porta da varanda, acidentalmente bateu com a ponta do pé em um dos rodapés, e xingou baixinho inúmeras vezes tanto o maldito rodapé quanto o maldito coelho.

— Seu estúpido... estúpido... seu estúpido... — murmurou ele, como se procurasse o pior insulto que pudesse imaginar. Por fim, encontrou: — Um estúpido de Estocolmo! — Seus dedos do pé doíam tanto quanto seu coração, então ele cerrou os punhos e olhou para cima, depois atravessou correndo o apartamento, tão rapidamente que ninguém teve tempo de impedi-lo, e derrubou o coelho no chão. Com todo o seu amor, com força total, um só golpe.

O coelho bateu na porta e despencou no chão do banheiro. Felizmente, a cabeça de coelho acolchoada absorveu a maior parte do impacto do soco de Roger, e a suavidade do resto do físico de Lennart (ele tinha aproximadamente a mesma densidade de um bolinho frito) absorveu o restante. Quando abriu os olhos e olhou para o teto, Julia estava inclinada sobre ele.

— Você ainda está vivo? — ela perguntou.
— A cabeça está presa de novo — ele respondeu.
— Está machucado?
— Acho que não.
— Ótimo. Saia daí, então. Preciso fazer xixi.

O coelho choramingou algum tipo de desculpa e saiu rastejando do banheiro. No caminho, entregou um cartão de visita a Julia, sinalizou com a cabeça com tanta ênfase em direção à barriga dela que as orelhas de coelho caíram sobre seus olhos e ele conseguiu dizer: — Eu também faço festas infantis. Se você não gosta de seus filhos.

Julia fechou a porta atrás dele. Mas guardou o cartão de visita. Qualquer pai ou mãe normais teriam feito o mesmo.

Anna-Lena estava olhando para Roger, mas ele se recusava a retribuir o olhar. O sangue escorria de seu nariz. O médico dissera a Anna-Lena que era uma reação ao estresse após Roger ser diagnosticado com esgotamento profissional no trabalho.

— Você está sangrando, vou pegar um lenço de papel — ela sussurrou, mas Roger enxugou o nariz na manga da camisa.

— Droga, só estou um pouco cansado!

Ele foi para o hall de entrada do apartamento, sobretudo porque queria estar em um cômodo diferente, o que o fez xingar o layout de plano aberto. Anna-Lena quis acompanhá-lo, mas percebeu que ele precisava de espaço, então virou-se e foi até o closet, porque era o mais longe dele que ela conseguiria. Lá sentou-se em um banquinho e desmoronou. Não percebeu o ar frio que soprava, como se uma janela estivesse aberta. Como se pudesse haver uma janela aberta em um closet.

O assaltante de banco estava imóvel no centro do apartamento, cercado por gente de Estocolmo, nos sentidos figurado e literal. "Estocolmo" é, afinal, mais uma expressão do que um lugar, tanto para homens como Roger quanto para a maioria de nós, apenas uma palavra simbólica para denotar todas as pessoas irritantes que atrapalham nossa felicidade. Pessoas que pensam que são melhores do que nós. Banqueiros que nos negam um empréstimo, psicólogos que fazem perguntas quando só queremos comprimidos para dormir, velhos que roubam os apartamentos que queremos para poder reformá-los, coelhos que roubam nossas mulheres. Todo mundo que não nos vê, não nos entende, não se importa conosco. Todo mundo tem alguém de Estocolmo na vida, até mesmo as pessoas de Estocolmo têm suas próprias pessoas de Estocolmo, só que para elas são "pessoas que moram em Nova York" ou "políticos de Bruxelas", ou outras pessoas de algum outro lugar onde as pessoas parecem achar que são melhores do que as de Estocolmo pensam que são.

Todos dentro do apartamento tinham seus próprios complexos, seus próprios demônios e ansiedades: Roger estava ferido, Anna-Lena queria ir para casa, Lennart não conseguia tirar a cabeça de coelho, Julia estava cansada, Ro estava preocupada, Zara estava sofrendo e Estelle... Bem... Ninguém sabia de fato o que Estelle estava ainda. Possivelmente nem mesmo Estelle. Às vezes, "Estocolmo" pode, na verdade, ser um elogio: um sonho de algum lugar maior, onde podemos nos tornar outra pessoa. Algo que desejamos, mas não ousamos fazer. Todos no apartamento estavam lutando com sua própria história.

— Perdoem-me — o assaltante de banco disse, de repente, no silêncio que se instalou sobre eles. A princípio, parecia que ninguém ouvira, mas todos ouviram. Graças às paredes finas e àquele plano aberto miserável, as palavras chegaram até mesmo ao closet, ao hall e à porta do banheiro. Eles podiam não ter muito em comum, mas todos sabiam o que era cometer um erro.

"Perdoem-me", o assaltante de banco repetiu com a voz mais fraca, e mesmo que nenhum deles respondesse, foi assim que tudo começou: a verdade sobre como o assaltante de banco conseguiu fugir do apartamento. O assaltante precisava dizer essas palavras, e as pessoas que as ouviram precisavam perdoar a alguém.

"Estocolmo" também pode ser uma síndrome, é claro.

37

Entrevista com Testemunha (Continuação)

JACK: Ok, ok. Podemos nos concentrar nas minhas perguntas agora?

ROGER: Aquele maldito coelho. São pessoas como ele que estão manipulando o mercado. Banqueiros, imobiliárias e malditos coelhos. Manipulando tudo. Tudo uma farsa.

JACK: Está falando de Lennart? Ele está na minha lista de testemunhas, mas não estava usando a cabeça de coelho quando saiu do apartamento. O que quer dizer com tudo uma farsa?

ROGER: Tudo. O mundo inteiro finge. Até no lugar onde eu trabalhava todos fingiam.

JACK: Eu me referi à visita ao apartamento.

ROGER: Ah, sim, claro que adoeci no trabalho, mas obviamente isso não importa para você. As pessoas são todas substituíveis nesta maldita sociedade de consumo, não são?

JACK: Não, não foi isso que eu quis dizer.

ROGER: Um médico idiota decidiu que eu estava "com esgotamento". Eu não estava esgotado, só um pouco cansado. Mas de repente todos começaram a fazer um espalhafato, meu chefe quis falar comigo sobre meu "ambiente de trabalho". Eu queria trabalhar, você entende isso? Eu sou um homem. Mas durante todo o último ano em que fiquei lá eles continuavam inventando coisas para eu fazer, projetos que não existiam. Eles não me utilizavam para nada, eles só sentiam pena de mim. Achavam que eu não entendia o que estava acontecendo, mas eu

Gente ansiosa

	entendia muito bem, sou um homem, não sou? Você entende?
JACK:	Claro.
ROGER:	Um homem quer ser olhado nos olhos e ouvir a verdade quando deixar de ser necessário. Mas eles fingiam comigo. E agora Anna-Lena está fazendo a mesma coisa. O que significa que eu nunca fui um bom negociador, aquele maldito coelho estava fazendo todo o trabalho.
JACK:	Entendo.
ROGER:	Garanto que não, seu moleque.
JACK:	Eu entendo que se sinta magoado, quero dizer.
ROGER:	Você sabe o que aconteceu com a empresa depois que eu saí?
JACK:	Não.
ROGER:	Nada. Não aconteceu absolutamente nada. Tudo continuou normalmente.
JACK:	Sinto muito.
ROGER:	Duvido disso.
JACK:	Você poderia agora me falar mais sobre a lacuna entre as paredes? Mostre-me novamente na planta. De que tamanho é o espaço de que estamos falando? Grande o suficiente para caber um homem adulto de pé?
ROGER:	Bem, no mínimo um metro. Quando eles transformaram o antigo apartamento em dois separados, provavelmente colocaram uma parede extra em vez de aumentarem a largura da existente.
JACK:	Por quê?
ROGER:	Porque eram uns idiotas.
JACK:	Então eles deixaram um espaço aqui entre uma e outra?
ROGER:	Isso.
JACK:	Então você quer dizer que pode ser o caso de o perpetrador ter desaparecido na parede, mesmo que ele não coubesse ali direito?
ROGER:	E isso não é brincadeira.

JACK: Espere aqui.
ROGER: Aonde você vai agora?
JACK: Preciso falar com meu colega.

38

Roger ficou um longo tempo parado na porta da frente, pressionando a ponte do nariz para estancar o sangramento e com a outra mão segurando a maçaneta da porta, pronto para sair do apartamento. O assaltante de banco foi até o hall de entrada e percebeu, mas não teve coragem de impedi-lo.

— Vá se quiser, Roger. Eu compreendo.

Roger hesitou. Virou um pouco a maçaneta como se estivesse testando, mas não abriu a porta. Em vez disso, chutou o rodapé com tanta força que este acabou se soltando.

— Não me diga o que fazer!

— Tudo bem — o assaltante de banco disse, incapaz naquele momento de observar que essa era a razão de ser um assaltante de banco.

Eles não encontraram muito o que dizer depois disso, mas, após vasculhar os bolsos, o assaltante conseguiu achar um pacote de bolas de algodão e entregou-o com uma explicação tranquila:

— Uma de minhas filhas às vezes tem sangramentos nasais, então sempre tenho...

Roger aceitou a gentileza com hesitação. Ele inseriu um chumaço de algodão em cada narina. Ainda estava segurando a maçaneta, mas não conseguia persuadir seus pés a deixarem o apartamento. Eles não sabiam para onde ir sem Anna-Lena.

Havia um banco no hall, então o assaltante sentou-se em uma das extremidades, e logo depois Roger sentou-se na outra. O sangramento nasal enfim havia parado. Ele se enxugou com a camisa, tanto sob o nariz quanto sob os olhos. Por muito tempo eles não disseram nada, até que o assaltante por fim falou:

— Me desculpe por ter envolvido vocês todos nisso. Eu não queria machucar ninguém. Eu só precisava de seis mil e quinhentas coroas para pagar meu aluguel, era por isso que ia roubar o banco, ia devolver o dinheiro assim que pudesse. E com juros!

Roger não respondeu. Ele ergueu a mão e bateu na parede atrás dele. Com cuidado, quase com ternura, como se estivesse preocupado que pudesse quebrar. Toc-toc-toc. Ele não estava emocionalmente preparado para dizer uma verdade, que Anna-Lena era sua parede de sustentação. Em vez disso, disse:

— Fixos ou variáveis?

— O quê? — o assaltante de banco disse.

— Você disse que ia devolver o dinheiro com juros. Juros fixos ou variáveis?

— Eu não tinha pensado nisso.

— Há uma grande diferença — Roger disse prestativamente.

Como se o assaltante de banco já não tivesse o suficiente com que se preocupar.

Enquanto isso, Julia saiu do banheiro. Ela olhou instintivamente para Ro, que estava na sala de estar.

— Cadê a Anna-Lena?

O rosto de Ro parecia tão desnorteado quanto no momento em que descobriu que havia uma forma correta e uma forma incorreta de colocar um prato na máquina de lavar louça.

— Acho que ela foi para o closet.

— Sozinha?

— Sim.

— E você não pensou em ir atrás dela para ver como ela está se sentindo? Aquele marido fóssil e emocionalmente desestabilizado gritou com ela, embora ela faça *tudo* por ele, e você nem mesmo foi atrás dela? Ela talvez esteja prestes a enfrentar um divórcio agora, e você a deixou sozinha? Como pode ser tão insensível?

Ro dobrou a língua atrás dos dentes.

— Só uma coisa... Não me entenda mal. Mas estamos falando de Anna-Lena ou estamos falando de... você? Quer dizer, eu fiz alguma outra coisa que te chateou, e você está fingindo estar chateada com isso para que eu entenda que...

— Às vezes você realmente não entende *nada*, não é? — Julia murmurou e seguiu em direção ao closet.

— Só quero dizer que às vezes você diz que está chateada com uma coisa, mas, na verdade, está chateada com outra! E eu só gostaria de saber se sou insensível porque sou insensível, ou... — Ro falou alto atrás dela, mas Julia respondeu com a linguagem corporal que ela normalmente reservava para se comunicar com homens furiosos em carros alemães. Ro voltou até a sala, pegou uma lima na tigela e começou a comê-la de nervosismo, com casca e tudo. Mas Zara estava parada na janela e Ro tinha um pouco de medo dela, porque todas as pessoas inteligentes têm medo de Zara, então ela foi para o hall.

Lá, o assaltante de banco e Roger estavam sentados em cada extremidade de um banco pequeno. Durante todo o seu casamento, Ro sempre ouvira que ela precisava "entender os limites das pessoas!", mas ainda não os tinha entendido muito bem, então ela se espremeu para sentar no meio dos dois. "Espremer-se" pode não ser uma palavra condizente, mas é como o pai de Ro fala. Ele também sofre de percepção dos limites inadequada. E o pai de Ro ensinou-lhe tudo o que ela sabe, para o bem e para o mal.

De uma ponta do banco, o assaltante olhou para ela sem jeito, Roger olhou-a irritado da outra, os dois agora tão espremidos que cada um tinha uma nádega fora do banco.

— Lima? — Ro ofereceu. Eles balançaram a cabeça. Ro olhou para Roger em tom de desculpas e acrescentou: — Desculpe por minha mulher ter chamado você de fóssil emocionalmente desestabilizado.

— Ela me chamou de quê?

— Talvez você não tenha nem ouvido o que ela disse. Nesse caso, não foi nada.

— O que isso significa? O que raios é "fóssil emocionalmente desestabilizado"?

— Não leve para o lado pessoal, porque a maioria das pessoas, na verdade, não entende os insultos de Jules, ela apenas os diz de uma forma que faz as pessoas entenderem que não são legais. É um grande talento dela. E tenho certeza de que você e Anna-Lena não vão se divorciar.

Os olhos de Roger se arregalaram tanto que acabaram maiores que as orelhas.

— Quem falou em *divórcio*?

Ro engasgou com a casca da lima e tossiu. Em algum lugar dentro da parte do cérebro que controla a lógica e o pensamento racional, milhares de minúsculas terminações nervosas estavam pulando para cima e para baixo e gritando: *Pare de falar agora*. Mesmo assim, Ro se ouviu dizer:

— Ninguém, ninguém falou nada sobre divórcio! Olha, tenho certeza de que tudo vai dar certo. Mas se não der, é realmente romântico quando os casais mais velhos se divorciam. Sempre me deixa feliz, porque é tão bom quando os aposentados ainda pensam que vão encontrar um outro alguém por quem se apaixonar.

Roger cruzou os braços. Sua boca mal se abriu quando ele disse:

— Obrigado por isso, você é um verdadeiro tônico. Você é como um livro de autoajuda, só que ao contrário.

Os impulsos nervosos no cérebro de Ro finalmente conseguiram controlar sua língua, então ela balançou a cabeça, engoliu em seco e se desculpou:

— Desculpe. Eu falo demais. Jules está sempre dizendo isso. Ela diz que sou tão otimista que isso deixa as pessoas deprimidas. Que eu sempre acho que o copo está meio cheio quando há o suficiente para afogar todo mundo e...

— Não consigo imaginar de onde ela tirou essa ideia — Roger grunhiu com sarcasmo.

Ro respondeu desanimada:

— Bem, ela costumava dizer isso, que eu era uma pessoa positiva demais. Desde que ela engravidou tudo ficou muito sério, porque criar um filho é sempre uma coisa séria, e acho que estamos tentando nos adaptar. Às vezes eu acho que não estou preparada para esta responsabilidade... Quer dizer, eu já acho que meu celular exige demais de mim quando ele quer que eu instale uma atualização, e me pego gritando: *"Você está me sufocando."* Você não pode gritar isso para uma criança. E as crianças têm que estar atualizadas o tempo todo, porque elas podem morrer só de atravessar a rua ou comer um amendoim! Já perdi meu celular de vista três vezes hoje, não sei se estou preparada para um ser humano.

O assaltante de banco ergueu os olhos com simpatia.

— Grávida de quantos meses? A Julia?

Ro animou-se na mesma hora.

— Tipo, grávida demais! Pode nascer a qualquer dia!

Roger franziu as sobrancelhas. Depois disse, quase com simpatia:

— Ah. Bem, se vocês *não* querem comprar este apartamento, eu aconselho você a não arriscar deixá-la dar à luz aqui porque isso terá um valor sentimental para ela, o que aumentaria muito o preço do imóvel.

Talvez Ro devesse ter ficado com raiva, mas ela, na realidade, pareceu mais triste.

— Vou pensar nisso.

O assaltante de banco deixou escapar um suspiro do outro lado do banco, depois gemeu seu desalento.

— Talvez eu tenha feito algo de bom hoje, afinal. Um drama de reféns pode realmente diminuir o preço?

Roger bufou.

— Muito pelo contrário. Essa corretora de imóveis idiota provavelmente vai acrescentar "como passou na TV" no próximo anúncio, o que o tornaria ainda mais atrativo.

— Desculpe — o assaltante de banco murmurou.

Ro se encostou na parede, mastigando sua lima com casca. O assaltante de banco olhou fascinado.

— Nunca vi ninguém comer lima assim, com casca e tudo. É bom?

— Na verdade, não — Ro admitiu.

— É bom para prevenir o escorbuto. Os marinheiros costumavam receber limas a bordo dos navios — Roger comentou informativamente.

— Você já foi marinheiro? — Ro quis saber.

— Não. Mas eu assisto a muita televisão — Roger respondeu.

Ro balançou a cabeça, pensativa, possivelmente esperando que alguém lhe perguntasse algo, mas como ninguém perguntou, ela disse:

— Para ser sincera, eu não quero comprar este apartamento. Não antes que meu pai dê uma olhada para decidir se é bom. Ele sempre examina qualquer coisa que eu quero comprar para ver se está tudo bem antes de eu tomar qualquer decisão. Ele entende de tudo, meu pai.

— Quando ele vem? — Roger perguntou desconfiado, pegando um bloco e um lápis com o logo da IKEA e começando a fazer cálculos de acordo com vários preços diferentes por metro quadrado. Ele já havia listado os fatores que poderiam aumentar o preço: parto, homicídio (se tiver cobertura da televisão), clientes de Estocolmo. Em outra lista, ele havia escrito as coisas que deveriam baixar o preço: umidade, mofo, necessidade de reformas.

— Ele não vai vir — Ro respondeu, e continuou com mais ar do que palavras reais: — Ele está doente. Demência. Ele está numa casa de repouso agora. Eu odeio como isso soa, *estar* numa casa, em vez de *morar* lá. E ele não gostaria da casa, porque lá está tudo quebrado, as torneiras pingam, a ventilação faz barulho, as trancas das janelas estão soltas e ninguém conserta. Papai costumava consertar qualquer coisa. Ele sempre tinha uma resposta. Eu não conseguia nem comprar uma caixa de ovos com prazo de validade curto sem telefonar e perguntar a ele se os ovos prestavam.

— Lamento muito ouvir isso — o assaltante de banco disse.

— Obrigada — Ro sussurrou. — Mas está tudo bem. Os ovos duram muito mais do que se imagina, de acordo com papai.

Gente ansiosa

Roger escreveu *demência* em seu bloco, depois ficou triste quando percebeu que isso não o deixava feliz. Realmente não importava quem eram seus concorrentes na compra do apartamento, Roger ainda tinha Anna-Lena. Então ele colocou o bloco de volta no bolso e murmurou:

— É verdade. São os políticos, manipulando o mercado para que a gente coma ovos mais depressa.

Ele tinha visto isso em um documentário na televisão, transmitido logo após outro sobre tubarões. Roger não era particularmente interessado em ovos, mas às vezes ficava acordado até tarde da noite depois que Anna-Lena cochilava, porque não queria acordá-la e fazer com que ela tirasse a cabeça de seu ombro.

Ro esfregou as pontas dos dedos, porque ela é o tipo de pessoa que retém as emoções na ponta dos dedos, depois disse:

— Ele também não gostaria dos aquecedores da casa de repouso. Eles são desses modernos que ajustam a temperatura interna de acordo com a temperatura externa, então você não pode decidir por si mesmo.

— Argh! — Roger exclamou, porque ele era o tipo de homem que achava que um homem deveria ser capaz de decidir a temperatura de sua casa por si mesmo.

Ro deu um sorriso tênue.

— Mas papai adora Jules, de um jeito que ninguém acreditaria. Ele ficou muito orgulhoso quando me casei com ela. Ele disse que Jules tinha a cabeça no lugar... — Então, subitamente, ela deixou escapar: — Eu vou ser uma mãe horrível.

— Não, não vai ser não — o assaltante de banco disse para consolá-la.

Mas Ro insistiu:

— Vou, sim. Eu não entendo nada de crianças. Fui babá do filho do meu primo uma vez, e ele não queria comer nada e ficava dizendo "isso dói" o tempo todo. Então eu disse a ele que só doía porque as asas dele estavam prestes a crescer, porque todas as crianças que não comem se transformam em borboletas.

— Isso é lindo — o assaltante de banco disse sorrindo.

— Acontece que ele tinha apendicite aguda — Ro acrescentou.

— Ah — o assaltante disse, sem sorrir mais.

— Como sempre digo, eu não entendo de nada! Meu pai vai morrer e eu vou ter um filho, e quero ser exatamente como meu pai foi, e não tive oportunidade de perguntar a ele como fazer isso. Você tem que saber de tantas coisas quando tem um filho, tem que saber de tudo, desde o início. E Jules continua querendo que eu tome decisões o tempo todo, mas eu nem sei... Não consigo nem decidir se devo comprar ovos. Eu não vou ser capaz de fazer isso. Jules diz que eu continuo encontrando defeitos em todos os apartamentos de propósito só porque estou com medo de... eu não sei de quê. Só estou com medo de alguma coisa.

Roger estava encostado na parede, cutucando a unha do polegar com o lápis IKEA. Ele sabia muito bem do que Ro tinha medo: de comprar um apartamento, de encontrar um único defeito nele e ter que admitir que a culpa era sua. Não tinha sido difícil para Roger admitir isso para si mesmo nos últimos anos, ele simplesmente não conseguia admitir em voz alta porque estava incrivelmente zangado. Um homem pode acabar assim por conta das coisas que a velhice tira dele, como a capacidade de servir a um propósito, por exemplo, ou pelo menos a capacidade de enganar a pessoa que se ama fazendo-a pensar que você pode ser útil. Anna-Lena tinha visto através dele, ele percebia isso agora, ela sabia que ele não tinha nada a lhe oferecer. O casamento deles havia se transformado em uma fantasia de admiração com coelhos escondidos no banheiro, e um apartamento a mais ou a menos não faria diferença. Roger cutucou a unha com o lápis IKEA até a ponta quebrar, depois soltou uma tosse breve e deu a Ro o melhor presente que ele poderia imaginar.

— Você deveria comprar este apartamento para sua esposa. Não há nada de errado nele. Pode ser necessária uma pequena reforma, mas não tem umidade nem mofo. A cozinha e o banheiro estão em ótimo estado e o financeiro do condomínio está em ordem. Tem alguns rodapés soltos, mas isso não vai demorar muito para consertar — ele disse.

Gente ansiosa

— Não sei consertar rodapés — Ro sussurrou.

Roger ficou em silêncio por muito, muito tempo antes de dizer — sem olhar para ela — três das palavras mais difíceis que um homem mais velho pode dizer a uma mulher jovem:

— Você vai conseguir.

39

Jim está pegando um café na sala dos funcionários da delegacia, mas não tem tempo de beber porque Jack chega correndo de sua entrevista com Roger, gritando: "Temos que voltar para aquele apartamento! Eu sei onde ele está se escondendo! Na parede!"

Jim não entende direito que raio aquilo significa, mas obedece. Eles saem da delegacia, entram no carro e retornam à cena do crime com grande esperança de que tudo se esclarecesse no momento em que entrassem no apartamento, de que eles haviam perdido algum detalhe óbvio que agora lhes daria todas as respostas muito tempo antes de os agentes de Estocolmo chegarem e tentarem se apoderar da glória por tudo.

Em parte eles estão certos, claro. Os dois perderam um detalhe óbvio.

Há um jovem policial postado na portaria para impedir que jornalistas e estranhos curiosos entrem para bisbilhotar. Jack e Jim o conhecem porque a cidade é pequena demais para que eles não o conheçam, e se as pessoas às vezes fazem piadas dizendo que alguns jovens policiais não são "a faca mais afiada na gaveta", esse jovem nem mesmo na gaveta estava. Ele mal percebe quando Jim e Jack passam por ele, e os dois se entreolham com irritação.

— Se dependesse de mim, eu nunca deixaria esse sujeito vigiar uma cena de crime — Jack resmunga.

— Eu não deixaria que ele vigiasse minha cerveja enquanto vou ao banheiro — Jim resmungou também, sem deixar bem claro o que ele achava mais grave. Mas é a véspera da véspera de Ano-Novo, e eles contam com um efetivo muito reduzido para se darem ao luxo de escolher.

Eles se separaram para procurar. Primeiro Jack usa os nós dos dedos, depois a lanterna de bolso, para bater em todas as paredes. Jim tenta passar a impressão de que também tem boas ideias e intuição, então levanta o sofá para ver se alguém está escondido lá embaixo. Depois, Jim fica sem boas ideias e intuição. Há umas caixas de pizza na mesa de centro, então Jim ergue a tampa de uma delas para ver se sobrou alguma coisa. As narinas de Jack se dilatam e duplicam de tamanho quando ele vê isso.

— Pai, por favor, não me diga que você está pensando em comer restos de pizza. Isso ficou aí o dia inteiro!

Seu pai fecha a tampa indignado.

— Pizza não cai mal.

— Se você fosse um bode morando num depósito de lixo, talvez — Jack resmunga, voltando em seguida a bater e bater com cuidado em todas as paredes de cima a baixo, primeiro esperançoso, depois com desespero crescente, as palmas das mãos percorrendo o papel de parede como nos primeiros segundos após deixarmos cair acidentalmente uma chave em um lago. Sua expressão de confiança começa a derreter aos poucos quando as insatisfações reprimidas de um dia inteiro por fim escapam dele.

— Não, droga. Eu estava errado. Não tem como ele estar aqui.

Ele está parado em frente à parede atrás da qual a lacuna que Roger mencionou deveria estar. Mas não tem como alguém estar ali dentro. Se o assaltante de banco estivesse ali, alguém teria que ter derrubado parte da parede e, em seguida, fechado, e a parede está rebocada e pintada com muito cuidado para isso. E também não haveria tempo o suficiente. Jack profere uma série de palavrões de cunho sexual misturados com nomes de bichos do campo. Suas costas estalam quando ele se encosta na parede. Jim vê um espírito de derrota formar-se no rosto do filho, diminuindo a distância entre suas orelhas e ombros, então Jim reúne toda a sua solidariedade de pai e tenta encorajá-lo dizendo:

— E o closet?

— Pequeno demais — Jack diz secamente.

— Só na planta. De acordo com a tal Estelle, é, na verdade, um closet planejado inteiro...

— O quê?

— Foi o que ela disse. Não mencionei isso em minhas anotações da entrevista?

— Por que você não disse nada? — Jack deixa escapar, já a caminho.

— Eu não sabia que era importante — Jim responde defensivamente.

Quando Jack enfia a cabeça no closet para procurar um interruptor de luz, ele bate com a testa em um cabide, exatamente no mesmo lugar onde já havia um inchaço enorme. Dói tanto que ele soca o cabide com o punho. Agora seu punho dói também. Mas Jim estava certo. Atrás de todos os casacos e ternos antigos e caixas cheias de coisas ainda mais antigas bloqueando a frente, o closet é realmente muito maior do que parecia na planta.

40

Houve uma batida à porta do closet.

Toc-toc-toc.

— Entre! — Anna-Lena gritou esperançosa, mas desmoronou ao ver que não era Roger.

— Posso entrar? — Julia perguntou gentilmente.

— Para quê? — Anna-Lena disse com o rosto virado para o lado, porque achava que chorar era uma atividade mais privada do que ir ao banheiro.

Julia deu de ombros.

— Estou cansada de todo mundo lá fora. Você parece sentir o mesmo. Então, talvez tenhamos algo em comum.

Anna-Lena teve que admitir a si mesma que fazia muito tempo que ela não tinha nada em comum com ninguém além de Roger, e que isso parecia muito bom. Então, ela balançou a cabeça timidamente sentada em seu banquinho, meio escondida por uma arara cheia de ternos masculinos antiquados.

— Desculpe por estar chorando. Eu sei que sou eu quem está errada aqui.

Julia olhou em volta procurando um lugar para se sentar e decidiu puxar uma escada do fundo do closet e sentar-se no degrau mais baixo. Então ela disse:

— Quando eu engravidei, a primeira coisa que minha mãe me disse foi: "Agora você vai ter que aprender a chorar no closet, Jules, porque as crianças ficam assustadas se você chorar na frente delas."

Anna-Lena enxugou as lágrimas e colocou a cabeça para fora dos ternos.

— Isso foi a *primeira* coisa que sua mãe disse?

— Eu fui uma criança difícil, então o senso de humor dela é bastante incomum. — Julia sorriu.

Anna-Lena sorriu também, um sorriso fraco. Ela apontou afetuosamente para a barriga de Julia.

— Você está bem? Quer dizer, você e... o bebê?

— Ah, sim, obrigada. Estou urinando 35 vezes por dia, odeio meias e ando começando a achar que terroristas que ameaçam jogar bombas em transportes públicos são todos mulheres grávidas que odeiam cheiro de gente nos ônibus. Porque as pessoas realmente têm um cheiro nojento. Você acredita que um velho sentado ao meu lado outro dia estava comendo salame? Salame! No ônibus! Mas obrigada, o bebê e eu estamos bem.

— É terrível ser refém quando se está grávida, eu quis dizer — Anna-Lena disse suavemente.

— Ah, provavelmente é tão ruim quanto para você. Só tenho mais para carregar.

— Você tem muito medo do assaltante de banco?

Julia balançou a cabeça lentamente.

— Não, na verdade não tenho. Para ser franca, eu nem acho que aquela pistola seja real.

— Nem eu. — Anna-Lena acenou com a cabeça, embora ela, na verdade, não tivesse a menor ideia.

— A polícia deve chegar a qualquer momento, precisamos manter a calma — Julia sugeriu.

— Espero que sim — Anna-Lena assentiu.

— O assaltante de banco, na verdade, parece mais assustado do que nós.

— Sim, acho que você tem razão.

— E você? Como está?

— Eu... eu realmente não sei. Eu magoei muito o Roger.

— Ah, algo me diz que você aguentou coisas muito piores dele por todos esses anos, então duvido que estejam quites.

— Você não conhece o Roger. Ele é mais sensível do que as pessoas pensam. Ele é apenas um pouco apegado aos seus princípios.

— Sensível e um homem de princípios, já ouvimos muito disso — Julia assentiu, pensando que era uma boa descrição de todos os velhos que iniciaram guerras ao longo da história da humanidade.

— Certa vez, um jovem de barba preta perguntou se poderia usar a vaga de Roger em um estacionamento, e Roger esperou vinte minutos para tirar o carro. Por uma questão de princípios!

— Que encantador — Julia disse.

— Você não o conhece — Anna-Lena repetiu com um olhar vazio no rosto.

— Com todo o respeito, Anna-Lena, se Roger fosse tão sensível como você diz, ele é que estaria chorando no closet agora.

— Ele é sensível... no íntimo. Eu simplesmente não consigo entender como... quando ele viu Lennart, ele pôde presumir que estávamos... tendo um *caso*. Como pôde pensar algo assim de mim?

Julia tentou encontrar uma posição confortável de se sentar na escada e teve um vislumbre de seu próprio reflexo no metal. Não foi lisonjeiro.

— Se Roger achou que você estava sendo infiel, então o problema está nele, não em você.

Anna-Lena pressionou as mãos com força contra as coxas para impedir que seus dedos tremessem. Ela parou de piscar.

— Você não conhece o Roger.

— Eu conheci homens como ele o suficiente.

O queixo de Anna-Lena moveu-se lentamente de um lado para o outro.

— Ele esperou vinte minutos para tirar o carro por uma questão de princípios. Porque no noticiário daquela manhã apareceu um homem, um político, que disse que deveríamos parar de ajudar os imigrantes. Que eles vêm para cá pensando que podem ter tudo de graça, e que uma sociedade não pode funcionar assim. Ele xingou muito e disse que são todos iguais. E Roger tinha votado no partido desse político, entende? Roger tem ideias muito firmes sobre economia, impostos sobre combustíveis e coisas assim, ele não gosta quando pessoas de Estocolmo aparecem e decidem como todos os que não são de Estocolmo deveriam viver. E ele pode ser muito sensível. Às vezes ele se expressa um pouco duramente, admito, mas ele tem seus princípios. Ninguém pode dizer que ele não tem princípios. E naquele dia em particular, depois que ele ouviu aquele político dizer isso, estávamos em um shopping center, era pouco antes do Natal, então o estacionamento estava completamente lotado quando voltamos para o carro. Filas imensas. E aquele jovem de barba preta, ele nos viu voltando para nosso carro, abaixou sua janela e perguntou se nós íamos embora e se ele poderia aproveitar e entrar na nossa vaga se estivéssemos de saída.

A essa altura, Julia já havia tencionado se levantar e sair daquele closet planejado.

— Sabe de uma coisa, Anna-Lena? Acho que não quero ouvir o resto dessa história...

Anna-Lena assentiu compreensiva, porque certamente aquela não foi a primeira vez que alguém disse isso sobre suas histórias. Mas ela estava tão acostumada a pensar em voz alta agora que concluiu mesmo assim.

— Havia tantos carros lá que o jovem demorou vinte minutos para chegar à parte da garagem onde estávamos estacionados. Roger se recusou a tirar o carro até ele chegar lá. Ele levava dois filhos pequenos no banco traseiro do carro, eu não tinha percebido, mas Roger sim. Quando partimos, eu disse a Roger que estava orgulhosa dele, e ele respondeu que não significava que havia mudado de ideia sobre a economia ou impostos sobre combustíveis ou sobre o povo de Estocolmo. Mas então ele disse que percebeu que, aos olhos daquele jovem, Roger deve ser parecido com aquele político na televisão, eles tinham a mesma idade, tinham a mesma cor de cabelo, o mesmo dialeto e tudo o mais. E Roger não queria que o homem de barba pensasse que isso significava que todos eram exatamente iguais.

Anna-Lena enxugou o nariz com a manga de um dos paletós e desejou que fosse de Roger.

Gente ansiosa

Vale a pena ressaltar que Julia tentava se levantar enquanto a história estava sendo contada, uma manobra que levou um bom tempo, mas levou o mesmo tempo para ela cair de volta na posição sentada novamente. Só nesse instante ela abriu a boca, e a princípio o único som que saiu foi uma tosse ofegante, antes de ela começar a rir.

— Isso é a coisa mais adorável e ao mesmo tempo mais ridícula que eu já ouvi em muito tempo, Anna-Lena.

Anna-Lena torce o nariz num gesto de constrangimento.

— Nós discutimos bastante sobre política, Roger e eu, temos opiniões muito diferentes, mas a gente sempre pode... Eu acho que uma pessoa pode entender a outra sem necessariamente concordar com ela, entende o que quero dizer? E eu sei que as pessoas às vezes pensam que Roger é um pouco idiota, mas ele nem sempre é um idiota como as pessoas supõem.

— Ro e eu também votamos em partidos diferentes — Julia admitiu.

Ela pensou em acrescentar que Ro era uma hippie iludida quando se tratava de política, e que só se descobre coisas desse tipo após alguns meses de relacionamento, mas decidiu não falar nada. Porque era perfeitamente possível duas pessoas se amarem apesar disso.

Anna-Lena enxugou o rosto na manga do paletó.

— Eu nunca deveria ter agido pelas costas de Roger! Ele era muito bom no trabalho, deveria ter sido um dos chefes, mas nunca teve chance. E agora ele fica tão chateado quando... perde. Eu queria que ele se sentisse um vencedor. Então, contratei a "Lennart Sem Limites" e, no início, disse a mim mesma que seria apenas uma vez... Mas fica cada vez mais fácil depois que se começa. Você diz isso a si mesma... Bem, claro, você é jovem, por isso é difícil de acreditar, mas... a mentira fica cada vez mais fácil. Disse a mim mesma que estava fazendo isso por causa de Roger, mas é claro que era por mim mesma. Eu decorei vários apartamentos para que fossem exatamente como um lar deveria ser, para que alguém pudesse vê-lo e pensar: "Ah, é aqui que eu desejo morar!" Eu só queria poder ser essa pessoa um dia. Ter um lar novamente. Roger e eu não moramos em nenhum lugar direito há muito tempo. Ficamos passando... de um para outro.

— Há quanto tempo vocês estão juntos?
— Desde que eu tinha dezenove anos.

Julia pensou por um longo tempo antes de por fim perguntar:

— Como você consegue?

Anna-Lena respondeu sem pensar:

— As pessoas se amam até não poderem viver uma sem a outra. E mesmo se pararem de se amar por um tempo, elas não podem... não conseguem viver uma sem a outra.

Julia fica em silêncio por vários minutos. Sua própria mãe morava sozinha, mas os pais de Ro estavam casados há quarenta anos. Não importa o quanto Julia amasse Ro, pensar nisso às vezes a horrorizava. Quarenta anos. Como é possível amar alguém por tanto tempo? Gesticulando vagamente em direção às paredes do closet, ela sorriu para Anna-Lena.

— Minha mulher me deixa maluca. Ela quer fazer vinho e armazenar queijo aqui.

Anna-Lena enfiou o rosto coberto de lágrimas entre dois pares de calças do mesmo tecido e respondeu como se estivesse revelando um segredo embaraçoso.

— Às vezes Roger também me deixa maluca. Ele usa nosso secador de cabelo para... bem, você pode adivinhar... ele enfia debaixo da toalha. Não é assim que se deve usar um secador de cabelo... não ali. Isso me dá vontade de gritar!

Julia estremeceu.

— Argh! Ro faz exatamente a mesma coisa. É tão nojento que me deixa enjoada.

Anna-Lena mordeu o lábio.

— Tenho que admitir que nunca pensei nisso. Que você pudesse ter problemas assim. Sempre achei que seria mais fácil se você morasse com uma... mulher.

Julia deu uma gargalhada.

— A gente não se apaixona por um gênero, Anna-Lena. A gente se apaixona por idiotas.

Gente ansiosa

Anna-Lena começou a rir também, muito mais alto do que normalmente fazia. Então elas se entreolharam. Anna-Lena tinha o dobro da idade de Julia, mas elas tinham muito em comum apesar disso. Ambas casadas com idiotas que não sabiam a diferença entre os diferentes tipos de cabelo. Anna-Lena olhou para a barriga de Julia e sorriu.

— Para quando é?

— A qualquer momento! Ouviu isso, seu alienigenazinho? — Julia respondeu, em parte para Anna-Lena, em parte para seu alienigenazinho.

Anna-Lena pareceu não entender a referência, mas fechou os olhos e disse:

— Temos um filho e uma filha. Eles têm a sua idade. Mas eles não querem ter filhos. Roger ficou decepcionado. Olhando assim para ele, você pode não acreditar nisso, se você realmente não o conhece, mas ele seria um bom avô se tivesse a chance.

— Ainda tem muito tempo para isso, não é? — Julia sugeriu, principalmente porque, se esses filhos tivessem a mesma idade que ela, ela não ia querer ser considerada uma mãe idosa.

Anna-Lena balançou a cabeça com tristeza.

— Não, eles já se decidiram. E, claro, essa é a escolha deles... É assim que é hoje em dia. Minha filha diz que o mundo já está superpovoado e ela se preocupa com as mudanças climáticas. Não sei por que para certas pessoas as ansiedades comuns já não bastam. Alguém realmente precisa de algo novo para se preocupar?

— É por isso que ela não quer ter filhos?

— Sim, é o que ela diz. A menos que eu tenha entendido mal. Provavelmente sim. Mas talvez fosse bom para o meio ambiente se não houvesse tantas pessoas, eu não sei. Eu só queria que Roger pudesse se sentir importante novamente.

Julia pareceu não entender a lógica.

— Netos fariam com que ele se sentisse importante?

Anna-Lena sorriu debilmente.

— Você já segurou uma criança de três anos pela mão no caminho da pré-escola para casa?

— Não.

— Você nunca é mais importante do que naquele momento.

―――

Elas ficaram sentadas ali sem dizer mais nada, tremendo um pouco com a corrente de ar.

Nem pensaram em se perguntar de onde estava vindo.

41

Estelle andava silenciosamente pelo hall, seu corpo de idosa agora tão leve que ela teria sido uma excelente caçadora se pelo menos não falasse tanto. Ela olhou com indulgência para o assaltante de banco, Ro e Roger apertados no banco, e quando nenhum deles a notou, ela limpou a garganta como quem pede licença.

— Posso perguntar se alguém está com fome? Tem comida no freezer, eu poderia preparar alguma coisa. Quer dizer, tenho certeza de que há comida. Na cozinha. As pessoas costumam ter comida na cozinha.

Estelle não conhecia um melhor modo de dizer que se importava com as pessoas do que perguntar se elas estavam com fome. O assaltante de banco deu-lhe um sorriso triste, mas agradecido.

— Comer um pouco seria ótimo, agradeço, mas não quero causar nenhum incômodo.

Ro, por outro lado, fez que sim com entusiasmo, pelo único motivo de que estava com tanta fome que poderia comer uma lima com casca e tudo.

— Talvez pudéssemos pedir pizza?

A ideia a encantou tanto que acidentalmente deu uma cotovelada em Roger, que pareceu acordar de seus pensamentos. Ele ergueu a cabeça.

— Que foi?

— Pizza! — Ro repetiu.

— Pizza? Agora? — Roger resmungou e olhou para o relógio.

O assaltante de banco teve outra ideia, mas em seguida suspirou com resignação:

— Não. Para começo de conversa, não tenho dinheiro o suficiente para pedir pizza. Eu nem consigo fazer reféns sem que eles morram de fome...

Roger cruzou os braços e olhou para o assaltante de banco, pela primeira vez não de forma crítica, mas por curiosidade.

— Posso perguntar qual é o seu plano? Como está pensando em sair daqui?

O assaltante de banco piscou com força, depois admitiu sem se preocupar em enfeitar a história:

— Não sei. Eu não cheguei a pensar tão longe, não previ. Eu só estava tentando... Eu só precisava de dinheiro para o aluguel, porque estou me divorciando e o advogado disse que tiraria minhas filhas de mim se eu não tiver um lugar para morar. Minhas meninas. Ah, é uma longa história, não quero aborrecê-lo com... Desculpe, talvez o melhor a fazer seja me entregar. Eu sei disso!

— Se você se entregar agora e sair para a rua, a polícia pode te matar — Ro disse, de forma não muito encorajadora.

— Que coisa para dizer! — Estelle comentou.

— É provável que atirem para matar, eles veem você como alguém armado e perigoso, e pessoas assim costumam levar bala — Roger acrescentou informativamente.

A máscara de esqui de repente parecia bastante úmida em volta dos olhos.

— Esta arma nem é de verdade.

— Não parece ser de verdade — Roger concordou, com base em sua completa falta de experiência no assunto.

O assaltante de banco sussurrou:

— Eu sou um idiota. Um fracasso e idiota. Não tenho nem um plano de fuga. Se quiserem atirar em mim, vão atirar fácil. Eu não consigo fazer nada certo mesmo.

O assaltante de banco se levantou e caminhou em direção à porta do apartamento com uma determinação recém-descoberta.

Gente ansiosa

Foi Ro quem impediu e ficou no caminho. Em parte porque o assaltante de banco havia falado que tinha filhas, é claro, mas também porque, naquela altura da vida, Ro podia identificar-se com aquele sentimento de estar errada o tempo todo. Então, ela exclamou:

— Ei? Você vai simplesmente desistir agora, depois de tudo isso? Não podemos pelo menos pedir uma pizza? Nos filmes de reféns, a polícia sempre fornece pizzas! Grátis!

Estelle cruzou as mãos sobre a barriga e acrescentou:

— Não tenho nada contra pizza. Você acha que eles mandariam um pouco de salada também?

Roger grunhiu sem erguer os olhos:

— Grátis? Você está falando sério?

— Sério como uma pedra no rim — Ro jurou. — Reféns *sempre* ganham pizzas nos filmes! Se pudermos pelo menos pensar em uma forma de entrar em contato com a polícia, a gente pode pedir algumas!

Roger ficou olhando para o chão por muito, muito tempo. Daí olhou para a porta fechada do closet na outra extremidade do apartamento, tentando sentir a presença de sua esposa através dela. A pele sob seus olhos continuava tremendo espasmodicamente. Então foi como se ele tivesse decidido agir, porque, pela experiência de Roger, nada de bom saía dele se ficasse pensando nas coisas por tempo demais. Assim, ele bateu com as mãos firmemente nos joelhos e se levantou do banco. Estava tomando a iniciativa. Só de fazer isso fez com que se sentisse quente por dentro.

— Tudo bem! Vou organizar esta história das pizzas!

Ele seguiu decidido em direção à varanda. Estelle correu rapidamente até a cozinha para procurar os pratos. Ro, por sua vez, foi na direção do closet para perguntar que tipo de pizza Julia queria. O assaltante de banco ficou a sós no hall, segurando a pistola e murmurando baixinho:

— Piores reféns de todos os tempos. Vocês são os *piores* reféns de todos os tempos.

42

Jack e Jim viraram todo o closet de cabeça para baixo sem encontrar nenhum vestígio do assaltante de banco. Um baú mais ao fundo não tem nada, exceto uma coleção de garrafas de vinho quase vazias — e que tipo de bêbado esconde garrafas de vinho em um closet? Eles retiram todas as roupas, ternos masculinos e alguns vestidos que parecem ser da época anterior à invenção da televisão em cores. Mas, além disso, não encontram nada. Jim fica tão suado enquanto procura que não percebe a corrente de ar frio lá dentro. É Jack quem para e fareja intensamente o ar como um cão de caça em um festival de música.

— Está cheirando a fumaça de cigarro aqui — ele comenta, sentindo o inchaço na testa.

— Talvez um dos potenciais compradores tenha fumado escondido aqui, o que seria compreensível nas circunstâncias — Jim especula.

— Sim, mas então deveria ter *mais* cheiro de fumaça. Não há cheiro nenhum de fumaça de cigarro em outro lugar do apartamento, então é quase como se alguém tivesse... Eu não sei, arejado o closet de alguma forma?

— Como isso seria possível?

Jack não responde, apenas se move pelo espaço em busca da corrente de ar que a princípio pensou ter imaginado. De repente, ele pega uma escada que está no chão, tira uma pilha de roupas do caminho, sobe os degraus e começa a empurrar o teto com a palma da mão até que algo cede.

— Tem algum tipo de ventilação aqui em cima!

Gente ansiosa

Jim não tem tempo de responder antes que Jack enfie a cabeça pela abertura do alçapão. Jim aproveita a oportunidade para sacudir as garrafas de vinho que encontrou no baú e dá um gole em uma que não está totalmente vazia afinal. Porque um vinho também não cairia mal.

Jack grita do alto da escada:

— Tem uma passagem estreita aqui, acima do teto falso, acho que a corrente de ar vem do sótão.

— Uma passagem? Grande o suficiente para alguém rastejar e sair do outro lado? — Jim quis saber.

— Não sei, é muito estreita, mas alguém magro talvez conseguisse… Espere…

— Dá para ver alguma coisa?

— Estou tentando iluminar para ver onde vai dar, mas tem uma coisa no caminho… Uma coisa… fofa.

— Fofa? — Jim repete com ansiedade na voz, pensando em todos os animais que Jack não gostaria de descobrir mortos em um duto de ventilação. Jack não gosta muito de animais, mesmo quando estão vivos.

Jack diz um palavrão, puxa a coisa fofa e joga para Jim. É uma cabeça de coelho.

43

Roger olhou para a polícia por cima do corrimão da varanda, respirou fundo e gritou:

— Precisamos de suprimentos!

— Um médico? Tem alguém ferido? — um dos policiais gritou de volta. Seu nome era Jim, sua audição não era boa e ele não tinha muita experiência em situações de reféns. Ou nenhuma, para sermos estritamente corretos.

— Não! Nós estamos com fome! — Roger gritou.

— Que homem? — o policial gritou.

Havia outro policial, um mais jovem, parado ao lado dele. Ele tentava calar o mais velho para que pudesse ouvir o que Roger estava dizendo, mas é claro que o mais velho não estava escutando.

— NÃO! PIZZA! — Roger berrou, mas como ele tinha chumaços de algodão enfiados nas narinas infelizmente soou como outra coisa.

— MELISSA? UMA REFÉM CHAMADA MELISSA ESTÁ FERIDA? — o policial mais velho gritou.

— VOCÊ NÃO ESTÁ OUVINDO!

— O QUÊ?

— FICA QUIETO, PAI, PARA EU PODER OUVIR O QUE ELE ESTÁ DIZENDO! — o policial mais jovem gritou com o policial mais velho na rua, mas Roger já havia saído da varanda, frustrado. Ele nunca xingou tanto desde que um grupo de malditos ativistas mudou o nome de suas barras de chocolate favoritas porque o antigo nome era considerado um insulto a alguém. Ele voltou para o interior do apartamento agitando seu bloco de notas e lápis IKEA no ar.

— Vamos fazer uma lista e jogar lá embaixo — ele declarou. — Vocês querem pizza de quê? Você primeiro! — ele comandou, apontando para o assaltante de banco.

— Eu? Ah, eu não me importo, tanto faz. Qualquer coisa serve — o assaltante de banco respondeu debilmente.

— Você está com dificuldade de pensar ou o quê? Basta tomar uma decisão de uma vez! Assim desse jeito ninguém vai respeitar você! — Zara exclamou do sofá (onde ela só se sentou depois de pegar uma toalha no banheiro para colocar entre ela e a almofada, porque só Deus sabe que tipo de gente sentou ali antes dela. Talvez tivessem tatuagens e sabe-se lá o que mais).

— Não consigo decidir — o assaltante falou, talvez as palavras mais verdadeiras que proferiu o dia todo. Quando você é criança, deseja ser adulto e decidir tudo por si mesmo, mas quando vira adulto percebe que essa é a pior parte. Que você tem que ter opiniões o tempo todo, tem que decidir em qual partido votar e qual papel de parede você gosta e quais são suas preferências sexuais e qual sabor de iogurte reflete melhor sua personalidade. Você tem que fazer escolhas e ser escolhido pelos outros, a cada segundo, o tempo todo. Essa foi a pior parte do divórcio, na opinião do assaltante de banco, o fato de achar que tinha acabado com tudo isso, mas que, na verdade, teria que começar a tomar decisões sobre tudo de novo. Já tínhamos papel de parede e louça, os móveis da varanda eram quase novos e as crianças iam começar o curso de natação. Tínhamos uma vida juntos, não era o suficiente? O assaltante de banco havia chegado a um ponto na vida em que tudo enfim parecia... completo. O que significa que você não está em condições de ser atirado na selva para ter que descobrir quem você é novamente. O assaltante de banco tentava entender todos esses pensamentos, mas não teve tempo antes de Zara interromper mais uma vez:

— Você precisa fazer exigências!

Roger concordou:

— Ela está certa, na verdade. Do contrário, a polícia vai ficar nervosa e é aí que começa a atirar. Eu vi um documentário sobre isso. Se você faz reféns, terá que dizer a eles o que deseja para que comecem a negociar.

O assaltante de banco respondeu com tristeza e sinceridade:

— Quero voltar para casa com minhas filhas.

Roger levou isso em consideração por um tempo. Depois disse:

— Vou anotar aqui uma capricciosa para você, todo mundo gosta de capricciosa. Próximo! Você gostaria de uma pizza de quê?

Ele estava olhando para Zara agora. Ela pareceu ficar em completo estado de choque.

— Eu? Eu não como pizza.

Quando Zara ia a um restaurante, ela sempre pedia mariscos e deixava bem claro que os queria servidos com as conchas intactas, porque assim ela podia ter certeza de que ninguém na cozinha havia tocado o interior. Se o restaurante não tivesse mariscos, Zara pedia ovos cozidos. Ela detestava morangos e framboesas, mas gostava de bananas e cocos. Sua ideia de inferno era ficar presa numa fila interminável para se servir atrás de alguém que estivesse resfriado.

— Todo mundo vai comer pizza! Além disso, é grátis! — Roger esclareceu, com uma fungada na hora errada.

Zara franziu o nariz e o resto de seu rosto fez o mesmo.

— As pessoas comem pizza com as mãos. As mesmas mãos que usam para fazer reformas nos apartamentos.

Mas é claro que Roger não se deu por vencido, apenas olhou para a bolsa, os sapatos e o relógio de pulso de Zara, e em seguida rabiscou algo em seu bloco.

— Eu direi que você quer a pizza mais cara, está bem? Talvez eles tenham algo com trufas, folhas de ouro e por cima um filhote de tartaruga em risco de extinção, como uma marinara metida a besta. Próximo!

Estelle parecia preocupada em ter que decidir tão rapidamente, então exclamou:

— Eu quero o mesmo que Zara.

Gente ansiosa

Roger olhou para ela e escreveu "capricciosa" em seu bloco.

Então foi a vez de Ro, e seu rosto assumiu uma expressão que só uma mãe ou um fabricante de desfibriladores apreciariam.

— Uma pizza kebab com molho de alho! Molho extra. E kebab extra. De preferência tostadinha. Espere, vou ver o que a Jules quer!

Ela bateu à porta do closet.

— *O que é?* — Julia gritou.

— *Estamos pedindo pizza!* — Ro gritou.

— *Quero uma havaiana sem abacaxi e sem presunto, em vez disso com banana e amendoim. E diga a eles para não assarem demais!*

Ro respirou tão fundo que suas costas estalaram. Ela inclinou-se para aproximar-se mais da porta.

— Pelo menos uma vez na vida você não poderia pedir uma pizza que já tem no cardápio, querida? Uma pizza gostosa e normal? Por que sempre sou eu que tenho que telefonar e dar a eles uma série de instruções como se estivesse tentando ajudar uma pessoa cega a pousar um avião?

— *E com bastante queijo, se for do bom! Pergunte se eles têm um queijo bom!*

— *Por que você não pode simplesmente pedir algo do cardápio como uma pessoa normal?*

Não estava totalmente claro se Julia tinha conseguido ouvir o que Ro disse, ou se ela a estava ignorando, porque ela gritou de dentro do closet:

— *E azeitonas! Mas não das verdes!*

— Isso não é uma pizza havaiana — Ro murmurou baixinho para si mesma.

— *Claro que é!*

Roger fez o possível para anotar tudo. Então a porta do closet se abriu, Julia olhou para fora e disse com uma voz repentinamente amigável:

— Anna-Lena diz que quer o mesmo que você pedir, Roger.

Roger balançou a cabeça lentamente, olhando para seu bloco. Ele teve que ir para a cozinha para que ninguém o visse escrever uma nova lista, porque na primeira era impossível de escrever quando o papel estava molhado. Quando voltou à sala, o coelho ergueu a mão timidamente.

— Eu gostaria de... — a voz disse de dentro da cabeça.

— Capricciosa! — Roger interrompeu, piscando para afastar as lágrimas e dando ao coelho um olhar que dizia que não era hora de ser vegetariano ou qualquer outra porcaria do gênero, então o coelho apenas balançou a cabeça concordando.

— Posso tirar o presunto, sem problema, fica bom.

Então Roger olhou ao redor em busca de algo pesado o suficiente onde pudesse anexar o papel com a lista e, finalmente, encontrou um objeto redondo que parecia ter a densidade certa. Foi assim que a polícia ouviu alguém gritar de novo da varanda, e quando Jack olhou para cima, uma lima o atingiu na testa.

———

Àquela distância, fez um galo e tanto.

44

Jack só conseguiu entrar até a metade do espaço acima do closet. Jim vai precisar subir a escada e puxar os pés do filho com a maior força possível, como se ele fosse um rato que entrou em uma garrafa de refrigerante para beber o conteúdo e ficou gordo demais para se espremer e sair. Quando Jack finalmente se solta, os dois caem no chão, Jim com um estrondo e Jack com um baque. Eles ficam ali esparramados no chão do closet, cercados por roupas íntimas femininas do século passado e com a cabeça de coelho rolando, fazendo com que bolas de poeira fujam assustadas para salvarem a própria vida. Antes de se levantar, Jack, irritado, inicia outra demonstração verbal de seu conhecimento da anatomia humana e animal. Depois explica:

— Bem, há um duto de ventilação muito estreito ali em cima, mas está fechado na outra extremidade. Fumaça de cigarro pode sair por lá, mas não dá para uma pessoa passar. Nenhuma chance.

Jim parece infeliz, ainda mais porque Jack parece muito infeliz. O pai permanece de pé no closet por um tempo depois que seu filho sai furioso, para dar-lhe tempo de dar umas voltas pela sala de estar e tirar os palavrões de seu organismo. Quando Jim finalmente sai do closet, ele encontra Jack parado em frente à lareira, pensando.

— Você acha que o assaltante de banco pode ter saído por aí? — Jim quis saber.

— Você acha que ele é o Papai Noel ou algo assim? — Jack responde, com uma crueldade desnecessária da qual se arrepende no mesmo instante.

Mas há cinzas no fundo da grelha, que ainda está quente — a lareira foi acesa recentemente. Quando Jack revira devagar as cinzas com a lanterna, ele pesca os restos de uma máscara de esqui. Ele a segura contra a luz. Olha o sangue no chão e os móveis em volta, tentando juntar as peças do quebra-cabeça.

Enquanto isso, Jim fica vagando ao acaso pelo apartamento e se vê na cozinha, onde abre a geladeira (o que talvez indique que ir parar na cozinha não foi bem obra do acaso). Ele descobre restos de pizza em um prato de porcelana cuidadosamente coberto com filme plástico. Quem faria isso no meio de uma dramática situação de reféns? Jim fecha a geladeira e volta para a sala. Jack ainda está de pé junto à lareira, segurando a máscara de esqui parcialmente queimada na mão, os ombros caídos em sinal de resignação.

— Não, não consigo entender como ele saiu deste apartamento, pai. Tentei examinar de todos os ângulos possíveis e impossíveis, mas ainda não entendo como raios...

Jack de repente parece tão triste que seu pai resolve tentar animá-lo fazendo perguntas.

— E quanto ao sangue? Como pode o assaltante de banco ter perdido tanto sangue e ainda...? — Jim começa, mas é interrompido por uma voz que vem do hall. É o policial que está montando guarda.

— Hmm, isso aí não é o sangue do assaltante de banco — ele deixa escapar alegremente, tirando alguma coisa dos dentes.

— O quê? — Jack pergunta.

— Chaaangcheeenngaaaf — o policial diz, com quase toda a mão enfiada na boca, como se o sangue não fosse tão importante quanto o souvenir do almoço que ficou preso ali. A mão reaparece com uma lasca de castanha-de-caju, e a boca recém-libertada ri com satisfação.

— O que disse? — Jim diz, com uma paciência cada vez menor.

O alegre policial aponta para o sangue seco no chão.

— Eu disse que isso aí é sangue cenográfico. Veja a forma como está secando, sangue de verdade não é assim — ele diz, segurando o fragmento de castanha-de-caju como se não tivesse certeza se devia jogá-lo fora ou guardá-lo como lembrança daquela grande conquista pessoal.

— Como você sabe disso? — Jim pergunta a ele.

— Eu sou um mágico nas horas vagas. Bem, para ser mais preciso, sou um *policial* nas horas vagas!

Sua expectativa de que Jim e Jack iriam rir disso revela-se um prognóstico otimista, então ele tosse um tanto desolado e acrescenta:

— Eu me apresento em shows, coisas assim. Em lares de idosos e outros lugares. Às vezes finjo que me cortei e uso sangue artificial. Eu sou muito bom nisso, na verdade. Se tiverem um baralho de cartas, eu posso...

Jack, que nunca pareceu ter um baralho de cartas em qualquer momento de sua vida, aponta para o sangue.

— Então você tem certeza de que não é sangue de verdade?

O policial faz que sim com plena confiança.

Jack e Jim se entreolham pensativos. Em seguida, cada um deles acende as lanternas, embora as luzes do teto já estejam acesas, e começam a percorrer o apartamento centímetro por centímetro. Dando voltas e mais voltas. Olhando tudo, mas ainda não descobrindo nada. Há uma tigela de lima ao lado das caixas de pizza na mesa. Todos os copos estão colocados ordenadamente em bases para copos. Há uma marca no chão para indicar o local onde a polícia encontrou a pistola do assaltante de banco. Bem ao lado da marca há uma mesinha com uma pequena luminária.

— Pai? O telefone que enviamos ao assaltante, onde o encontramos quando entramos? — Jack pergunta de repente.

— Estava ali, naquela mesinha — Jim responde.

— Isso explica tudo — Jack suspira.

— Explica o quê?

— Por que nos enganamos o tempo todo.

45

Entrevista com Testemunha
Data: 30 de dezembro
Nome das testemunhas: "Jules" e "Ro"

JACK: Como vocês foram testemunhas de um delito tão grave como esse, devo insistir em poder falar com vocês separadamente, e não com as duas ao mesmo tempo.
JULES: Por quê?
JACK: Porque é assim que as coisas são.
JULES: Desculpe, mas seu corpo foi possuído por um demônio que fala igual à minha mãe? O que quer dizer com "é assim que as coisas são"?
JACK: Vocês são testemunhas em uma investigação criminal. Existem regras.
JULES: Uma de *nós* é suspeita de cometer um crime, então?
JACK: Não.
JULES: Bem, sendo assim, vamos prestar testemunho juntas. Você sabe por quê?
JACK: Não.
JULES: Porque é assim que as coisas são!
JACK: Jesus, se já existiu um grupo de testemunhas mais difícil, não tenho ideia de onde foi.
JULES: Como é que é?
JACK: Eu não disse nada.
JULES: Disse sim, eu ouvi você resmungar.
JACK: Não foi nada. Tudo bem, você venceu, as duas podem testemunhar juntas!
RO: Jules está apenas preocupada que eu diga alguma besteira se ela não estiver aqui.
JULES: Cale-se agora, querida.
RO: Viu só?

Gente ansiosa

JACK: Pelo amor de Deus, vocês duas nunca param de matraquear? Eu disse tudo bem! Vou entrevistar as duas ao mesmo tempo! Mas não é assim que funciona aqui!

RO: Você precisa ficar tão bravo?

JACK: Não estou bravo!

RO: Então tá.

JULES: É, então tá.

JACK: Preciso de seus nomes verdadeiros.

RO: Estes são nossos nomes verdadeiros.

JACK: São apelidos, correto?

JULES: Por favor, será que você não poderia concentrar-se apenas na entrevista? Isso não importa, na verdade, não é? Eu preciso ir ao banheiro.

JACK: Ah, claro. Porque "qual é o seu nome?" é uma pergunta complexa demais.

JULES: Pare de reclamar e limite-se a suas perguntas.

JACK: Entendi, eu sou apenas um policial, então é óbvio que é perfeitamente cabível que *você* decida o que deve acontecer aqui.

JULES: O quê?

JACK: Nada. Eu só preciso confirmar se vocês duas estavam dentro do apartamento o tempo todo em que durou a situação de reféns. Estavam?

RO: Eu não sei se foi uma "situação de reféns". Isso soa muito pesado.

JULES: Por favor, Ro, se acalme e pense. O que você acha que éramos se não reféns? Vítimas ameaçadas acidentalmente por um homem armado?

RO: Era como se fôssemos apenas uma consequência infeliz de algumas decisões erradas.

JULES: Porque alguém tropeçou e por acaso caiu dentro de uma máscara de esqui?

JACK: Por favor, vocês duas poderiam apenas tentar se concentrar na minha pergunta?

JULES: Qual?

JACK: Vocês ficaram dentro do apartamento o tempo todo?

RO: Jules ficou no quarto de hobbies por um bom tempo.

JULES:	Não é um quarto de hobbies!
RO:	Closet, então. Pare de ser implicante.
JULES:	Você sabe perfeitamente que é assim que chamam.
JACK:	Você ficou no closet? Por quanto tempo? Quer dizer, levou quanto tempo até você sair do closet?
JULES:	O que você está insinuando?
JACK:	Quer dizer, bem, não, não foi em outro sentido que eu quis dizer.
JULES:	Entendi. Então, o que exatamente você quis dizer?
JACK:	Nada. Eu não quis dizer no sentido de "sair do armário", de forma alguma, exceto em relação ao fato de que você estava fisicamente dentro de um... bem, de um closet.
JULES:	Ficamos no apartamento o tempo todo.
RO:	Por que você parece tão zangada?
JULES:	Talvez sejam os *hormônios*, Ro? É *isso* que você está tentando dizer?
RO:	Não, na verdade, não. Bem, eu certamente não disse isso, então não conta.
JACK:	Entendo que vocês tiveram um dia difícil, mas estou apenas tentando entender onde todos estavam em vários momentos. Por exemplo, quando as pizzas foram entregues.
RO:	Por que isso é importante?
JACK:	Porque foi a última vez que soubemos com certeza que o perpetrador estava dentro do apartamento.
RO:	Eu estava sentada na *chaise longue* quando comemos pizza.
JACK:	O que é isso?
JULES:	É um sofá diferente. Tipo um divã.
RO:	Não, não é... Quantas vezes eu tenho que te dizer que *chaise longue* não é divã? Sabe como a gente sabe que *chaise longue* não é divã? Porque ela *não é chamada de divã*!
JULES:	Dai-me forças! Vamos ter a mesma discussão agora de quando eu não sabia o que era uma cômoda? Você sabe o que é uma cômoda?

Gente ansiosa

JACK: Eu? É tipo uma mesa alta com gavetas, não é?
JULES: Viu só? Eu te disse.
RO: *Não é uma mesa!*
JULES: É também aquele antigo gabinete com uma bacia em cima para lavar o rosto.
JACK: Eu não sabia.
JULES: Nenhuma pessoa normal sabe disso.
RO: Vocês dois cresceram nas cavernas? Sério? Uma cômoda é uma espécie de prima da penteadeira. Presumo que você saiba o que é uma penteadeira.
JACK: Sim, eu sei o que é uma penteadeira.
JULES: Como você pode saber disso e ainda chamar um guarda-roupa de closet?
RO: Porque guarda-roupa é uma palavra usada por blogueiros que ensinam a fazer sucos e há três anos não fazem um cocô sólido, enquanto penteadeira é uma peça de mobília adequada!
JULES: Viu só o que eu tenho que aguentar? Ela ficou obcecada por penteadeiras e cômodas antigas durante três meses no ano passado porque queria ser marceneira. Antes disso quis ser instrutora de ioga e, logo depois, gerente de fundos hedge.
RO: Por que você sempre tem que exagerar tudo? Eu nunca quis ser gerente de fundos hedge.
JULES: O que você ia ser, então?
RO: Uma operadora de mercado.
JULES: Qual é a diferença?
RO: Não cheguei a me aprofundar para saber. Foi nessa época que comecei a me interessar por queijos.
JACK: Eu gostaria que voltássemos à minha pergunta.
RO: Você parece estressado. Não é nada bom morder a língua assim.
JACK: Eu ficaria menos estressado se vocês apenas respondessem à pergunta.
JULES: Sentamos no sofá e comemos pizza. Esta é a resposta à sua pergunta.

JACK:	Obrigado! E quem estava no apartamento naquela hora?
JULES:	Nós duas. Estelle. Zara. Lennart. Anna-Lena e Roger. O assaltante de banco.
JACK:	E a corretora de imóveis?
JULES:	É evidente.
JACK:	E onde estava a corretora de imóveis?
JULES:	Naquele exato momento?
JACK:	Isso.
JULES:	Eu sou seu GPS por acaso?
JACK:	Só quero que você se lembre se todo mundo estava sentado em volta da mesa comendo pizza.
JULES:	Acho que sim.
JACK:	Você acha que sim?
JULES:	Qual é o seu problema? Estou grávida e havia gente armada, eu tinha muitas coisas em que pensar, não sou uma professora de pré-escola contando mochilas num ônibus.
RO:	Isso aqui é um doce?
JACK:	É uma borracha.
JULES:	Pare de querer comer tudo!
RO:	Eu só estava perguntando!
JULES:	Você sabia que ela abre a geladeira em cada apartamento que vamos visitar? Você acha isso um comportamento aceitável?
JACK:	Pouco me importa.
RO:	Eles *querem* que você olhe na geladeira. Isso tudo faz parte do chamado "homestyling" dos corretores de imóveis, todo mundo sabe disso. Uma vez encontrei tacos. Eles ainda estão no Top 3 melhores tacos que já comi.
JULES:	Espera aí, você comeu os tacos?
RO:	Eles querem que você coma.
JULES:	Você come coisas que encontra na geladeira de um estranho? Está de brincadeira?
RO:	O que tem de errado nisso? Eram de frango. Bem, eu acho que aquilo era frango. Tudo tem gosto de fran-

Gente ansiosa

	go quando fica na geladeira por muito tempo. Menos tartaruga. Já te contei quando comi tartaruga?
JULES:	O quê? Não! Pare de falar agora, vou vomitar, sério.
RO:	O que você quer dizer com pare de falar? É você que vive dizendo que quer que saibamos tudo uma da outra!
JULES:	Bem, eu mudei de ideia. No momento, acho que sabemos a quantidade certa uma da outra.
RO:	Você acha estranho comer tacos enquanto visitamos um apartamento?
JACK:	Eu agradeceria se vocês não me envolvessem nisso.
JULES:	Ele acha doentio.
RO:	Ele não disse isso! Você sabe o que é doentio? Jules esconde doces e chocolates. Que espécie de adulto faz isso?
JULES:	Eu escondo chocolates *caros*, é claro, porque sou casada com um buraco negro.
RO:	É mentira dela. Uma vez, descobri que ela comprou chocolate diet. Diet! E ela os escondeu também, como se eu não fosse capaz de me impedir de comer chocolate diet, como se eu fosse uma maldita psicopata.
JULES:	Mas você comeu.
RO:	Para te dar uma lição. Não porque eu gostasse.
JULES:	Ok, estou pronta para responder às suas perguntas agora!
JACK:	Nooossa. Que sorte a minha.
JULES:	Você quer fazer suas perguntas ou não?
JACK:	Tudo bem. Quando o perpetrador deixou vocês saírem, e vocês deixaram o apartamento, lembra de quem desceu junto com vocês?
JULES:	Todos os reféns, é claro.
JACK:	Você pode listá-los, por favor, na ordem em que se lembra deles descendo as escadas?
JULES:	Claro. Eu e Ro, Estelle, Lennart, Zara, Anna-Lena e Roger.
JACK:	E a corretora de imóveis?

JULES: Ah, sim, e a corretora de imóveis.
JACK: A corretora de imóveis também estava com vocês, não é?
JULES: Estamos perto de acabar isso aqui?
RO: Estou com fome.

46

Todas as profissões têm seus aspectos técnicos que leigos não entendem, ferramentas, implementos e terminologia complicada. Talvez a de policial tenha mais do que a maioria, sua linguagem muda constantemente, os policiais mais velhos não conseguem acompanhar as transformações na mesma proporção em que os mais jovens as inventam. Então Jim não sabia como se chamava aquela porcaria, o troço do telefone. Ele só sabia que tinha uma coisa especial que permitia que uma pessoa fizesse chamadas mesmo que quase não houvesse sinal algum, e que Jack adorara o fato de a delegacia ter recebido o aparelho. Talvez Jack gostasse demais de engenhocas telefônicas do que Jim julgava ser sensato, mas foi esse telefone que eles mandaram para o assaltante de banco no final do drama dos reféns, então acabou sendo bastante útil, afinal. Na verdade, foi Jim quem teve a ideia, da qual não ficou nem um pouco orgulhoso. Logo após a libertação dos reféns, o negociador ligou para o assaltante de banco por aquele telefone, tentando negociar uma rendição pacífica. Foi quando ouviram o tiro.

Naturalmente, Jack explicou a tecnologia do telefone para Jim com riqueza de detalhes, então, obviamente, Jim ainda o chama de "aquele telefone especial que consegue a droga de um sinal onde não há sinal nenhum". Quando eles estavam prestes a enviá-lo para o assaltante, é evidente que Jack disse a Jim para se certificar de que o tom de chamada estivesse definido corretamente. O que, é claro, não estava.

Jack está olhando em volta do apartamento.

— Pai, você verificou se o tom de chamada daquele telefone estava acionado quando o enviamos?

— Sim. Sim. Sim, claro — Jim responde.

— Então... não estava, não é?

— Eu posso ter esquecido disso. Não sei.

Jack esfrega o rosto com as palmas das mãos em frustração.

— A vibração poderia estar acionada?

— Poderia, sim.

Jack estende a mão e toca a mesinha onde o telefone estava quando eles invadiram o apartamento. O móvel mal fica de pé em suas três pernas, um desafio definitivo para a gravidade. Ele olha para o ponto no chão onde encontraram a pistola. Em seguida, acompanha com o olhar algo invisível e vai até a cortina verde. A bala está na parede.

— O assaltante não atirou em si mesmo — Jack diz em voz baixa.

Depois percebe claramente que o assaltante nem estava no apartamento quando o tiro foi disparado.

— Não entendo — Jim fala atrás dele, não com raiva como alguns pais teriam, mas com orgulho, como apenas poucos pais conseguem. Jim gosta de ouvir seu filho explicar o raciocínio por trás de suas conclusões, mas não há satisfação na voz de Jack quando ele faz isso agora.

— O telefone estava nessa mesinha instável, pai. A arma devia estar ao lado do telefone. Quando ligamos depois que todos os reféns foram libertados, ele começou a vibrar, a mesa balançou, a arma caiu no chão e disparou. Achávamos que o criminoso tinha atirado em si mesmo, mas ele nem estava aqui. Ele já tinha ido embora. O sangue... o sangue cenográfico, ou seja lá o que for, deve ter sido derramado antes.

Jim olha para o filho por um longo tempo. Em seguida, coça a barba por fazer.

— Sabe de uma coisa? Por um lado, este parece ser o crime mais inteligente do mundo...

Jack assente com um gesto de cabeça, esfregando o inchaço em sua testa, e conclui o raciocínio de seu pai.

— ... mas, por outro lado, parece ter sido executado por um completo idiota.

Pelo menos um deles está certo.

Jack afunda no sofá e Jim se deixa cair como se tivesse sido empurrado. Jack pega sua bolsa, tira todas as anotações das entrevistas com as testemunhas e as espalha à sua volta sem explicar o que está fazendo. Ele lê tudo mais uma vez. Quando acaba a última folha, ele morde metodicamente a língua, porque é na língua que reside o estresse de Jack.

— Eu sou um idiota — ele diz.

— Por quê? — Jim quis saber.

— Que inferno! Mas que... eu sou um *idiota*! Quantas pessoas estavam no apartamento, pai?

— Você quer dizer quantos potenciais compradores?

— Não, quero dizer *no total*, quantas pessoas estavam no apartamento?

Jim começa a tartamudear, esperando que isso faça parecer que ele está entendendo alguma coisa do assunto.

— Vejamos... sete potenciais compradores. Ou, bem... havia de fato apenas aquelas duas, Ro e Jules, e Roger e Anna-Lena, e Estelle, que não estava realmente interessada em comprar o apartamento...

— São cinco — Jack acena com impaciência.

— Cinco, sim. É isso, sim. E tinha a Zara, que nós não sabemos por que estava no apartamento. Depois tinha o Lennart, porque Anna-Lena o contratou. Então isso dá... um, dois, três, quatro, cinco...

— Sete pessoas no total! — Jack acena com a cabeça.

— Além do criminoso — Jim acrescenta.

— Exatamente. Mas também... a corretora de imóveis.

— Além da corretora de imóveis, sim, então dá nove! — Jim diz, animado por sua própria habilidade matemática.

— Tem certeza, pai? — Jack suspira.

Ele olha para o pai por um longo tempo, esperando que ele entenda, mas não obtém resposta. Absolutamente nenhuma. Apenas dois olhos o encarando como faziam muitos anos atrás, depois de assistirem a um filme juntos, e Jack precisar explicar no final: "Mas, pai, o careca estava *morto*, é por isso que só o garotinho podia ver ele!" E seu pai exclamou: "O quê? Ele era um fantasma? Não, ele não podia ser um fantasma, porque podíamos vê-lo!"

Ela riu disso, a mulher de Jim e mãe de Jack, Deus, como ela riu. Deus, como eles sentem falta dela. Ela ainda é a única que os torna mais compreensivos um com o outro, apesar de não estar mais aqui.

Jim envelheceu muito depois que ela morreu, tornou-se um homem mais fraco, quase incapaz de respirar todo o ar que exalava dele. Sentado no hospital naquela noite, a vida parecia uma fenda no gelo, e quando não conseguiu mais segurar-se na borda, escorregando para a escuridão dentro de si, ele sussurrou com raiva para Jack: "Eu tentei falar com Deus, eu realmente tentei, mas que tipo de Deus deixa uma pastora tão doente? Ela nunca fez nada além de ser boa para as outras pessoas, então que tipo de Deus dá uma doença como essa para *ela*?!"

Na época, Jack não tinha uma resposta, como não tem uma resposta agora. Ele apenas ficou sentado em silêncio na sala de espera e abraçou seu pai até que fosse impossível afirmar de quem eram as lágrimas que escorriam pelo seu pescoço. Na manhã seguinte, eles ficaram com raiva do sol por ter nascido e não puderam perdoar o mundo por viver sem ela.

Mas quando chegou a hora, Jack se levantou, adulto e de costas retas, passou por uma série de portas e parou na frente do quarto dela. Ele era um jovem orgulhoso, firme em suas crenças, não era religioso, e sua mãe nunca lhe disse uma palavra severa por ser assim. Ela era o tipo de pastora com quem todo mundo gritava — gritavam pessoas religiosas por ela não ser religiosa o suficiente, e outras por ela ser religiosa em tudo. Ela esteve no mar com marinheiros, no deserto com soldados, na prisão com presidiários e em hospitais com pecadores e ateus. Gostava de uma bebida e de contar piadas sujas, não importava com quem estivesse. Se alguém chegasse a perguntar o que Deus acharia disso, ela sempre respondia: "Não acho que concordamos em tudo, mas tenho a sensação de que Ele sabe que estou fazendo o melhor que posso. E acho que talvez Ele saiba que trabalho para Ele, porque tento ajudar as pessoas." Se alguém lhe pedisse para resumir sua visão de mundo, ela sempre citava Martin Luther King: "Mesmo se eu soubesse que o mundo se desintegraria amanhã, ainda assim plantaria minha macieira." Seu filho a amava, mas ela nunca conseguiu fazer com que ele acreditasse em Deus, porque, embora possamos ser capazes de incutir uma religião nas pessoas, não podemos ensiná-las a ter *fé*. Mas naquela noite, sozinho no final de um corredor mal iluminado em um hospital onde ela havia segurado tantas pessoas moribundas pela mão, Jack ajoelhou-se e pediu a Deus que não tirasse sua mãe dele.

Quando Deus a levou mesmo assim, Jack foi até seu leito de morte e segurou sua mão com muita força, como se estivesse esperando que ela acordasse e o repreendesse. Então, ele sussurrou desconsolado: "Não se preocupe, mãe, eu vou cuidar do papai."

Ele ligou para a irmã depois. Ela fez promessa após promessa, é claro, como sempre. Ela só precisava de dinheiro para comprar uma passagem. Obviamente. Jack então enviou o dinheiro, mas ela não foi ao funeral. Jim nunca a chamou de "viciada" ou "drogada", porque os pais não podem fazer isso. Ele sempre diz que a filha está "doente", porque isso faz com que a situação pareça melhor. Mas Jack sempre chama a irmã do que ela é: viciada em heroína. Ela é sete anos mais velha do que ele e, se você for pequeno, com essa diferença de idade, você não tem uma irmã mais velha, você tem um ídolo. Quando ela saiu de casa, ele não pôde ir com ela, e quando ela tentou se encontrar consigo mesma, ele não conseguiu ajudar, e quando ela afundou, ele não conseguiu salvá-la.

Desde então, são apenas Jack e Jim. Eles mandam dinheiro toda vez que ela telefona, toda vez que ela finge que vai voltar para casa, só do que precisa é de uma ajuda para a passagem aérea, como aconteceu na última vez. E talvez um pouco mais de dinheiro para saldar umas dívidas. Nada de mais, ela vai resolver tudo, se eles pudessem... Eles sabem que não deveriam, é claro. A gente sempre sabe. Os adictos são viciados em drogas e suas famílias são viciadas em esperança. Eles se agarram a ela. Cada vez que seu pai recebe uma ligação de um número que não reconhece, ele sempre espera que seja a filha, enquanto seu irmão mais novo fica apavorado porque está convencido de que esta será a ligação de alguém que vai lhe dizer que ela morreu. As mesmas perguntas ecoam por ambos: que tipo de policiais não conseguem nem cuidar da própria filha e irmã? Que tipo de família não consegue ajudar um dos seus a cuidar de si mesmo? Que tipo de Deus deixa uma pastora doente e que tipo de filha não comparece ao funeral da mãe?

Quando os dois filhos ainda moravam em casa, quando todos ainda estavam toleravelmente felizes, Jack perguntou à mãe certa noite como ela suportava sentar-se ao lado das pessoas quando elas estavam morrendo, em suas horas finais, sem ser capaz de salvá-las. Sua mãe beijou o topo de sua cabeça e disse: "Como se come um elefante, querido?" Ele respondeu da mesma forma que uma criança que já ouviu a mesma piada milhares de vezes: "Um pouquinho de cada vez, mãe." Ela riu alto, pela milésima vez, como os pais costumam fazer. Depois, segurou a mão dele com força e disse: "Não podemos mudar o mundo, e muitas vezes não podemos nem mesmo mudar as pessoas. Não mais do que um pouco de cada vez. Portanto, fazemos o que for possível para ajudar sempre que tivermos essa chance, querido. Nós salvamos aqueles que podemos salvar. Damos o nosso melhor. Depois, tentamos encontrar uma forma de nos convencer de que isso terá que ser... o suficiente. Para que possamos conviver com nossos fracassos sem nos afogar."

Jack não podia ajudar a irmã. Ele não conseguiu salvar o homem na ponte. Aqueles que querem pular... eles pulam. O restante de nós tem que se levantar da cama no dia seguinte, os pastores e pastoras saem de casa para fazer seu trabalho, assim como os policiais. Agora Jack está olhando para o sangue cenográfico no chão, o buraco de bala na parede, a mesinha lateral onde o telefone estava e a grande mesa de centro com as caixas de pizza descartadas.

Ele olha para Jim e seu pai ergue as mãos e sorri fracamente.

— Desisto. Você é o gênio aqui, filho. O que você descobriu?

Jack aponta para as caixas de pizza. Afasta o cabelo do inchaço na testa. Conta os nomes novamente.

— Roger, Anna-Lena, Ro, Jules, Estelle, Zara, Lennart, o assaltante de banco, a corretora de imóveis. Nove pessoas.

— Nove pessoas, sim.

— Mas, quando jogaram aquela lima na minha cabeça, o bilhete pedia apenas oito pizzas.

Jim pensa nisso com tanta concentração que suas narinas tremem.

— Será que o assaltante de banco não gosta de pizza?

— Talvez.

— Mas não é isso o que você acha, não é?

— Não.

— Por que não?

Jack se levanta, guarda os depoimentos anotados das testemunhas em sua bolsa. Ele morde a língua.

— A corretora de imóveis ainda está na delegacia?

— Ela deve estar, sim.

— Ligue para lá e diga para que ninguém a libere de jeito nenhum!

Jim franze tanto a testa que é possível perder um clipe de papel entre as rugas.

— Mas... Por quê, filho? O que é...?

Jack interrompe o pai:

— Não acho que havia nove pessoas neste apartamento. Acho que eram oito. Há uma pessoa que apenas presumimos que estivesse aqui o tempo todo! Maldição, pai, você não vê? Essa pessoa não se escondeu e também não fugiu. Ela simplesmente saiu para a rua na nossa frente!

47

O assaltante de banco ainda estava a sós no hall de entrada. Ela podia ouvir as vozes das pessoas que havia feito reféns, mas elas talvez estivessem em um fuso horário diferente. Havia uma eternidade entre ela e todos os outros agora, entre ela e a pessoa que tinha sido naquela manhã. Ela não estava sozinha no apartamento, mas ninguém no mundo correspondia a suas esperanças, e esta é a maior solidão de todas: quando ninguém está caminhando ao nosso lado em direção a um destino em comum. Dali a pouco tempo, quando todos saíssem do apartamento, eles seriam as vítimas no momento em que seus pés tocassem a calçada. Ela seria a criminosa. Se a polícia não atirasse nela assim que a avistassem, ela acabaria na cadeia por... nem sabia por quanto tempo... anos? Ela envelheceria numa cela. Nunca veria suas filhas aprenderem a nadar.

As meninas. Ah, as meninas. O macaco e a rã que cresceriam e teriam que aprender a usar a mentira para seu próprio benefício. Ela esperava que o pai delas tivesse o bom senso de ensiná-las a fazer isso da maneira certa. Para que elas pudessem mentir e dizer que sua mãe estava morta em vez de dizer a verdade. Ela lentamente removeu a máscara. Não servia mais a nenhum propósito, e percebeu que pensar o contrário não seria nada além de uma ilusão infantil. Ela nunca seria capaz de escapar da polícia. Seu cabelo caiu em volta do pescoço, úmido e emaranhado. Ela sopesou a pistola em sua mão, segurando-a cada vez com mais força, um pouco de cada vez, até não sentir quase nada. Apenas os nós dos dedos esbranquiçados traíam o que estava acontecendo, mas, de repente, seu dedo indicador sentiu o gatilho. Sem nenhum grande drama, ela se perguntou: "Se esta arma fosse de verdade, eu teria atirado em mim mesma?"

Ela não teve tempo de terminar o pensamento. De súbito, os dedos de alguém envolveram os dela. Eles não arrancaram a pistola de sua mão, apenas abaixaram a arma. Zara ficou ali olhando para a assaltante de banco sem máscara. Não demonstrou empatia nem preocupação, apenas manteve a mão sobre a pistola.

Desde o início do drama dos reféns, Zara tentou não pensar em nada em particular, na verdade, ela sempre fez o possível para não pensar em nada — quando se sofre tanto quanto ela nos últimos dez anos, é uma técnica de sobrevivência vital. Mas algo escorregou por sua armadura quando viu a assaltante de banco triste com a arma na mão. Uma breve lembrança daquelas horas no consultório com a foto da mulher na ponte, a psicóloga olhando para Zara e dizendo: "Sabe de uma coisa, Zara? Uma das coisas mais humanas da ansiedade é que tentamos curar o caos com o caos. Alguém que se envolveu em uma situação catastrófica raramente foge dela, estamos muito mais inclinados a seguir em frente ainda mais rápido. Nós criamos uma vida onde podemos ficar assistindo enquanto outras pessoas se chocam contra um muro, mas ainda esperamos que de alguma forma possamos passar direto pelo acidente. Quanto mais nos aproximamos, mais confiantes acreditamos que alguma solução improvável milagrosamente nos salvará, enquanto todos que nos assistem estão apenas esperando pelo desastre."

Zara então passou os olhos pelo consultório. Não havia diplomas extravagantes pendurados nas paredes; por alguma razão, são sempre as pessoas com os diplomas mais impressionantes que os mantêm em suas gavetas.

Então Zara perguntou, sem nenhum sarcasmo:

— Você aprendeu alguma teoria sobre por que as pessoas se comportam assim, então?

— Centenas. — A psicóloga sorriu.

— Em qual você acredita?

— Acredito naquela que diz que, se você fizer isso por tempo o suficiente, pode se tornar impossível dizer a diferença entre voar e cair.

Zara normalmente lutava para manter todos os pensamentos sob controle, mas aquele escapou. Então, quando ela se viu parada no hall do apartamento, colocou a mão em volta da pistola e disse a coisa mais gentil que uma mulher em sua posição poderia dizer a uma mulher na posição de assaltante de banco. Quatro palavras.

— Não faça nenhuma bobagem.

A assaltante de banco olhou para ela, seus olhos em branco, seu peito vazio. Mas ela não fez nenhuma bobagem. Até deu um sorriso fraco. Foi um momento inesperado para as duas. Zara se virou e afastou-se rapidamente, quase com medo, de volta para a varanda. Ela puxou um par de fones de ouvido da bolsa, colocou-os e fechou os olhos.

Pouco depois, comeu uma pizza pela primeira vez na vida. O que também foi inesperado. Capricciosa. Achou repugnante.

48

Jack salta da viatura policial enquanto ela ainda está em movimento. Ele entra na delegacia e corre para a sala de interrogatório tão depressa que bate com a testa já machucada na porta porque não consegue abri-la com rapidez o suficiente. Jim vem atrás dele, ofegante, tentando fazer seu filho se acalmar, mas não há chance disso.

— Olá! Tudo nos trinques...? — a corretora de imóveis começa, mas Jack a interrompe rugindo:

— *Eu sei quem você é agora!*

— Eu não entendo — a corretora engasga.

— Acalme-se, Jack, por favor — Jim ofega da porta.

— *É você!* — Jack grita, sem mostrar nenhum sinal de que se acalmou.

— Eu?

Os olhos de Jack estão brilhando de triunfo quando ele se inclina sobre a mesa com os punhos cerrados no ar e sibila:

— Eu deveria ter percebido desde o início. Nunca houve nenhuma corretora de imóveis no apartamento. *Você* é o assaltante de banco!

49

Claro que foi idiota da parte de Jack não perceber desde o início quem era o assaltante de banco, porque lhe parecia tudo tão óbvio agora. Talvez tenha sido culpa de sua mãe. Ela manteve os dois juntos, ele e seu pai, o que talvez pudesse desconcentrá-lo no trabalho, e por alguma razão sua mãe havia dominado seus pensamentos o tempo todo hoje. Tantos problemas na morte quanto na vida, aquela mulher. Pode ser que em algum lugar houvesse outro pastor mais difícil do que ela, mas seria raro haver dois. Quando viva, ela discutia com todos, talvez mais com o filho do que com qualquer outra pessoa, e isso não parou depois de seu funeral. Porque as pessoas com quem discutimos de forma mais dura não são aquelas completamente diferentes de nós, mas as que quase não são diferentes em nada.

Às vezes, ela precisava viajar ao exterior após algum desastre, quando as organizações de ajuda humanitária necessitavam de voluntários, e ouvia críticas constantes vindas de todas as direções, tanto de dentro como de fora da igreja. Que não deveria ajudar em nada ou deveria estar ajudando em outro lugar. Para quem nunca faz nada, não há nada mais fácil do que criticar alguém que realmente se esforça. Certa vez, ela estava do outro lado do mundo e se viu no meio de uma rebelião popular, tentou ajudar uma mulher sangrando a fugir e no caos ela mesma foi esfaqueada no braço. Ela foi levada ao hospital, conseguiu um telefone emprestado e ligou para casa. Jim estava sentado diante do noticiário, esperando. Ele ouviu pacientemente, como sempre feliz e aliviado por ela estar bem. Mas quando Jack percebeu o que tinha acontecido agarrou o telefone e gritou tão alto que a linha começou a guinchar: "Por que você teve que se meter aí? Por que você tem que arriscar sua vida? *Por que nunca pensa na sua família?*"

Sua mãe percebeu, é claro, que o filho estava gritando de medo e preocupação, então ela respondeu do jeito que costumava fazer: "Os barcos que ficam no porto estão seguros, querido, mas não foi para isso que foram construídos."

Jack disse algo de que se arrependeu no mesmo instante: "Você acha que Deus vai protegê-la de facas só porque você é uma pastora da igreja?"

Ela podia estar sentada em um hospital do outro lado do mundo, mas ainda assim conseguiu sentir o pânico profundo na voz dele. Então, seus sussurros estavam praticamente sendo arrastados pelas lágrimas quando ela respondeu: "Deus não protege as pessoas de facas, querido. Foi por isso que Deus nos deu outras pessoas, para que possamos proteger umas às outras."

Era impossível discutir com uma mulher tão obstinada. Jack odiava sentir o quanto ele a admirava às vezes. Jim, por sua vez, a amava tanto que mal conseguia respirar. Mas ela não viajou muito depois disso e nunca mais foi para tão longe novamente. Um dia ela adoeceu e eles a perderam, e o mundo perdeu um pouco mais de sua proteção.

Então, quando o drama dos reféns começou, quando Jack e Jim estavam parados na rua um dia antes da véspera de Ano-Novo, na frente do prédio de apartamentos, e tinham acabado de ouvir de seus chefes para esperarem pelo agente de Estocolmo, os dois começaram a pensar muito nela e no que ela teria feito se estivesse ali. E quando aquela lima saiu voando pela varanda, atingindo Jack na testa, e eles perceberam que o papel em volta da fruta era um bilhete pedindo pizzas, os dois concluíram que era improvável que surgisse uma oportunidade melhor para entrarem em contato com o assaltante de banco. Então Jack ligou para o negociador. E, apesar de ser um sujeito de Estocolmo, ele concordou que eles estavam certos.

— Sim, bem, entregar pizzas pode ser uma abertura para a comunicação, claro que sim. E quanto à bomba na escada? — ele quis saber.

— Não é uma bomba! — Jack disse com confiança.

— Você poderia jurar que isso é verdade?

— Em cima da bíblia que você escolher, e posso dizer que minha mãe me ensinou muito a esse respeito. Este criminoso não é perigoso. Só está assustado.

— Como sabe disso?

— Porque se fosse perigoso, se soubesse o que estava fazendo, não teria pedido pizzas para todos os reféns jogando *limas* em nós. Deixe-me entrar e falar com ele, eu posso... — Jack fez uma pausa. Ele estava prestes a dizer: *Eu posso salvar a todos*. Mas engoliu em seco e em vez disso saiu: — Eu posso consertar isso. Posso resolver a situação.

— Você falou com todos os vizinhos? — o negociador quis saber.

— O resto do prédio está vazio — Jack o assegurou.

O negociador ainda estava preso no trânsito da autoestrada, a muitos quilômetros de distância, nem mesmo as viaturas policiais conseguiam passar, então, no fim das contas, ele concordou com o plano de Jack. Mas também exigiu que Jack de alguma forma conseguisse plantar um telefone no apartamento, para que o próprio negociador pudesse ligar para o assaltante e negociar a libertação dos reféns. E levar a glória quando tudo acabar bem, Jack pensou mal-humorado.

— Eu tenho um telefone decente — Jack disse, porque ele tinha aquele aparelho que Jim chamava de telefone especial que consegue a droga de um sinal onde não há droga de sinal nenhum.

— Vou ligar depois que comerem as pizzas, é mais fácil negociar quando as pessoas estão de barriga cheia — o negociador disse, como se hoje em dia fosse isso o que se aprende em cursos de negociação com sequestradores.

— O que faremos se ele não abrir a porta quando chegarmos lá? — Jack perguntou.

— Então você deixa as pizzas e o telefone no patamar.

— Como podemos ter certeza de que ele levará o telefone para dentro do apartamento? — Jack quis saber.

— Por que não?

— Você acha que ele tomou decisões racionais e lógicas até agora? Ele pode ficar estressado e pensar que o telefone é uma espécie de armadilha.

Foi quando Jim, de repente, teve uma ideia. O que o surpreendeu tanto quanto a qualquer pessoa.

— Podemos colocá-lo em uma das caixas de pizza! — ele sugeriu.

Jack olhou para seu pai em estado de choque por vários segundos. Depois assentiu e disse ao telefone:

— Vamos colocar o telefone em uma das caixas de pizza.

— Sim, é uma boa ideia — o negociador concordou.

— Foi do meu pai — Jack disse com orgulho.

Jim virou-se para que seu filho não visse o quão envergonhado estava. Ele pesquisou pizzarias próximas no Google, ligou para uma delas e explicou o pedido pouco convencional: oito pizzas e um uniforme dos que os entregadores costumam usar. No entanto, Jim cometeu o erro de dizer que era um policial, e o dono da pizzaria, que era perfeitamente capaz de ler o noticiário local nas redes sociais, foi rápido o suficiente para dizer que dava desconto para pedidos grandes de pizza, mas cobrava o dobro pelo aluguel de uniformes. Enraivecido, Jim perguntou ao homem se era ele o personagem avarento daquele conto de Natal inglês de meados do século XIX, e o dono da pizzaria rebateu calmamente perguntando se Jim estava familiarizado com o conceito de "oferta e demanda". Quando as pizzas e o uniforme finalmente chegaram, Jack quis pegar, mas Jim se recusou a soltar.

— O que está fazendo? Sou eu que vou entrar! — Jack disse com firmeza.

Jim balançou a cabeça.

— Não. Ainda acho que aquilo lá na escada pode ser uma bomba. Então sou eu que vou entrar.

— Por que *você* iria lá se acha que é uma bomba? Pelo amor de Deus, *eu* vou... — Jack começou, mas seu pai se recusou a recuar.

— Você tem certeza de que não é uma bomba, não é, filho?

— Tenho!

— Ótimo, então. Não faz nenhuma diferença se eu entrar.

— Quantos anos você tem, onze?

— E *você*?

Jack tentou desesperadamente pensar em um contra-argumento.

— Eu não posso deixar você...

Jim já estava trocando de roupa, no meio da rua, embora a temperatura estivesse abaixo de zero. Eles não olharam um para o outro.

— Sua mãe nunca me perdoaria se eu deixasse você entrar — Jim disse, olhando para o chão.

— Você acha que ela me perdoaria se eu deixasse você entrar, então? Você era o marido dela — Jack respondeu, olhando para a rua.

Jim olhou para o céu.

— Mas ela era sua mãe.

Às vezes não havia como discutir com ele, o velho pateta.

50

Delegacia de polícia. Sala de interrogatório. Todo o sangue do rosto da corretora de imóveis parece agora ter sido drenado. Ela está apavorada.

— As-sal-tante de ban-ban-banco? E-e-eu? C-c-como eu po-poderia...

Jack fica dando voltas pela sala, agitando os braços como se estivesse regendo uma orquestra invisível, incrivelmente satisfeito consigo mesmo.

— Como é que eu não vi isso desde o início? Você não *sabe* de nada. Tudo o que você disse sobre o apartamento foi um bando de disparates. Nenhum corretor de imóveis *de verdade* poderia ser tão ruim em seu trabalho!

A corretora de imóveis parece que vai começar a chorar.

— Eu faço o que posso, está bem? Você tem ideia de como é difícil ser corretora de imóveis durante uma recessão?

Jack fixa os olhos nela.

— Mas você *não é* uma corretora de imóveis, certo? Porque você é uma assaltante de banco!

A corretora olha em desespero para Jim na porta, tentando conseguir algum tipo de apoio. Mas Jim apenas olha para ela com tristeza. Enquanto isso, Jack bate os dois punhos na mesa e olha furiosamente para a corretora de imóveis.

— Eu deveria ter percebido desde o início. Quando as outras testemunhas estavam depondo sobre o drama dos reféns, elas nem mencionaram você. Porque você nunca esteve lá. Admita! Nós nos deixamos enganar quando você pediu aqueles fogos de artifício, e depois você saiu direto daquele apartamento, na nossa cara. Diga-me a verdade!

51

A verdade? Quase nunca é tão complicada quanto imaginamos. Apenas esperamos que seja, porque assim nos sentiremos mais inteligentes se pudermos resolver tudo de antemão. Esta é uma história que fala de uma ponte, de idiotas, de um drama de reféns e de uma visita a um apartamento à venda. Mas também é uma história de amor. Várias, na verdade.

Na última vez em que Zara viu sua psicóloga antes do drama dos reféns, ela chegou cedo. Nunca se atrasava, mas era incomum não entrar exatamente na hora marcada.

— Aconteceu alguma coisa? — Nadia quis saber.

— O que quer dizer? — Zara rebateu.

— Você não costuma chegar cedo. Algo errado?

— Não é sua função resolver isso?

Nadia suspirou.

— Eu só estava perguntando.

— Isso aí é couve?

Nadia olhou para o pote de plástico em sua mesa.

— Sim, estou almoçando.

Outros pacientes teriam interpretado a afirmação como um recado. Não Zara, é claro.

— Então você é vegana — ela disse, não em tom de pergunta.

A psicóloga tossiu, como costumamos fazer quando a garganta se ofende por você ser previsível.

— Eu não precisaria ser para isso, ou precisaria? Quer dizer, eu *sou* vegana, mas certamente outras pessoas comem couve.

Zara torceu o nariz.

— Mas isso foi comprado para viagem. Então você poderia ter escolhido qualquer coisa. Mas você escolheu couve.

— E só veganos fazem isso?

— A única coisa que posso supor é que a falta de vitaminas afeta seu juízo financeiro.

Nadia sorriu.

— Então você me subestima porque sou vegana, ou porque pago por comida vegana?

Nadia engoliu o resto da couve e de sua autoestima, fechou a tampa do pote e perguntou:

— Como você está se sentindo desde nossa última consulta, Zara?

Em vez de responder, Zara tirou da bolsa um pequeno frasco de álcool em gel, massageou cuidadosamente os dedos de costas para a mesa, olhou para a estante e declarou:

— Para uma psicóloga, você tem uma quantidade espantosa de livros que não são sobre psicologia.

— E sobre o que são esses outros livros, na sua opinião?

— Identidade. É por isso que você é vegana.

— É possível ser vegana por outros motivos.

— Tais como?

— É bom para o meio ambiente.

— Pode ser. Mas acho que pessoas como você são veganas porque isso faz com que se sintam bem. E talvez seja por isso que você tem má postura, muito pouco cálcio.

Nadia ajustou discretamente sua posição na cadeira e fez o possível para não parecer que estava tentando se sentar ereta.

— Você paga pelo seu tempo aqui, Zara. Para alguém que critica as escolhas financeiras dos outros, você parece surpreendentemente feliz por desperdiçar tanto dinheiro para falar de... mim. Quer falar sobre o porquê disso?

Zara pareceu considerar isso seriamente, sem tirar os olhos da estante.

— Talvez na próxima vez.

— É bom ouvir isso.

— Ouvir o quê?

— Que haverá uma próxima vez.

Zara virou-se e olhou para Nadia para ver se aquilo era uma piada ou não. Sem conseguir saber, virou-se novamente, esfregou mais álcool em gel nas mãos e olhou para a janela atrás de Nadia, contando as janelas do prédio em frente. Então ela disse:

— Você não sugeriu que eu começasse a tomar antidepressivos. A maioria dos psicólogos teria feito isso.

— Você conheceu muitos outros psicólogos?

— Não.

— Então essa é sua própria análise?

Zara olhou para o quadro na parede.

— Posso entender que você não queira me dar comprimidos para dormir, porque se preocupa que eu me mate. Mas certamente, se fosse esse o caso, você não deveria estar me dando antidepressivos?

Nadia dobrou dois guardanapos de papel não usados e os enfiou na gaveta da mesa. Em seguida assentiu.

— Você tem razão. Eu não sugeri medicação. Porque os antidepressivos são planejados para moderar os altos e baixos do humor e, se usados corretamente, podem impedir que você se sinta triste demais, mas muitas vezes eles também impedem que você se sinta feliz. — Ela ergueu a mão, a palma na horizontal. — Você acaba ficando... nivelado. E você poderia supor que os pacientes que tomam antidepressivos na maioria das vezes sentem falta dos altos, não é? Mas não é o que acontece. A maioria das pessoas que querem interromper a medicação afirmam que gostariam de poder chorar novamente.

Elas veem um filme triste na companhia de alguém que amam e gostariam de poder... sentir a mesma coisa.

— Eu não gosto de filmes — Zara observou.

Nadia riu alto.

— Não, claro que não. Mas eu não acho que você precisa de menos sentimentos, Zara. Acho que você precisa sentir mais. Eu não acho que você esteja deprimida. Eu acho que você está solitária.

— Isso me parece uma análise pouco profissional.

— Talvez.

— E se eu sair daqui e me matar?

— Eu não acho que você faria isso.

— Não?

— Você disse há pouco que haverá uma próxima vez.

Zara fixou o olhar no queixo de Nadia.

— E você confia em mim?

— Confio.

— Por quê?

— Porque eu posso ver que você não quer deixar as pessoas se aproximarem de você. Isso faz com que você se sinta fraca. Mas não acho que você tenha medo de ser magoada, acho que você tem medo de ferir outras pessoas. Você é uma pessoa mais empática e ética do que gostaria de admitir.

Zara ficou profundamente ofendida com isso e teve dificuldade em entender se era porque Nadia chamou-a de fraca ou porque disse que ela era ética.

— Talvez eu simplesmente não ache que vale a pena falar com pessoas com as quais vou apenas me cansar.

— Como você sabe disso se nunca tenta?

— Estou aqui, não estou, e não demorei muito para me cansar de você!

— Tente levar a questão a sério — Nadia disse, o que obviamente era inútil. Zara se esquivou do assunto como de costume.

— Então, por que *você é* vegana?

Nadia gemeu de cansaço.

Gente ansiosa

— Nós temos mesmo que falar sobre *isso* de novo? Tudo bem, eu sou vegana porque me importo com a crise climática. Se todo mundo fosse vegano, poderíamos...

Zara interrompeu com desdém:

— Parar o derretimento das calotas polares?

Nadia utilizou-se da paciência que os veganos acumulam por um bom tempo para praticar quando passam o Natal com parentes mais velhos.

— Não exatamente. Mas é parte de uma solução maior. E o fato de as calotas polares estarem derretendo é...

— Mas nós realmente precisamos de pinguins? — Zara perguntou sem rodeios.

— Eu diria que as calotas polares são um sintoma, não o problema. Como o problema que você tem para dormir.

Zara contou as janelas.

— Existem sapos e rãs ameaçados de extinção, e os cientistas dizem que, se desaparecessem, nós ficaríamos sufocados por insetos. Mas pinguins? Quem seria afetado se os pinguins desaparecessem, exceto talvez empresas fabricantes de jaquetas acolchoadas?

Nadia perdeu o fio da meada, o que pode ter sido a intenção de Zara.

— Não se faz... O que... Você acha que eles usam pinguins para fazer jaquetas acolchoadas? Elas são feitas de *gansos*!

— Então os gansos não são tão importantes quanto os pinguins? Isso não soa muito vegano.

— Não foi isso que eu disse!

— Foi o que pareceu.

— Você está fazendo disso um hábito, sabia?

— O quê?

— Mudar de assunto sempre que nos aproximamos de falar sobre sentimentos reais.

Zara pareceu levar isso em consideração. Então, disse:

— E os ursos, então?

— Como é?

— Se você for atacada por um urso? Você poderia matá-lo então?

— Por que eu seria atacada por um urso?

— Talvez alguém sequestre e drogue você e você acorde numa jaula com um urso e seja uma luta até a morte.

— Você está começando a ficar bem desconcertante agora. Eu gostaria de salientar que tive muito preparo em psicologia, então tenho um limite *bastante* alto para o que pode ser considerado desconcertante.

— Pare de ser tão suscetível. Responda à pergunta: você poderia matar um urso então, mesmo se não quisesse comê-lo? Não estou dizendo se você tivesse um garfo, mas se tivesse uma faca?

Nadia gemeu.

— Você está fazendo de novo.

— O quê?

Nadia consultou as horas. Zara percebeu. Ela contou todas as janelas duas vezes. Nadia percebeu. Elas se olharam por um tempo até que Nadia disse:

— Deixe-me perguntar uma coisa, então: você acha que zomba do movimento verde dessa forma porque ele se opõe ao setor financeiro em que você trabalha?

Zara rebateu mais rápido do que ela própria esperava, porque às vezes não sabemos o quão fortes são nossas convicções a respeito de alguma coisa até sermos testados:

— O movimento verde não precisa de nenhuma ajuda para parecer ridículo! E não estou defendendo o setor financeiro, estou defendendo o sistema econômico.

— Qual é a diferença?

— Um é o sintoma. O outro é o problema.

Nadia assentiu como se entendesse o que isso significava.

— Mas não fomos nós que criamos o sistema econômico? Ele não é uma construção teórica?

A resposta de Zara foi surpreendentemente livre de arrogância, soando quase simpática:

— Esse é o problema. Nós o tornamos forte demais. Esquecemos de como somos gananciosos. Você é proprietária de um apartamento?

— Sou.

— Você tem uma hipoteca?

— E todo mundo não tem?

— Não. Uma hipoteca costumava ser algo que se esperava que você pagasse. Mas agora que todas as outras famílias de renda média têm uma hipoteca de uma quantia que não poderiam economizar durante uma vida inteira, o banco não está mais *emprestando* dinheiro. Ele está oferecendo um *financiamento*. E então uma casa não é mais uma moradia. É um investimento.

— Não tenho certeza se entendi direito o que isso significa.

— Isso significa que os pobres ficam mais pobres, os ricos ficam mais ricos, e a verdadeira divisão de classes é entre os que podem pedir dinheiro emprestado e os que não podem. Porque não importa o quanto uma pessoa ganhe, ela ainda não consegue dormir direito no fim do mês por conta da preocupação com dinheiro. Todos olham para o que seus vizinhos têm e se perguntam: "Como eles *podem pagar* por isso?", porque todos estão vivendo além dos seus recursos. Portanto, nem mesmo pessoas realmente ricas se sentem realmente ricas, porque no final a única coisa que você pode comprar é uma versão mais cara de algo que você já tem. Com dinheiro emprestado.

Boquiaberta, Nadia parecia assombrada.

— Eu ouvi um homem que trabalhava num cassino dizer que ninguém fica arruinado ao perder, eles ficam arruinados ao tentar recuperar o dinheiro que perderam. É isso que você quer dizer? É por isso que o mercado de ações e o mercado imobiliário quebram?

Zara deu de ombros.

— Claro. Se isso faz com que pareça melhor.

Então, a psicóloga, de repente, e sem saber bem por quê, fez uma pergunta que tirou o ar dos pulmões de sua paciente.

— Então você se sente mais culpada por *não* ter emprestado dinheiro para alguns clientes, ou por ter emprestado *demais* para outros?

Zara parecia despreocupada, mas agarrava os braços da cadeira com tanta força que, quando por fim os soltou, suas palmas estavam exangues. Ela disfarçou esfregando as mãos e evitou o contato visual contando as janelas lá de fora. Depois bufou.

— Sabe de uma coisa? Se as pessoas que se preocupam com o bem-estar animal realmente se importassem com o bem-estar animal, não me diriam para comer porcos *felizes.*

Nadia revirou os olhos.

— Não vejo o que isso tem a ver com a minha pergunta.

Zara deu de ombros.

— Toda essa conversa de agricultura orgânica, anúncios de galinhas caipiras e porcos felizes... Não seria mais antiético da minha parte comer um porco feliz? Certamente seria melhor se eu comesse um porco que teve uma vida miserável do que comer um desses porcos alegrinhos com família e amigos. Os fazendeiros dizem que porcos felizes têm um sabor melhor, então só posso supor que eles esperam um porco se apaixonar, talvez logo depois ter filhos, e quando o porco está no auge da felicidade, leva um tiro na cabeça e é embalado a vácuo. Até que ponto isto é ético?

A psicóloga suspirou.

— Já entendi que você não quer falar sobre seus clientes e quanto eles pediram emprestado.

Zara cravou as unhas com força nas palmas das mãos.

— Você já pensou em como os veganos sempre falam em salvar o planeta, como se o planeta precisasse de nós? O planeta sobreviverá por bilhões de anos, mesmo sem ajuda humana. As únicas pessoas que estamos matando somos nós mesmos.

Não foi uma boa resposta, como sempre. Nadia olhou para o relógio e logo se arrependeu de fazê-lo, porque Zara percebeu e se levantou, como sempre. Zara nunca gostou de ser solicitada a sair, e isso costuma nos deixar mais alertas para o jeito de as pessoas verificarem as horas, e na segunda vez que elas olham para um relógio nós nos levantamos. Nadia sentiu-se envergonhada e gaguejou:

Gente ansiosa

— Ainda temos algum tempo... se você quiser... não tenho outra consulta depois dessa.

— Bem, eu tenho coisas para fazer — Zara respondeu.

Nadia se recompôs e perguntou sem rodeios:

— Você pode me contar algo pessoal sobre você?

— Como é?

Nadia levantou-se da cadeira e moveu a cabeça para tentar capturar o olhar de Zara.

— Em todo esse tempo que passamos conversando, tenho a sensação de que você nunca me disse nada de realmente pessoal. Nada mesmo. Qual é sua cor favorita? Você gosta de arte? Já se apaixonou alguma vez?

As sobrancelhas de Zara se ergueram o máximo que puderam.

— Você acha que eu dormiria melhor se estivesse apaixonada?

Nadia começou a rir.

— Não. Eu só estava pensando que sei muito pouco de você.

De todos os momentos que compartilharam, este foi um dos mais marcantes.

Zara ficou atrás de sua cadeira por vários minutos. Em seguida, respirou fundo e disse a Nadia algo sobre si mesma que nunca havia contado a ninguém:

— Gosto de música. Eu ouço... música, muito alto, assim que eu chego em casa. Isso ajuda a organizar meus pensamentos.

— Só quando você chega em casa?

— Não posso ouvir música alto demais no escritório. Só surte efeito se eu ouvir em um volume muito, muito alto.

Zara dá um leve tapa na testa ao dizer isso, como se para ilustrar o que não surte efeito.

— Que tipo de música? — Nadia perguntou gentilmente.

— Death metal.

— Uau.

— Isso é uma opinião profissional?

Nadia deu uma risadinha, o que foi constrangedor e pouco profissional — certamente não nos ensinam a rir nos cursos de psicologia.

— É só que foi bem inesperado. Por que death metal?

— É tão alto que silencia sua cabeça.

Os nós dos dedos de Zara ficaram brancos em torno da alça de sua bolsa. Nadia percebeu, então puxou um bloco de papel de uma das gavetas de sua mesa, escreveu algo e entregou uma folha a Zara.

— É uma receita de comprimidos para dormir? — Zara perguntou.

Nadia balançou a cabeça.

— É o nome de um bom par de fones de ouvido. Tem uma loja de eletrônicos descendo a rua. Compre-os e poderá ouvir música onde quer que esteja, no momento em que as coisas começarem a ficar difíceis. Talvez isso a ajude a sair mais. Conhecer pessoas? Talvez até a... apaixonar-se.

Claro que a psicóloga se arrependeu na mesma hora de ter dito esta última frase. Zara não respondeu. Enfiou o papel na bolsa, olhou para a carta no fundo dela e fechou-a rapidamente. Quando estava saindo, Nadia gritou ansiosa, preocupada por ter ido longe demais:

— Você não precisa se apaixonar, Zara, não foi isso que eu quis dizer! Só quis dizer que talvez seja hora de tentar algo novo. Eu só acho que você deveria se dar... Apenas dê a si mesma a chance de... ficar farta de alguém!

Zara entrou no elevador. Quando as portas se fecharam, ela pensou em empréstimos. Os que concedemos e os que recusamos. Então ela apertou o botão de emergência para parar o elevador.

52

Enquanto o drama dos reféns acontecia, lá fora Jack tentava pensar em alguma outra maneira de contatar o assaltante de banco em vez de deixar Jim subir com as pizzas. Ele pensou e pensou e pensou, porque os jovens podem ter uma certeza absoluta em relação a quase tudo quase o tempo todo, mas mesmo para Jack teria sido mais fácil ter plena convicção de que a bomba não era uma bomba se ele não precisasse enviar seu pai para testar a teoria.

— Espere, pai, eu tenho... — ele começou, depois ergueu o telefone e disse ao negociador: — Antes de entrarmos com as pizzas, quero tentar ter uma noção melhor do que está acontecendo. Posso entrar no prédio que fica do outro lado da rua e, de lá, ver as janelas da escada.

O negociador parecia cético.

— Que diferença isso faria?

— Nenhuma, talvez — Jack admitiu. — Mas vou poder dizer com mais certeza se é uma bomba ou não o que vejo pela janela. Antes de enviar meu colega, quero saber se esgotei todas as opções.

O negociador colocou a mão sobre o telefone e falou com outra pessoa, um dos malditos chefes, talvez. Aí ele voltou e disse:

— Sim. Está bem.

Ele não disse a Jack que ficou surpreso por ele ter chamado o próprio pai de "colega" em uma situação tão crítica, mas ele ficou.

Então Jack entrou no prédio do outro lado da rua. O negociador ficou na linha e, um andar e meio depois, perguntou:

— O que… o que você está fazendo?
— Vou subir as escadas — Jack respondeu.
— Não tem elevador?
— Não gosto de elevadores.

O negociador parecia estar batendo na cabeça com o telefone.

— Quer dizer que você está preparado para entrar num prédio com uma bomba e um assaltante armado, mas tem medo de elevadores?
— Não tenho *medo* de elevadores! Tenho medo de cobras e de câncer. Eu só não *gosto* de elevadores! — Jack respondeu baixinho.

O negociador parecia estar sorrindo.

— Você não pode chamar reforços?
— Todo o pessoal que temos à disposição está aqui, a equipe inteira. Eles estão mantendo o cordão de isolamento e evacuando os prédios próximos. Eu chamei reforços, mas os dois policiais estão esperando por suas esposas.
— O que isso significa?
— Que eles estavam bebendo. Suas esposas terão que trazê-los até aqui.
— Bebendo? A esta hora do dia? Um dia *antes* da véspera de Ano-Novo? — o negociador quis saber.
— Não sei como vocês fazem em Estocolmo, mas aqui levamos o Ano-Novo a sério — Jack respondeu.

O negociador deu uma gargalhada.

— Nós de Estocolmo não levamos nada a sério, você sabe disso. Pelo menos o que não seja importante.

Jack sorriu. Ele hesitou brevemente enquanto subia mais alguns degraus antes de fazer a pergunta que estava querendo fazer havia algum tempo:

— Você já se envolveu em uma situação de reféns antes?

O negociador hesitou antes de responder:

— Sim. Sim, claro.
— Como acabou?
— Ele soltou os reféns e saiu depois de passarmos quatro horas conversando.

Jack baixou a cabeça e parou no penúltimo andar. Ele espiou pela janela do patamar com um pequeno par de binóculos. Dali pôde ver os fios no chão do patamar oposto, eles estavam saindo de uma caixa em que alguém havia escrito algo com uma caneta marcadora. Ele não tinha certeza absoluta, mas de onde estava parecia muito com as letras N-A-T-A-L.

— Não é uma bomba — ele disse ao telefone.

— O que acha que é, então?

— Parecem luzes de Natal, dessas externas.

— Ótimo.

Jack continuou até o último andar — se o assaltante de banco não tivesse fechado as cortinas, ele poderia ver o interior do apartamento.

— Como você o tirou de lá? — ele perguntou.

— Quem?

— O tomador de reféns. Da última vez.

— Ah, como sempre, suponho, uma combinação do que nos ensinam. Não use frases negativas, evite dizer *não pode* e *não faça*. Tente encontrar algo que vocês tenham em comum. Descubra qual é a motivação dele.

— Foi realmente assim que você o tirou de lá?

— Não, claro que não. Estou brincando.

— Sério?

— Sim, sério. Conversamos por quatro horas e, de repente, ele ficou em silêncio. E, claro, essa é a primeira coisa que aprendemos...

— Mantê-lo ocupado? Não deixar a linha em silêncio?

— Exatamente. Eu não sabia o que fazer, então me arrisquei e perguntei se ele queria ouvir uma piada. Ele não disse nada por um minuto ou mais, depois falou: "E aí? Vai me contar a piada ou não?" Então eu contei aquela sobre os dois irlandeses num barco... você conhece essa?

— Não — Jack disse.

— Ok, dois irmãos irlandeses estão pescando no mar. Uma forte tempestade começa e eles perdem os dois remos. Eles estão convencidos de que vão se afogar. Então, de repente, um dos irmãos vê algo na água e consegue pegar. É uma garrafa. Eles puxam a rolha e PUF! Um gênio aparece. Ele lhes concede um desejo, qualquer coisa que eles quisessem. Então os dois irmãos olham para o mar tempestuoso, estão presos lá sem remos, a vários quilômetros da costa, e o primeiro irmão está pensando no que pedir quando o segundo irmão deixa escapar rindo: "Eu queria que o mar inteiro fosse de Guinness!" O gênio o encara como se ele fosse um idiota, então diz, ok, claro, vamos nessa. E PUF! O mar se transforma em cerveja. O gênio desaparece. O primeiro irmão encara o segundo irmão e estoura: "Seu idiota! Tínhamos um único desejo e você desejou que o mar fosse de Guinness! Você tem ideia do que fez?" O segundo irmão balança a cabeça de vergonha. O primeiro irmão estende os braços e diz…

O negociador fez uma pausa dramática, mas não teve tempo de concluir a piada antes de Jack interromper do outro lado da linha:

— *Agora vamos ter que mijar no barco!*

Ofendido, o negociador bufou tão alto que o telefone tremeu.

— Então você conhecia, afinal de contas?

— Minha mãe gostava de piadas. Foi isso mesmo que fez o tomador de reféns se entregar?

A linha ficou silenciosa um pouco mais.

— Talvez ele quisesse evitar que eu contasse outra piada para ele.

O negociador parecia querer rir ao dizer isso, mas não deu muito certo. Jack não pôde deixar de notar. Ele havia chegado ao último andar agora e olhou pela janela para a varanda do outro lado da rua. Ele parou surpreso.

— O que é…? Que estranho.

— O que foi?

— Consigo ver a varanda do apartamento onde estão os reféns. Tem uma mulher lá.

— Uma mulher?

— Sim. Usando fones de ouvido.

— Fones de ouvido?

— Sim.

— Que tipo de fones de ouvido?

— Quantos tipos diferentes existem? Que diferença isso faz?

O negociador suspirou.

— Ok. Pergunta estúpida. Quantos anos ela tem, então?

— Uns cinquenta anos. Talvez mais.

— Cinquenta e poucos ou cinquenta e muitos anos?

— Por Deus... eu não sei! Uma mulher. Uma mulher perfeitamente comum.

— Tá, tá, acalme-se. Ela parece assustada?

— Ela parece... entediada. Seja como for, não parece estar em perigo de jeito nenhum.

— Que situação de reféns mais esquisita.

— Exatamente. E o que tem na escada definitivamente não é uma bomba. E ele tentou assaltar um banco sem dinheiro. Eu disse desde o início, não estamos lidando com um profissional aqui.

O negociador levou isso em consideração por alguns momentos.

— Sim, você pode estar certo.

Ele estava tentando parecer confiante, mas Jack podia ouvir sua dúvida. Os dois homens compartilharam um longo silêncio antes de Jack dizer:

— Diga-me a verdade. O que aconteceu nessa última situação de reféns em que você trabalhou?

O negociador suspirou.

— O homem libertou os reféns. Mas ele atirou em si mesmo antes de conseguirmos entrar.

Essas palavras acompanhariam Jack ao longo do dia, bem ao lado de sua pele.

Ele já havia começado a descer as escadas no momento em que o negociador pigarreou.

— Ok, Jack, posso fazer uma pergunta *a você*? Por que recusou aquele emprego em Estocolmo?

Jack considerou mentir, mas não conseguiu reunir energia.

— Como sabe disso?

— Falei com um dos chefes antes de partir. Perguntei a ela quem estava na cena do crime. Ela disse que eu deveria falar com Jack, porque ele é muito bom. Disse também que lhe propôs várias vezes trabalhar lá, mas você continua recusando.

— Eu já tenho um trabalho aqui.

— Não como o que ela está te oferecendo.

Jack bufou defensivamente.

— Ah, vocês de Estocolmo, vocês todos acham que o mundo gira em torno de sua maldita cidade.

O negociador riu.

— Escute, eu cresci num vilarejo onde a gente tinha que dirigir quarenta minutos se quisesse comprar leite. Lá, a gente achava que *a sua* cidade era uma metrópole. Para nós, vocês é que eram os "de Estocolmo".

— Todo mundo tem alguém de Estocolmo na vida, acho eu.

— Então qual é o seu problema? Você acha que não daria conta do trabalho se o aceitasse?

Jack esfregou as mãos nas calças.

— Você é meu psicólogo ou algo assim?

— Parece que você precisa de um.

— Não podemos apenas nos concentrar no trabalho que temos aqui e agora?

O negociador hesitou e respirou fundo antes de perguntar:

— Seu pai sabe que ofereceram outro posto a você?

Jack estava prestes a responder com um palavrão, mas o negociador não chegou a ouvi-lo, porque, naquele momento, Jack olhou pela janela e viu que seu pai não estava mais esperando na rua, como lhe disseram.

— Mas que *raios*?! — Jack exclamou. Então, ele encerrou a ligação e saiu correndo.

53

Zara tinha acabado de ir para a varanda quando Jack a viu. Isso foi logo depois de ela dizer à assaltante de banco no hall para não fazer nenhuma besteira, e ela precisava de ar fresco, mais do que nunca. Se tudo o que víssemos fossem as costas de Zara indo em direção à varanda, é provável que achássemos que ela estava impaciente. Precisaríamos ver seu rosto para entender que ela estava se sentindo fragilizada. Pouco antes ela havia se surpreendido, perdera o controle, sentira coisas. Para qualquer outra pessoa, aquilo que aconteceu talvez fosse apenas vagamente constrangedor, como quando descobrimos que estamos começando a ter o mesmo gosto musical de nossos pais, ou comemos algo achando que é chocolate, mas descobrimos ser patê de fígado. No entanto, para Zara, aquilo desencadeou uma sensação de pânico total: ela estaria começando a sentir empatia?

Ela esfregou as mãos cuidadosamente com álcool em gel, contou as janelas do prédio do outro lado da rua sem parar, tentou respirar fundo. Ela estava no apartamento fazia tempo demais, as pessoas ali dentro haviam reduzido sua distância habitual, e Zara não estava acostumada com isso. Na varanda, ficou encostada na parede do prédio para que ninguém na rua pudesse vê-la lá em cima. Colocou os fones nos ouvidos e aumentou o volume até o ruído estridente da música abafar o ruído estridente dentro de sua cabeça. Até as pancadas do death metal baterem mais forte do que seu coração.

E bem ali, talvez ela tenha encontrado. Uma trégua consigo mesma.

Ela pôde ver o inverno se acomodando em toda a cidade. Gostava do silêncio daquela época do ano, mas nunca apreciara sua presunção. Quando a neve chega, o outono já fez todo o trabalho, tomando conta de todas as folhas e varrendo aos poucos o verão da memória das pessoas. Tudo o que o inverno teve que fazer foi congelar um pouco as coisas e levar todo o crédito, como um homem que passa vinte minutos perto de um churrasco, mas nunca serviu uma refeição completa na vida.

Ela não ouviu a porta da varanda se abrir, mas sentiu uma orelha felpuda encostar no seu cabelo quando Lennart apareceu e ficou ao lado dela. Ele deu uma pancadinha de leve em um dos fones de ouvido.

— O que é? — ela retrucou.

— Você fuma? — Lennart perguntou, porque, embora ele não tivesse conseguido retirar a cabeça de coelho, havia um pequeno orifício no focinho por onde ele tinha quase certeza de que seria capaz de fumar.

— Claro que não! — Zara disse, colocando o fone de volta no ouvido.

Lennart fez cara de espanto, mesmo que isso não fosse visível através da ambivalência imutável da cabeça de coelho. Zara parecia alguém que fumava, não só porque gostava como também para tornar o ar irrespirável para os outros. O coelho bateu no fone de ouvido novamente e ela o removeu com extrema relutância.

— O que está fazendo na varanda, então? — ele quis saber.

Zara olhou para ele de forma demorada e severa, começando pelas meias brancas, passando pelas pernas de fora e as cuecas sem elástico, até o peito nu, onde os pelos começavam a ficar grisalhos.

— Você acha mesmo que está numa posição de questionar as escolhas de vida dos outros? — ela perguntou, mas não soou tão irritada quanto queria, o que foi irritante.

Ele coçou as orelhas de coelho grandes e inanimadas e respondeu:

— Eu também não fumo, não de verdade. Só em festas. E quando estou sendo mantido como refém!

Gente ansiosa

Ele riu, ela não. Ele ficou em silêncio. Ela colocou o fone de volta no ouvido, mas é claro que ele deu outra pancadinha.

— Posso ficar um tempo aqui com você? Tenho receio de que Roger possa me bater de novo se eu voltar lá para dentro.

Zara não respondeu, apenas colocou o fone de ouvido de volta no lugar, e o coelho bateu nele de novo.

— Você está aqui num safári, então?

Ela olhou para ele com surpresa.

— O que significa isso?

— Só uma observação. Sempre tem gente como você nessas visitas a apartamentos à venda. Alguém que não quer comprar o imóvel, vai ver só por curiosidade. Fazer um safári. Um test drive de estilo de vida. Nós conseguimos reconhecer esse tipo de coisa no meu trabalho.

O olhar de Zara foi venenoso, mas sua boca permaneceu fechada. Ser transparente para outra pessoa não é nada agradável, você tende a fechar a roupa bem apertado quando isso acontece, ainda mais se você é aquele tipo de pessoa que vê através dos outros. Seu instinto foi dizer algo cruel para colocar um pouco de distância entre eles, mas em vez disso ela perguntou:

— Você não está com frio?

Ele balançou a cabeça e ela teve que se abaixar para evitar uma de suas orelhas. Então, ele deu um tapinha no rosto felpudo e riu.

— Não. Dizem que setenta por cento do calor do corpo se perde pela cabeça, então, como estou preso aqui, acho que estou perdendo apenas trinta por cento agora.

Aquilo não era o tipo de coisa de que um homem costuma se vangloriar quando está só de cuecas numa temperatura congelante, pensou Zara. Ela recolocou o fone de ouvido, esperando que isso bastasse para se livrar dele, mas, antes mesmo de ele tocar no fone de ouvido novamente, ela já havia adivinhado que sua próxima frase começaria com a palavra "eu".

— Eu sou mesmo é um ator. Esse negócio de performances disruptivas em visitas a imóveis é apenas um bico.

— Que interessante — Zara disse em um tom que só um pirralho filho de um operador de televendas interpretaria como um convite para continuar falando.

— Os tempos estão difíceis para as pessoas da cena cultural — o coelho comentou.

Zara colocou os fones de ouvido em volta do pescoço, já resignada, e bufou.

— Então é essa sua desculpa para explorar o fato de que os tempos estão difíceis também para as pessoas que vendem apartamentos? Por que é que vocês da "cena cultural" nunca pensam que o capitalismo é bom, exceto quando são *vocês* que estão lucrando com ele?

Simplesmente escapou, ela realmente não sabia por quê. Entre as orelhas do coelho, ela teve um vislumbre da ponte. As orelhas balançaram pensativamente ao vento de dezembro.

— Desculpe, mas você não me parece o tipo de pessoa que sente pena de quem está tentando vender apartamentos — ele disse.

Zara bufou de novo, com mais raiva.

— Eu não me importo com vendedores ou compradores. Mas eu me importo com o fato de que você não parece compreender que o seu "bico" está manipulando o sistema econômico!

A cabeça de coelho tinha um sorriso fixo eterno, mas dentro dela Lennart se esforçava para pensar. Então ele disse o que Zara considerou a coisa mais estúpida que poderia sair da boca de alguém, coelho ou humano:

— O que *eu* tenho a ver com o sistema econômico?

Zara massageou as mãos. Contou as janelas.

— O mercado deveria ser autorregulado, mas pessoas como você prejudicam o equilíbrio entre oferta e demanda — ela disse, cansada.

É claro que o coelho respondeu na lata dizendo a coisa mais previsível possível.

— Isso não é verdade. Se eu não estivesse fazendo isso, outra pessoa faria. Eu não estou infringindo a lei. Um apartamento é o maior investimento que a maioria das pessoas faz, e elas querem o melhor preço, então estou apenas oferecendo um serviço que...

— Apartamentos não deveriam ser um investimento — Zara respondeu sombriamente.

— O que eles deveriam ser, então?

— Uma moradia.

— Você é por acaso comunista? — O coelho riu.

Zara sentiu vontade de socá-lo no nariz por isso, mas em vez disso, ela apontou entre suas orelhas e disse:

— Quando a crise financeira nos atingiu dez anos atrás, um homem pulou daquela ponte por causa de uma quebra do mercado imobiliário do outro lado do mundo. Pessoas inocentes perderam seus empregos e os culpados receberam bonificações. Você sabe por quê?

— Agora você está exageran...

— Porque pessoas como você não se importam com o equilíbrio do sistema.

Lennart riu com arrogância dentro da cabeça de coelho. Ele ainda não tinha percebido com quem havia iniciado uma discussão.

— Calma aí, a crise financeira foi culpa dos bancos, eu não faço as...

— As regras? É isso que você ia dizer? Você não dita as regras, apenas joga o jogo? — Zara o interrompeu já cansada, porque ela preferia beber nitroglicerina e pular numa cama elástica a ser obrigada a ouvir outro homem lhe dando um sermão sobre responsabilidades financeiras.

— Sim! Bem, não! Mas...

Zara havia passado tempo suficiente de sua vida em salas de reunião com o mercado-alvo de abotoaduras para ser capaz de prever o restante do monólogo desse sujeito, então decidiu economizar seu tempo e sua laringe.

— Deixe-me adivinhar aonde você está querendo chegar com essa conversa: você não liga para o vendedor deste apartamento, você também não liga para Roger e Anna-Lena, você só se preocupa com você. Mas você vai tentar se defender dizendo que não é possível enganar o mercado imobiliário, porque o *mercado* não existe de verdade, é uma *construção teórica*.

Apenas números na tela de um computador. Logo, *você* não tem nenhuma responsabilidade, não é?

— Não... — Lennart começou a dizer, mas nem mesmo conseguiu respirar antes que Zara continuasse.

— Depois você vai desencavar umas baboseiras de psicologia barata para dizer que o dinheiro não tem nenhum valor porque o dinheiro também é uma construção teórica. E então chegamos à moral da história, onde o velho esperto, que você é, começa a ensinar à bobinha e ignorante, que sou eu, o que é teoria econômica e como o mercado de ações surgiu. Talvez lhe ocorra me contar sobre a Hanói de 1902, quando o governo tentou combater uma praga de ratos oferecendo aos cidadãos uma recompensa por cada rato que matassem e cujo rabo entregassem à polícia. E a que isso levou? As pessoas começaram a criar ratos! Você tem ideia de quantos homens me contaram essa história para ilustrar como o povo é egoísta e desonesto? Você sabe quantos homens iguais a você cada mulher do planeta encontra todos os dias, homens que acham que cada pensamento que brota de seus minúsculos cérebros masculinos é um lindo presente que vocês podem nos dar?

A essa altura, Lennart já havia recuado três passos em direção ao corrimão. Mas Zara não perdera o ritmo, então tudo o que ele teve tempo de dizer foi: "Eu...", antes que ela explodisse:

— Você o quê? Você o quê? *Você* não é o ganancioso, *os outros* é que são? É isso que você ia dizer?

O coelho balançou as orelhas.

— Não. Não, me desculpe. Eu não sabia que alguém havia pulado daquela ponte. Você sabia...?

As faces de Zara tremiam, o pescoço estava vermelho sob os fones de ouvido. Ela não estava mais falando com Lennart, mas exatamente com quem estaria falando talvez não estivesse claro nem mesmo para ela, mas parecia que vinha esperando dez anos para gritar com alguém. Qualquer um. Acima de tudo, consigo mesma. Então, ela vociferou:

— Pessoas como *você* e *eu* são o problema, será que não entende? Sempre nos defendemos dizendo que estamos apenas oferecendo um serviço. Que somos apenas uma parte minúscula do mercado. Que tudo é culpa do próprio povo. Que eles são gananciosos, que não deveriam ter nos dado seu dinheiro. E depois *nós* ainda temos o descaramento de nos perguntarmos por que as bolsas de valores quebram e a cidade está cheia de ratos...

Seus olhos estavam ensandecidos de raiva, e pequenas nuvens de fumaça saíam aceleradas por suas narinas. O coelho não respondeu, aqueles olhos que não piscavam apenas olhavam para ela enquanto ela tentava controlar sua pulsação. Então um som entrecortado explodiu de dentro da cabeça de coelho, e a princípio Zara pensou que o maldito velho estivesse tendo um derrame, depois percebeu que era assim que Lennart soava quando gargalhava, como se de fato o riso saísse do fundo de suas entranhas. Ele estendeu os braços.

— Eu não sei mais do que você está falando, para ser franco. Mas eu desisto, você venceu, você venceu!

Os olhos de Zara se estreitaram, tanto de medo quanto de raiva. Era mais fácil falar com o coelho do que com as outras pessoas, porque ela não precisava olhar nos olhos de Lennart. Zara não estava preparada para o que isso faria com ela. Inclinou-se para a frente e esticou os dedos nas coxas, dobrando-os e esticando, várias vezes. Depois, disse em um tom de voz mais baixo:

— Eu venci, não é? E Anna-Lena e Roger também? Ele está tentando ficar rico e ela está tentando fazê-lo feliz, e tudo o que eles estão realmente fazendo é adiar um divórcio inevitável. Mas isso provavelmente só te deixa feliz, porque assim eles terão que comprar *dois* apartamentos.

Com isso, algo aconteceu. Lennart ergueu a voz pela primeira vez.

— Não! Isto não basta! Porque... porque... eu não acredito nisso!

— Então, *você* acredita em quê? — Zara retrucou e, a despeito do que quer que seja que a levou a este ponto, sua voz finalmente falhou. Ela fechou os olhos com força e cerrou os punhos em torno dos fones de ouvido. Havia esperado dez anos que alguém lhe fizesse essa pergunta. Por isso, quase a surpreendeu quando ele disse:

— No amor.

Lennart soltou essa resposta distraidamente, como se não fosse importante. Zara não estava preparada para isso, e esse tipo de coisa pode deixar uma pessoa com raiva. A voz de Lennart ficou mais abafada dentro da cabeça de coelho, como se ferida agora:

— Você fala como se eu fosse ficar feliz se as pessoas se divorciassem. Ninguém vai a duas mil visitas a apartamentos e não percebe que há mais amor no mundo do que o contrário.

Nem mesmo Zara teve uma resposta para isso. E ele ainda não parecia estar congelando, o idiota com cabeça de coelho, o que só a deixou mais enfurecida. Pare de falar de amor e sinta frio, pelo amor de Deus, como qualquer idiota normal, ela pensou, e se preparou para responder com algum comentário devastador. Mas tudo que se ouviu perguntar foi:

— Em que se baseia para afirmar isso?

As orelhas do coelho oscilaram.

— Em todos os apartamentos que não estão à venda.

Os dedos de Zara se atrapalharam em torno do pescoço. Não foi uma resposta totalmente ridícula, o que obviamente a irritou. Por que Lennart não teve a decência de ser um idiota completo? Um idiota que também é romântico é quase insuportável, e este "quase" pode enlouquecer uma mulher com fones de ouvido.

Então ela permaneceu em silêncio, olhando em direção à ponte. Depois, deu um suspiro resignado e tirou dois cigarros da bolsa. Ela enfiou um no focinho do coelho e o outro na própria boca. O coelho foi esperto o suficiente para não começar a falar sobre sua afirmação anterior de que ela *não* fumava. Ela gostou disso. Quando ela lhe deu o isqueiro, ele conseguiu chamuscar o pelo do nariz e teve que apagar as chamas com as mãos. Ela gostou disso também.

Eles fumaram sem nenhuma urgência. Então Lennart disse, seriamente, mas sem nenhum traço de acusação, enquanto olhava para os telhados:

— Você pode pensar o que quiser de mim, mas Anna-Lena é um dos poucos clientes que eu tenho que... Não posso deixar de torcer por ela. Ela não quer enriquecer o marido, ela só quer que ele se sinta necessário. Todo mundo acha que ela é submissa e oprimida, e que sempre teve que ceder e fazer sacrifícios pela carreira dele, mas você sabe qual era o trabalho dela antes?

— Não — Zara confessou.

— Ela era analista sênior de uma grande empresa industrial americana. Não acreditei no começo, porque ela é tão confusa quanto uma caixa de gatinhos... mas você não vai encontrar uma pessoa mais inteligente e mais bem instruída neste apartamento, posso lhe assegurar. Quando os filhos eram pequenos, a carreira dele começou a decolar, mas a dela estava indo ainda melhor, então Roger recusou uma promoção para que pudesse ficar mais tempo em casa com os filhos e ela pudesse fazer todas as suas viagens de negócios. Só iria durar alguns anos, mas a carreira dela começou a alçar voo enquanto a dele patinava, e quanto mais diferença havia entre os salários, mais difícil era para eles trocarem de posição. Quando as crianças cresceram e Anna-Lena alcançou todos os seus objetivos, ela virou-se para Roger e disse: "Agora é sua vez." Mas ele não teve mais promoções. Estava velho demais. Eles não sabiam como falar sobre isso, porque nunca haviam praticado as palavras certas. Então, agora ela está tentando compensá-lo mudando-se o tempo todo e reformando apartamentos, tudo o que eles têm feito... um projeto em comum. Roger não tem mais filhos para cuidar, então se sente inútil. E Anna-Lena só quer um lar. Você pode dizer muitas coisas sobre mim, mas não se atreva a insinuar que não estou torcendo por esses dois.

Zara acendeu outro cigarro, principalmente para manter os olhos ocupados olhando para a ponta incandescente.

— Anna-Lena te contou tudo isso?

— Você ficaria surpresa com o que as pessoas me contam.

— Não, eu não ficaria — Zara sussurrou.

Ela teve vontade de dizer a ele que precisa de distância. Que não consegue parar de massagear as mãos. Que ela conta cada objeto de cada cômodo porque isso a acalma. Que gosta de planilhas e previsões de faturamento porque gosta de ordem. Mas ela também teve vontade de dizer a ele que o sistema econômico ao qual dedicou sua vida profissional é o maior problema do mundo agora, porque tornamos o sistema forte demais. Esquecemos de como somos gananciosos, mas acima de tudo esquecemos de como somos fracos. E agora isso está nos esmagando.

Teve vontade de dizer tudo isso, mas a essa altura da vida ela já havia se acostumado com o fato de que as pessoas não entendiam ou não queriam entender. Então ficou em silêncio. E, no fundo, gostaria de ter ficado em silêncio o tempo todo.

Eles fumaram outro cigarro. Zara se opunha à presença dele menos do que ela esperava, e aquele dia já tinha oferecido mais novas experiências do que ela se sentia pronta para absorver, então seus dedos imediatamente começaram a traçar as bordas dos fones de ouvido quando as orelhas do coelho balançaram em sua direção novamente. Ela percebeu que ele estava tentando pensar em algo para perguntar a ela, para continuar a conversa. Isso era o que mais irritava Zara nos homens. O fato de que eles só sabiam fazer duas perguntas: "Em que você trabalha?" e "Você é casada?".

Mas, em vez disso, esse Lennart peculiar criou coragem para perguntar-lhe:
— O que você está escutando?

Que inferno, Zara pensou. *Por que você não pode simplesmente sentir frio e não se interessar por mim?* Ela abriu a boca, havia tanta coisa que queria dizer, mas tudo que saiu foi:
— A assaltante de banco vai se entregar logo. A polícia vai invadir este apartamento a qualquer momento. Você devia vestir uma calça.

O coelho fez que sim com a cabeça, desapontado. Ele a deixou com os fones de ouvido, a música no volume máximo, contando as janelas indefinidamente. Pode não ser o tipo de história de amor que mereça que alguém fizesse um poema. Mas eles arrebataram um ao outro ali mesmo, naquele dia.

54

Estelle bateu hesitantemente à porta do closet. Julia abriu.

— Eu só queria que você soubesse que as pizzas vão ser entregues daqui a pouco, mas eu estava pensando que você deve estar morrendo de fome, comendo por dois, pobrezinha. Gostaria de comer algo enquanto esperamos? Tem comida no freezer. Quer dizer, as pessoas quase sempre têm comida no freezer — Estelle disse.

— Não, obrigada, é gentil da sua parte, mas estou bem — Julia respondeu com um sorriso. Ela gostou do fato de Estelle estar preocupada, mais pessoas deveriam fazer isso, perguntar se você está com fome, em vez de como está se sentindo.

— Bem, então, não vou incomodá-la — Estelle disse, e começou a fechar a porta.

— Você gostaria de entrar? — Julia perguntou, mas, na verdade, ela disse do jeito que se faz quando esperamos que a resposta seja não.

— Eu adoraria! — Estelle arrulhou, em seguida entrou e fechou a porta. Passou pela escada e se sentou no último assento disponível no closet: um baú, ao fundo. Cruzou as mãos no colo e sorriu calorosamente. — Bem, isso tudo é muito bom, não é? Eu não como pizza há anos. Claro que preciso admitir que todo esse negócio de assalto a banco e tomada de reféns não foi particularmente agradável para nenhum de nós, mas não posso deixar de pensar que é bastante encorajador que *o* assaltante seja, na verdade, *a* assaltante. Você não acha? É bom quando nós, mulheres, mostramos do que somos capazes!

Julia colocou o polegar em um ponto específico bem entre os olhos, pressionou com força e conseguiu se controlar o suficiente para responder:

— Hmm. Ficou nos ameaçando com uma arma, mas ainda assim... Empoderamento feminino!

— Não acho que seja uma arma de verdade! — Anna-Lena interrompeu em seguida.

Julia cobriu os olhos para que ninguém visse que ela os estava revirando. Estelle sorriu interrogativamente.

— Bem, eu não pretendia entrar e interromper vocês duas assim, como uma velha boba. Do que vocês estavam falando?

— Casamento — Anna-Lena fungou.

— Ah! — Estelle exclamou, como se seu tema favorito tivesse acabado de ser selecionado em um programa de perguntas e respostas na televisão.

Seu entusiasmo suavizou um pouco a atitude de Julia, então ela perguntou:

— Você disse que o nome do seu marido é Knut? Há quanto tempo estão casados?

Estelle contou mentalmente até ficar sem números.

— Knut e eu somos casados desde sempre. É assim quando a gente envelhece. No final, é como se não houvesse um tempo antes dele.

Julia teve que admitir que gostou dessa resposta.

— Como conseguem ter um casamento tão duradouro? — ela perguntou.

— Lutamos por isso — Estelle respondeu com franqueza.

Julia dessa vez não gostou tanto.

— Isso não parece muito romântico.

Estelle aquiesceu com um sorriso.

— Precisamos escutar um ao outro o tempo todo. Mas não *todo* o tempo. Se nos escutarmos todo o tempo, há o risco de não conseguirmos nos perdoar depois.

Julia passou as unhas tristemente pelas sobrancelhas.

— Ro e eu costumávamos nos dar bem. Nós nos dávamos tão bem que as brigas nem importavam, e éramos boas nisso. Às vezes eu costumava brigar com ela de propósito, porque éramos muito boas nisso... nas brigas. Mas agora, ah, eu não sei. Não tenho mais tanta certeza sobre nós.

Estelle brincou com sua aliança de casamento e umedeceu os lábios, pensativa.

— Quando nos apaixonamos lá no início, Knut e eu chegamos a um acordo sobre como lidaríamos com as brigas, porque Knut disse que, mais cedo ou mais tarde, a fase do entusiasmo da paixão passa e acabamos discutindo mesmo sem querer. Assim, chegamos a um acordo, como na Convenção de Genebra, em que as regras da guerra eram acordadas. Knut e eu prometemos que, por mais zangados que estivéssemos, não tínhamos permissão de dizer coisas com a intenção clara de apenas ferir um ao outro. Não tínhamos permissão de discutir só para ganhar a discussão. Porque, mais cedo ou mais tarde, um de nós acabaria ganhando. E nenhum casamento pode sobreviver a isso.

— Deu certo? — Julia perguntou.

— Não sei — Estelle admitiu.

— Não?

— Nunca passamos da fase do entusiasmo da paixão.

Não adiantava nem tentar não gostar dela naquele momento. Estelle olhou em volta do closet por um tempo, como se estivesse tentando se lembrar de algo, então se levantou e abriu a tampa do baú.

— O que está fazendo? — Julia quis saber.

— Só estou dando uma olhada — Estelle disse se desculpando.

Anna-Lena achou aquilo perturbador, porque achava que havia regras tácitas de que não se devia bisbilhotar os imóveis durante uma visita.

— Você não pode fazer isso! Você só tem permissão para olhar nos armários se eles já estiverem abertos! Exceto armários de cozinha. Você tem permissão para abrir os armários da cozinha, mas apenas por alguns segundos, para conferir o tamanho deles, mas não tem permissão para tocar no conteúdo ou fazer qualquer julgamento sobre o estilo de vida das pessoas. Existem... existem regras! Você tem permissão para abrir a máquina de lavar louça, mas não a máquina de lavar!

— Você andou visitando apartamentos demais... — Julia disse a ela.

— Nem me fale — Anna-Lena suspirou.

— Tem vinho aqui! — Estelle exclamou feliz, retirando duas garrafas do baú. — E um saca-rolhas!

— Vinho? — Anna-Lena repetiu, repentinamente animada, então não havia problema algum em bisbilhotar baús se fosse para encontrar vinho.

— Você quer? — Estelle ofereceu.

— Estou grávida — Julia observou.

— Você não tem permissão para beber vinho, então?

— Grávidas não têm permissão para beber álcool.

— Mas... vinho?

Os olhos de Estelle estavam arregalados com uma intenção benevolente. Porque vinho são apenas uvas, afinal. E crianças gostam de uvas.

— Vinho também — Julia disse pacientemente, e pensou no que Ro tinha dito: "O tempo todo! Estou bebendo por três agora!", quando a obstetra da clínica pré-natal fez uma pergunta de rotina para saber se elas bebiam. A obstetra não percebeu que Ro estava brincando e o clima ficou tenso. Julia riu enquanto pensava nisso agora. Isso acontece muito quando se é casada com uma idiota.

— Fiz algo errado? — Estelle se perguntou ansiosamente, bebendo direto da garrafa antes de passá-la para Anna-Lena, que não hesitou antes de tomar dois longos goles, o que parecia altamente fora do personagem de Anna-Lena. Foi um dia estranho para todos eles.

— Não, de jeito nenhum, só estava pensando em algo que minha mulher fez. — Julia sorria e ao mesmo tempo tentava parar de rir, com resultados ambíguos.

— A mulher de Julia é uma idiota! Assim como o Roger! — Anna-Lena explicou prestativamente a Estelle e bebeu outro gole, desta vez maior do que o espaço em sua boca, o que provocou um acesso de tosse pelo nariz. Julia inclinou-se para a frente e deu um tapinha nas costas de Anna-Lena. Enquanto isso, para ajudar, Estelle pegou a garrafa das mãos dela e tornou-a um pouco mais leve. Depois disse baixinho:

— Knut não é um idiota. Ele realmente não é. Mas está demorando muito para estacionar o carro. Eu queria que ele estivesse aqui, então eu... Bem, eu simplesmente não estava preparada para ser mantida refém sozinha.

Julia sorriu.

— Você não está sozinha, você tem a nós. E essa assaltante de banco não parece querer machucar ninguém, então tenho certeza de que tudo vai ficar bem. Mas... posso lhe perguntar uma coisa?

— Claro que pode, querida.

— Você *sabia* que tinha vinho nesse baú? Se não sabia, por que decidiu dar uma olhada?

Estelle corou. Depois de uma longa pausa, ela confessou:

— Costumo esconder vinho no closet de casa. Knut achava que isso era bobagem. Quer dizer, ele *acha* que é bobagem. Mas a gente presume que as pessoas pensem como nós, então pensei que, se o morador daqui estivesse preocupado com o fato de as pessoas verem as garrafas de vinho e pensarem "Hmm, quem mora aqui é alcoólatra", então o closet seria o lugar perfeito para esconder o vinho.

Anna-Lena tomou mais dois goles de vinho, soluçou alto e acrescentou:

— Os alcoólatras não têm garrafas de vinho fechadas em casa. Eles têm garrafas de vinho vazias.

Estelle acenou com a cabeça agradecida e respondeu sem pensar:

— É muita gentileza sua. Knut teria concordado com você.

Os olhos da velha senhora estavam brilhando, não só por causa do vinho. Julia franziu a testa com tanta força e de forma tão pensativa que conseguiu mudar de penteado. Ela inclinou-se para a frente, colocou a mão suavemente no braço de Estelle e sussurrou:

— Estelle? Knut não está estacionando o carro, está?

Os lábios finos de Estelle desapareceram tristemente um sob o outro, então a palavra mal passou por eles quando ela por fim admitiu:

— Não.

55

Entrevista com Testemunha
Data: 30 de dezembro
Nome da testemunha: Lennart

JACK: Deixe-me ver se entendi direito: você não estava visitando o apartamento como um potencial comprador, mas foi contratado por Anna-Lena para estragar tudo?

LENNART: Exatamente. A Lennart Sem Limites sou eu. Você gostaria de um cartão de visita? Eu também faço festas de despedida de solteiro, se o cara que vai se casar roubou sua garota, esse tipo de coisa.

JACK: Então esse é seu trabalho? Estragar visitas a imóveis?

LENNART: Não, eu sou um ator. É que não tem muitos papéis disponíveis no momento. Mas eu fiz *O Mercador em Veneza* no teatro local.

JACK: *De* Veneza.

LENNART: Não, no teatro local aqui!

JACK: Eu quis dizer que o nome da peça é *O Mercador de Veneza*. Não *em* Veneza. Deixa pra lá. Você pode me dizer mais alguma coisa sobre o assaltante de banco?

LENNART: Acho que não. Já disse a você tudo que lembro.

JACK: Tudo bem. Lamento, mas terei que pedir a você para ficar mais um pouco, caso tenhamos mais perguntas.

LENNART: Sem problema!

JACK: Ah, sim, uma última coisa: o que você sabe sobre os fogos de artifício?

LENNART: O que quer dizer?

JACK: Os fogos de artifício que o perpetrador pediu.

Gente ansiosa

LENNART: O que é que têm eles?

JACK: Bem, quando alguém toma outras pessoas como reféns, não costuma exigir fogos de artifício antes de libertá-las. É mais normal exigir dinheiro.

LENNART: Com todo respeito, o mais *normal* é não fazer ninguém de refém para começo de conversa.

JACK: Pode ser, mas você não acha fogos de artifício uma exigência estranha? Foi a última coisa que o perpetrador fez antes de vocês serem libertados.

LENNART: Não sei. É Ano-Novo. E todo mundo gosta de fogos de artifício, não é?

JACK: Donos de cachorros, não.

LENNART: Ah.

JACK: O que quer dizer com isso?

LENNART: Só fiquei surpreso. Achei que todos os policiais gostassem de cachorros.

JACK: Eu não disse que não gostava de cachorros!

LENNART: A maioria das pessoas diria que cachorros não gostam de fogos de artifício. Mas você disse *donos de cachorros*.

JACK: Não gosto muito de animais.

LENNART: Desculpe. Um risco da profissão. No meu trabalho a gente aprende a decifrar o outro.

JACK: Como um ator?

LENNART: Não, o outro. E por falar nisso, os outros ainda estão aqui na delegacia?

JACK: Quem?

LENNART: Os outros que estavam no apartamento.

JACK: Refere-se a alguém em particular?

LENNART: Zara. Por exemplo.

JACK: Por exemplo?

LENNART: Não há necessidade de parecer que perguntei algo impróprio. Quer dizer, só estou perguntando.

JACK: Sim. Zara ainda está aqui. Por que pergunta?

LENNART: Ah, só queria saber. Às vezes, temos curiosidade em relação às pessoas, isso é tudo, e ela é a primeira pessoa em muito tempo que eu não consegui decifrar.

	Eu tentei, mas não consegui de jeito nenhum. Por que está rindo?
JACK:	Eu não estou rindo.
LENNART:	Está, sim!
JACK:	Desculpe, eu não queria. Algo que meu pai diz, só isso.
LENNART:	O quê?
JACK:	Ele diz que a gente acaba se casando com quem não entende. Depois passamos o resto da vida tentando.

56

"Morte, morte, morte", Estelle pensou no closet. Muitos anos atrás ela havia lido que sua escritora sueca favorita costumava iniciar conversas telefônicas com suas irmãs dizendo: "Morte, morte, morte." Depois, com essa palavra terrível fora do caminho, elas poderiam conversar sobre outros assuntos. Por outro lado, depois de uma certa idade, nenhum telefonema parecia mais ser sobre a vida. Agora Estelle conseguia entender esse ponto de vista. A mesma autora certa vez escreveu que "precisamos aprender a viver cultivando uma amizade pela morte", mas Estelle achou isso mais complicado. Ela se lembrou de quando costumava ler histórias de ninar para as crianças e do personagem Peter Pan dizendo: "Morrer será uma grande aventura." Talvez para a pessoa que vai, pensou Estelle, mas não para a que ficou para trás. Tudo o que a esperava eram mil alvoreceres onde a vida é um deslumbrante cárcere. Suas faces tremeram, lembrando-a de que havia envelhecido, sua pele estava tão fina que balançava o tempo todo em uma brisa que ninguém mais era capaz de sentir. Ela não tinha nada contra a velhice, apenas contra a solidão. Quando conheceu Knut, não foi uma história de amor, não da maneira como ela havia lido nos livros, a deles sempre foi mais como a história de uma criança encontrando o companheiro de brincadeiras perfeito. Até o fim, quando Knut a tocava, Estelle tinha vontade de subir em árvores e pular na água. Acima de tudo, ela sentia falta de fazê-lo rir tanto até acabar cuspindo o café da manhã. Esse tipo de coisa só ficou mais divertido com a idade, principalmente depois que ele passou a usar a dentadura.

— Knut morreu — ela disse pela primeira vez, e engoliu em seco.

Julia ficou olhando para o chão em um silêncio indeciso. Anna-Lena sentou-se e por um tempo tentou pensar em algo para dizer, mas em vez disso inclinou-se na direção de Estelle e bateu levemente no ombro dela com a garrafa de vinho. Estelle pegou a garrafa e bebeu dois pequenos goles, antes de devolvê-la e continuar, meio para si mesma:

— Mas Knut sabia estacionar muito bem. Fazia uma baliza perfeita em espaços minúsculos. Então, às vezes, quando a saudade é de doer, ou quando vejo algo realmente engraçado e penso "Ele teria rido tanto que seu café teria se espalhado por todo o papel de parede", eu fantasio que ele está lá fora, estacionando o carro. Ele não era perfeito, nenhum homem é, Deus sabe, mas sempre que íamos a algum lugar e estava chovendo, ele sempre me deixava bem na frente da porta. Assim eu podia esperar aquecida enquanto ele... estacionava o carro.

Um silêncio abriu caminho entre as três mulheres e gradualmente esvaziou seus vocabulários até nenhuma delas saber o que dizer.

Morte, morte, morte, Estelle pensou.

Quando Knut estava deitado em seu leito nas últimas noites, ela perguntou a ele: "Você está com medo?" Ele respondeu: "Sim." Em seguida, seus dedos percorreram o cabelo dela e ele acrescentou: "Mas será muito bom ter um pouco de paz e sossego. Você pode colocar isso na lápide." Estelle riu muito disso. Quando ele a deixou, ela chorou tanto que não conseguia respirar. Seu corpo nunca mais foi o mesmo depois disso, ela se encolheu e nunca mais se abriu.

— Ele era meu eco. Tudo o que faço agora é mais silencioso — ela disse às outras mulheres ali no closet.

Anna-Lena permaneceu sentada por um tempo antes de abrir a boca, porque, embora estivesse começando a ficar bêbada, ela entendeu que, naquelas circunstâncias, não seria educado parecer gananciosa. Foram segundos perdidos, é claro, porque, quando ela falou o pensamento em voz alta, nem a melhor das intenções nem cavalos selvagens conseguiram ocultar a esperança em sua voz.

— Então... se seu marido não está estacionando o carro, posso perguntar se é verdade que você está vendo este apartamento para sua filha, ou isso foi...

— Não, não, minha filha mora em uma bela casa geminada com o marido e os filhos — Estelle respondeu timidamente.

Bem perto de Estocolmo, na verdade, mas Estelle não disse isso, porque ela não achava que aquela conversa precisava ficar mais complicada.

— Então você está apenas aqui... olhando? — Anna-Lena perguntou.

— Fala sério, Anna-Lena, ela não está aqui competindo com você e Roger para comprar o apartamento! Pare de ser tão insensível! — Julia retrucou.

Anna-Lena olhou para a garrafa e murmurou:

— Eu só estava perguntando.

Estelle deu um tapinha de gratidão no braço de cada uma e sussurrou:

— Não briguem por minha causa, queridas. Estou velha demais para merecer isso.

Julia balançou a cabeça com expressão carrancuda e colocou a mão na barriga. Anna-Lena fez o mesmo com a garrafa de vinho.

— Quantos anos têm seus netos? — ela perguntou.

— Eles são adolescentes agora — Estelle respondeu.

— Ah, lamento ouvir isso — Anna-Lena disse, compadecida.

Estelle sorriu debilmente. Se você já morou com adolescentes, sabe que eles existem apenas para si mesmos, e os pais deles estão ocupados lidando com os vários horrores da vida. Tanto dos adolescentes quanto deles mesmos. Não havia lugar para Estelle lá, ela era um estorvo. Ficaram satisfeitos por ela ter atendido o telefone quando ligaram no seu aniversário, mas nos outros dias achavam que o tempo tinha parado para ela. Estelle era um belo enfeite que só tiravam no Natal e no solstício de verão.

— Não... não estou aqui para comprar o apartamento. Eu simplesmente não tenho nada para fazer. Às vezes visito os apartamentos à venda só por curiosidade, para ouvir as pessoas conversando, ouvir o que estão sonhando. Os sonhos das pessoas estão sempre no auge quando elas procuram um lugar para morar. Knut morreu aos poucos, sabe. Ele ficou em um lar de idosos por anos, eu não poderia começar a viver como se ele estivesse morto, mas ele... ele não estava vivo. Não de verdade. Então minha vida estava em suspenso, de alguma forma. Eu pegava o ônibus para o lar de idosos todos os dias e ficava lá sentada com ele. Lia livros. Em voz alta no início, depois para mim mesma no final. É assim que é. Mas eu tinha algo para fazer. E uma pessoa precisa disso.

Anna-Lena achava que sim, as pessoas precisavam ter um projeto.

— A vida passa tão rápido. A vida profissional pelo menos — ela pensou em voz alta, e pareceu muito surpresa quando percebeu que Julia a tinha ouvido.

— O que você fazia? — a jovem perguntou.

Anna-Lena encheu seus pulmões, ao mesmo tempo hesitante e orgulhosa.

— Eu era analista de uma empresa industrial. Bem, suponho que era analista sênior, na verdade, mas fiz o possível para não ser.

— Analista sênior? — Julia repetiu, envergonhada de como isso soava.

Anna-Lena viu a surpresa nos olhos da jovem, mas ela estava acostumada e não se ofendeu. Normalmente ela mudaria de assunto, mas talvez o vinho tenha levado vantagem nesta ocasião, porque em vez de tergiversar ela pensou em voz alta, sem qualquer hesitação:

— Sim, isso mesmo. Não que eu quisesse. Ser chefe, quero dizer. O presidente da empresa disse que era exatamente isso que queria que eu fizesse. Ele disse que não se precisa liderar dizendo a outras pessoas o que devem fazer, podemos liderar apenas deixando que elas façam o que são capazes. Então, tentei ser professora mais do que chefe. Sei que as pessoas acham difícil acreditar em mim, mas não sou uma professora ruim. Quando me aposentei, dois membros da minha equipe disseram que não perceberam que eu era realmente a chefe deles até ouvirem o discurso de agradecimento pelo meu trabalho. Muitas pessoas talvez considerassem isso um insulto, mas eu achava que era... bom. Se você pode fazer algo pelas pessoas de forma que elas pensem que administraram tudo por conta própria, então você fez um bom trabalho.

Julia sorriu.

— Você é uma caixinha de surpresas, Anna-Lena.

Por um momento, Anna-Lena parecia ter recebido o melhor elogio que alguém já havia feito a ela. Mas depois a tristeza e a melancolia invadiram seus olhos novamente, ela os fechou rapidamente e os abriu devagar.

— Todo mundo pensa que eu... Bem, quando nos conhecem, as pessoas talvez achem que sempre estive na sombra de Roger. Na verdade, não é o caso. Roger deveria ter tido a chance de realizar seu potencial. Ele tinha muito potencial. Mas no meu trabalho... tudo estava indo muito bem para mim, cada vez melhor, então ele recusava promoções para poder cuidar das crianças pequenas. Pude viajar e desenvolver minha carreira, sempre achando que seria a vez dele no ano seguinte. Mas isso nunca aconteceu.

Ela ficou em silêncio. Pela primeira vez, Julia não sabia o que dizer. Estelle parecia não saber o que fazer com as mãos, então ela abriu o baú e enfiou-as lá novamente. As mãos voltaram com uma caixa de fósforos e um maço de cigarros.

— Meu Deus — ela exclamou com um brilho no olhar.

— Que tipo de pessoa *mora* aqui, afinal? — Julia quis saber.

— Alguém gostaria de um? — Estelle ofereceu.

— Eu não fumo! — Anna-Lena declarou no mesmo instante.

— Nem eu. Ou melhor, parei com isso. A maior parte do tempo. Você fuma? — Estelle perguntou, virando-se para Julia, e acrescentou rapidamente: — Bem, não acho que hoje em dia grávidas fumem. No meu tempo, elas fumavam. Reduziam um pouco, é claro. Mas estou supondo que você não fuma...

— Não, de jeito nenhum — Julia disse pacientemente.

— Os jovens de hoje. Vocês têm tanta consciência do que afeta os filhos. Ouvi um pediatra dizer na televisão que, uma geração atrás, os pais costumavam procurá-lo e dizer: "Nosso filho faz xixi na cama, o que há de errado com ele?" Agora, uma geração depois, eles vão até ele e dizem: "Nosso filho faz xixi na cama, o que há de errado *conosco*?" Vocês assumem a culpa por tudo.

Julia se encostou na parede.

— Provavelmente cometemos os mesmos erros da sua geração. Apenas versões diferentes deles.

Estelle rolou o maço entre as mãos.

— Eu costumava fumar na nossa varanda, porque Knut não gostava do cheiro quando eu fumava dentro de casa, e eu gostava da vista. Podíamos ver todo o caminho até a ponte. Como aqui neste apartamento, na verdade. Eu gostava muito disso. Mas um dia... Bem... Vocês devem se lembrar que um homem pulou daquela ponte há dez anos, não é? Saiu em todos os jornais. E eu... bem, eu verifiquei a que hora do dia ele pulou e percebi que foi logo depois que eu estava fumando na varanda. Knut havia ligado para dizer que algo estava acontecendo na televisão e eu corri de volta para dentro, deixando o cigarro queimar sozinho no cinzeiro, e nesse meio-tempo o homem subiu no corrimão e pulou. Parei de fumar na varanda depois disso.

— Ah, Estelle, não foi culpa sua se alguém pulou de uma ponte — Julia disse, tentando consolá-la.

— Também não foi culpa da ponte — Anna-Lena acrescentou.

— O quê?

— Não é culpa da ponte se alguém pula dela. Lembro-me bem, sabe, porque Roger achou o acontecimento muito perturbador.

— Ele conhecia o homem que pulou? — Estelle perguntou.

— Ah, não. Mas ele entendia muito de pontes. Roger era engenheiro, ele construiu pontes. Não aquela ponte específica, mas se alguém se interessa tanto por pontes quanto Roger então vai acabar se interessando por todas as pontes. Na televisão, eles falaram daquele homem que pulou como se a culpa fosse da ponte. Roger ficou muito chateado com isso. As pontes existem para aproximar as pessoas, disse ele.

Julia não pôde deixar de pensar que aquilo foi algo extraordinariamente estranho e ao mesmo tempo bastante romântico de dizer. Talvez tenha sido por isso — ou quem sabe pelo fato de ela estar com fome e exausta — que ela disse de repente:

Gente ansiosa

— Minha noiva e eu estivemos na Austrália alguns anos atrás. Ela queria saltar de bungee jump de uma ponte.

— Sua noiva? Você quer dizer a Ro? — Estelle perguntou.

— Não, minha noiva anterior.

———

Foi uma longa história. Todas as histórias no fundo são longas, se você contá-las desde o início. Esta história, por exemplo, teria sido consideravelmente mais curta se tivesse sido apenas sobre três mulheres dentro de um closet. Mas é claro que ela também fala de dois policiais, e um deles estava subindo as escadas.

57

O que acontecera na rua foi que Jack, antes de entrar no prédio em frente, tinha dito ao pai para esperar ali. E não ir a lugar nenhum. Mais especificamente, não entrar no prédio onde o drama dos reféns estava acontecendo. Espere aqui, disse o filho.

―

Mas é claro que o pai não fez isso.

―

Ele pegou as pizzas e subiu até o apartamento, e quando desceu havia falado com o assaltante de banco.

58

Dentro do closet, Julia se arrependeu na mesma hora de mencionar sua ex-noiva, então acrescentou:

— Eu estava noiva quando conheci Ro. Mas essa é uma longa história. Esqueçam que mencionei isso.

— Temos muito tempo para longas histórias — Estelle garantiu, porque ela encontrou outra garrafa de vinho no baú.

— Sua noiva queria pular de uma ponte? — Anna-Lena repetiu alarmada.

— Sim. Saltar de bungee jump. Com uma corda elástica amarrada nos pés.

— Isso parece loucura.

As pontas dos dedos de Julia massagearam as têmporas.

— Eu também não gostei da ideia. Mas ela estava sempre querendo fazer coisas. *Experimentar* tudo. Foi nessa viagem que percebi que não poderia viver com ela, porque não tenho energia para ficar experimentando coisas o tempo todo. Comecei a ter saudades da vida rotineira, de todas as coisas monótonas, mas ela odiava ficar entediada. Então, voltei da Austrália uma semana antes dela, com a justificativa de que eu tinha que trabalhar. E foi quando beijei Ro pela primeira vez.

Julia começou a rir quando disse isso. Em parte por vergonha, mas possivelmente também porque foi a primeira vez em anos que ela pensou em como as duas se apaixonaram. Costumamos esquecer disso quando estamos em meio à vida que segue, quando vamos ter um filho com alguém, e, de repente, parece impossível lembrar que alguma vez amou outra pessoa.

— Como vocês se conheceram? Você e Ro? — Estelle perguntou, o vinho manchando os cantos de sua boca.

— A primeira vez que nos vimos? Ela entrou na minha loja. Sou florista e ela queria algumas tulipas. Isso foi vários meses antes de eu ir para a Austrália. Eu não pensei muito no assunto, ela era… atraente, é claro, qualquer um pode ver isso…

Estelle assentiu com entusiasmo:

— Sim, foi a primeira coisa que pensei! Ela é extremamente bonita! E tão exótica!

Julia suspirou.

— Exótica? Porque o cabelo dela é de uma cor diferente do seu e do meu?

Estelle fez uma expressão triste.

— Não podemos mais dizer isso hoje em dia, é incorreto?

Julia não sabia como começar a explicar que sua esposa não era uma fruta, então, em vez disso, respirou fundo e continuou:

— Enfim, ela era atraente. Muito atraente. Ainda mais atraente do que é agora. Não que… Não digam isso a ela… Ela ainda é atraente! Mas eu, bem, certamente teria gostado de… sabe como é… com ela. Mas eu era comprometida. E ela continuava voltando para comprar tulipas. Várias vezes por semana, às vezes. E ela me fazia rir, altas gargalhadas do nada, e a gente não encontra muitas pessoas assim. Por acaso, mencionei isso para minha mãe, e ela disse: "Não dá para viver por muito tempo com pessoas que são apenas bonitas, Jules. Mas as engraçadas, ah, estas duram uma vida inteira!"

— Sua mãe é uma mulher sábia — Estelle disse.

— Sim.

— Ela é aposentada?

— Sim.

— O que ela costumava fazer?

— Ela limpava escritórios.

— O que seu pai fazia?

— Ele batia em mulheres.

Estelle ficou paralisada, Anna-Lena, horrorizada. Julia olhou para as duas e pensou em sua mãe, em como sua qualidade mais linda era o fato de que ela sempre encarava a vida de frente, e não importava o quanto ela a machucasse, sua mãe se recusava a deixar de ser romântica. Isso exige o tipo de coração que quase ninguém possui.

— Pobrezinha — Estelle sussurrou.

— Que filho da mãe — Anna-Lena murmurou.

Julia deu de ombros, como fazem as crianças que amadurecem cedo demais, afastando os sentimentos.

— Nós o abandonamos. Ele não veio nos procurar. Eu nem mesmo o odiava, porque mamãe não me deixou. Depois de tudo o que ele fez a ela, ela nem me permitiu odiá-lo. Eu sempre quis que ela conhecesse outra pessoa, alguém que fosse gentil e a fizesse rir, mas ela sempre disse que eu bastava. Mas então... Quando contei a ela sobre Ro, mamãe viu algo em mim que me fez ver algo nela. Algo que talvez pareça... Eu não sei explicar. Algo que ela experimentou uma vez e depois perdeu todas as esperanças, dá para entender? E eu pensei... é assim que é? Isso de que todo mundo fala? A coisa pra valer?

Anna-Lena enxugou um pouco de vinho do queixo.

— Então o que aconteceu?

Julia piscou, primeiro rapidamente, depois devagar.

— Minha noiva ainda estava na Austrália. E Ro entrou na loja. Falei com mamãe ao telefone naquela manhã e ela apenas riu quando eu disse que não sabia dos sentimentos de Ro, nem mesmo se ela chegava a sentir alguma coisa. Mamãe apenas disse: "Escute, *ninguém* gosta tanto de tulipas assim, Jules!" Acho que tentei negar, mas mamãe disse que eu já estava praticamente sendo infiel porque passava muito tempo pensando nela. Ela disse que Ro era a minha "floricultura". E eu chorei. Então, eu estava lá na loja e Ro entrou, e eu... Bem, eu ri tanto de algo que ela disse que sem querer cuspi em seu rosto. Ela estava rindo também. Então, acho que ela criou coragem, porque eu não conseguia, e perguntou se eu gostaria de sair com ela para bebermos alguma coisa. Eu disse que sim, mas estava tão nervosa quando chegamos que fiquei muito bêbada. Saí para fumar, arrumei uma briga com um segurança e não me permitiram entrar. Então, apontei pela janela para Ro, que estava parada no bar, e disse que ela era minha namorada. O segurança entrou e disse isso a ela, e aí ela saiu e pronto, era minha namorada. Liguei para minha noiva e rompi o noivado. Ela deve estar se divertindo aos montes desde então. E eu... caramba, adoro o tédio com Ro. Parece maluquice? Adoro discutir com ela sobre sofás e bichinhos de estimação. Ela é meu dia a dia. Meu mundo... inteiro.

— Eu gosto do dia a dia — Anna-Lena admitiu.

— Sua mãe estava certa, as pessoas que nos fazem rir duram a vida inteira — Estelle repetiu, pensando em um romancista inglês que escreveu que "nada no mundo é tão irresistivelmente contagiante quanto o riso e o bom humor". Depois pensou em uma autora norte-americana que escreveu que "a solidão é como a fome, não percebemos quão famintos estamos até começarmos a comer".

Julia estava pensando em como sua mãe, quando soube que ela estava grávida, olhou primeiro para a barriga de Julia, depois para a de Ro e perguntou: "Como vocês decidiram qual das duas iria... engravidar?" Julia ficou irritada, é claro, e respondeu sarcasticamente: "Jogamos pedra, papel e tesoura, mãe!" Sua mãe olhou para as duas novamente com seriedade mortal e perguntou: "E aí, quem ganhou?"

Isso ainda fazia Julia rir. Ela disse para as mulheres no closet:

— Ro vai ser uma mãe maravilhosa. Ela consegue fazer qualquer criança rir, assim como minha mãe, porque o senso de humor delas não mudou nada desde que tinham nove anos.

— Você também vai ser uma mãe maravilhosa — Estelle garantiu.

As bolsas sob os olhos de Julia moveram-se ligeiramente quando ela piscou.

— Eu não sei. Tudo parece tão importante, e outros pais parecem... *engraçados* o tempo todo. Eles riem e brincam, e todo mundo diz que se deve brincar com as crianças, e eu não gosto de brincar, eu não gostava nem quando era criança. Então, estou preocupada que meu filho acabe se frustrando. Todo mundo disse que seria diferente quando eu engravidasse, mas, na verdade, eu não gosto de todas as crianças. Achei que isso mudaria, mas encontro os filhos dos meus amigos agora e ainda acho que eles são irritantes e têm um senso de humor horrível.

Anna-Lena foi curta e direta:

— Você não precisa gostar de todas as crianças. Apenas de uma. E as crianças não precisam dos melhores pais do mundo, apenas de seus próprios pais. Para ser totalmente franca com você, o que elas precisam na maioria das vezes é de um motorista.

— Obrigada por dizer isso — Julia respondeu com sinceridade. — Só me preocupo que meu filho não seja feliz. Que ele herde toda a minha ansiedade e incerteza.

Estelle afagou o cabelo de Julia.

— Seu filho vai ficar absolutamente bem, você vai ver. E absolutamente bem pode abranger inúmeras peculiaridades.

— Isso é encorajador — Julia disse com um sorriso.

Estelle continuou afagando o cabelo de Julia gentilmente.

— Você vai fazer tudo o que estiver ao seu alcance, Julia? Você vai proteger essa criança com sua própria vida? Vai cantar e ler histórias para ela e prometer que tudo ficará melhor amanhã?

— Vou.

— Você vai educá-la para que não cresça como uma dessas crianças idiotas que não tiram a mochila quando estão no transporte público?

— Eu farei o que puder — Julia prometeu.

Estelle estava pensando em outro escritor agora, um que há quase cem anos escreveu: "Vossos filhos não são vossos filhos. São os filhos e as filhas do anseio da vida por si mesma."

— Você vai ficar bem. Você não tem que adorar ser mãe, não o tempo todo.

Anna-Lena interrompeu:

— Eu não gostava da parte do cocô, não gostava mesmo. No começo tudo bem, mas quando as crianças têm cerca de um ano elas parecem Labradores. Cachorros adultos, quero dizer, não filhotinhos, mas...

— Já entendi — Julia assentiu, para fazê-la parar.

— E em uma certa idade, tem alguma coisa na consistência, fica como cola, gruda debaixo das nossas unhas, e se você esfrega o rosto no caminho para o trabalho...

— Obrigada! Já chega! — Julia insistiu, mas Anna-Lena não conseguia se conter.

— A pior coisa é quando elas trazem os amiguinhos para casa e, de repente, tem um estranho de cinco anos sentado na sua privada e exigindo ser limpo. Quer dizer, dá para tolerar o cocô dos seus próprios filhos, mas o dos filhos dos outros...

— *Obrigada!* — Julia disse enfaticamente.

Anna-Lena franziu os lábios. Estelle deu uma risadinha.

— Você vai ser uma boa mãe. E você é uma boa esposa — Estelle acrescentou, embora Julia nem tivesse mencionado esta última ansiedade. Julia segurava a barriga com as palmas das mãos e olhava para as unhas.

— Você acha? Às vezes parece que tudo o que faço é importunar Ro. Mesmo que eu a ame.

Estelle sorriu.

— Ela sabe. Acredite em mim. Ela ainda te faz rir?

— Faz. Meu Deus, faz.

— Então ela sabe.

— Você não tem ideia, quer dizer, nossa, ela me faz rir o tempo todo. A primeira vez que Ro e eu estávamos prestes a fazer... aquilo, sabe... — Julia sorriu, mas parou quando não conseguiu pensar em uma palavra para definir o que tinha certeza de que nenhuma das duas mulheres mais velhas ficaria horrorizada em ouvir.

— Aquilo o quê? — Anna-Lena perguntou, sem compreender.

Estelle a cutucou de lado e piscou.

— Aquilo, sabe? A primeira vez que elas "iriam para Estocolmo".

Gente ansiosa

— *Ah!* — Anna-Lena exclamou, e corou da cabeça aos pés.

Mas Julia parecia não estar ouvindo. Seus olhos perderam o foco. Havia uma piada em algum lugar de sua memória, uma que Ro fizera no táxi naquela primeira vez, o que Julia agora pretendia contar. Mas, em vez disso, ela tropeçou nas palavras.

— Eu... É tão bobo, eu tinha me esquecido disso. Eu tinha lavado umas roupas e havia uns lençóis brancos pendurados na porta do quarto para secar. E quando Ro abriu a porta e eles bateram no seu rosto, ela se assustou. Ela tentou não deixar transparecer, mas percebi que ela estremeceu, então perguntei qual era o problema, e a princípio ela não quis dizer. Porque ela não queria me sobrecarregar com nada, não tão cedo, ela temia que eu terminasse com ela antes mesmo de ficarmos juntas. Mas continuei importunando, é claro, porque sou boa nisso, e no final ficamos acordadas a noite toda e Ro me contou como sua família chegou à Suécia. Eles fugiram pelas montanhas, no meio do inverno, e as crianças tinham que carregar um lençol cada uma, e se ouvissem o som de helicópteros, deveriam deitar-se na neve e cobrir-se com o lençol, para que não pudessem ser avistadas. E seus pais corriam em direções diferentes, de modo que, se os homens no helicóptero começassem a atirar, eles atirariam nos alvos móveis. E não em... E eu não sabia o que fazer...

Ela rachou, como gelo fino em uma poça d'água, primeiro apenas algumas rugas ao redor dos olhos, depois o resto, tudo de uma vez. A gola de sua blusa ficou mais escura. Ela estava pensando em tudo o que Ro dissera a ela naquela noite, as crueldades incompreensíveis que pessoas terríveis são capazes de infligir umas às outras e a completa insanidade da guerra. Então ela pensou em como Ro, depois de tudo isso, de alguma forma conseguiu crescer e ser o tipo de pessoa que fazia os outros rirem. Porque seus pais a haviam ensinado durante a fuga pelas montanhas que o humor é a última linha de defesa da alma, e enquanto estamos rindo, estamos vivos, então trocadilhos ruins e piadas de peido eram sua maneira de expressar sua resistência contra o desespero. Ro disse tudo isso a Julia naquela primeira noite e, depois disso, Julia começou a passar todos os dias do mundo com ela.

Coisas assim fazem você suportar morar com pássaros.

———

— Um caso de amor que começou numa floricultura — Estelle assentiu lentamente. — Eu gosto disso. — Ela ficou em silêncio por vários minutos. Depois prorrompeu: — Eu tive um caso uma vez! Knut nunca soube.

— Deus amado! — Anna-Lena exclamou, agora sentindo que aquilo estava começando a ficar fora de controle, afinal.

— Sim, não foi há muito tempo, sabe. — Estelle sorriu.

— Quem era? — Julia perguntou.

— Um vizinho no nosso prédio. Ele lia muito, como eu. Knut nunca lia. Ele costumava dizer que os escritores são como músicos que nunca vão direto ao que interessa. Mas esse outro homem, o vizinho, sempre estava com um livro debaixo do braço quando nos encontrávamos no elevador. Eu também. Um dia ele me ofereceu seu livro, dizendo: "Eu terminei este, acho que você deveria ler." E então começamos a trocar livros. Ele lia coisas maravilhosas. Não tenho palavras para descrever, mas era como embarcar numa viagem com alguém. O destino não importava. Para o espaço sideral. Isso durou muito tempo. Comecei a dobrar os cantos das páginas quando tinha alguma coisa de que gostava muito, e ele começou a escrever pequenos comentários nas margens. Apenas palavras soltas. "Lindo." "Verdade." Esse é o poder da literatura, sabe, ela pode funcionar como pequenas cartas de amor entre pessoas que só podem explicar seus sentimentos apontando para os de outras pessoas. Certo verão, abri um livro e areia escorreu dele, e entendi que ele havia gostado tanto que não conseguiu largá-lo. De vez em quando, eu pegava um livro com algumas páginas amassadas e sabia que ele havia chorado. Um dia eu disse isso a ele, no elevador, e ele respondeu que eu era a única pessoa que sabia essas coisas sobre ele.

— E foi quando vocês... — Julia balançou a cabeça com um sorriso safado.

Gente ansiosa

— Ah, não, não, não... — Estelle protestou, e por um momento pareceu que gostaria de concluir a frase dizendo que ela talvez tivesse *desejado* que acontecesse, mas é claro que isso não mudaria nada. — Nós nunca... Nunca aconteceu, eu jamais poderia...

— Por que não? — Julia perguntou.

Estelle sorriu, orgulhosa e nostálgica ao mesmo tempo. É preciso ter uma certa idade para isso, uma certa vivência.

— Porque a gente dança com a pessoa com quem foi à festa. E eu fui com Knut.

— E depois... o que aconteceu? — Anna-Lena perguntou.

A respiração de Estelle não deu sinais de acelerar, ela não tinha tantos grandes segredos sobrando. Depois desse, talvez mais nenhum.

— Um dia, no elevador, ele me deu um livro e dentro dele havia uma chave de seu apartamento. Ele disse que não tinha família morando nas proximidades e que queria que alguém do prédio tivesse uma chave reserva "caso algo acontecesse". Eu não disse nada e não fiz nada, mas tive a sensação de que talvez... talvez ele tivesse gostado. Se algo tivesse acontecido.

Ela sorriu. Julia também.

— Então, durante todo esse tempo, vocês nunca...?

— Não, não, não. Trocávamos livros. Até que alguns anos depois ele morreu. Algum problema no coração. Seus irmãos colocaram o apartamento à venda, mas seus móveis ainda estavam lá. Então eu fui visitá-lo, fingindo estar interessada em comprar o imóvel. Fiquei andando pelo apartamento dele, corri as mãos pela bancada da cozinha, pelos cabides em seu closet. Por último, eu me vi em frente à estante dele. É tão estranho como podemos conhecer perfeitamente uma pessoa pelo que ela lê. Gostávamos das mesmas vozes, da mesma forma. Então, me permiti alguns minutos para pensar no que poderíamos ter sido um para o outro, se tudo tivesse sido diferente, em algum outro lugar de nossas vidas.

— E depois? — Julia sussurrou.

Estelle sorriu. Desafiadoramente. Feliz.

— Depois fui para casa. Mas guardei a chave do apartamento dele. Eu nunca contei a Knut. Era uma história exclusivamente minha.

O silêncio se instalou no closet por um tempo. No final, Anna-Lena criou coragem para dizer:

— Eu nunca tive um caso. Mas quando uma vez troquei de cabeleireiro não ousei passar na frente do antigo por vários anos.

A piada era ruim, mas ela queria sentir que estava participando. Nunca houve tempo para ter um caso com alguém, como é que as pessoas encontram tempo? Todo aquele estresse, Anna-Lena pensou, e um homem totalmente novo para encarar. Ela passara a vida trabalhando e voltando correndo para casa, trabalhando e voltando correndo para casa, e sempre se sentia culpada por não ser boa o suficiente nem no trabalho nem em casa. Nessas circunstâncias, é fácil ser solidária com outras pessoas que não se acham boas o suficiente. Talvez por conta disso que, de todas as pessoas naquele apartamento que já haviam pensado no assunto, foi Anna-Lena a primeira a verbalizá-lo:

— Acho que devemos tentar ajudar a assaltante de banco.

Julia ergueu os olhos e os olhos delas se encontraram com um novo sentido de respeito.

— Sim, também acho! Eu estava pensando justamente nisso. Eu acho que nada do que aconteceu foi intencional — Julia assentiu.

— Só não sei como poderíamos ajudá-la — Anna-Lena admitiu.

— Pois é, a polícia deve ter cercado o prédio, então não acho que tenha como ela escapar, infelizmente — Julia suspirou.

Estelle bebeu mais vinho. Ela virou o maço de cigarros na mão, porque é claro que não se pode fumar na frente de grávidas, não podemos mesmo, a não ser que estejamos tão bêbados a ponto de alegar com a consciência limpa que estávamos bêbados demais para notar que havia uma grávida por perto.

— Talvez ela pudesse apenas usar um disfarce? — ela disse de repente, com apenas um ligeiro sinal de insinuação no *s* de "disfarce".

Julia balançou a cabeça sem compreender.

— O quê? Quem poderia usar um disfarce?

— A assaltante de banco — Estelle disse, tomando outro gole.

— Que tipo de disfarce?

Estelle deu de ombros.

— De corretora de imóveis.

— De corretora de imóveis?

Estelle concordou.

— Você viu algum sinal da corretora de imóveis neste apartamento desde que a assaltante chegou?

— Não... não, agora que você mencionou isso...

Estelle bebeu mais vinho e acenou com a cabeça novamente.

— Tenho quase certeza de que toda a polícia lá fora presumirá que existe uma corretora de imóveis presente numa visita a um imóvel. Então se...

Julia olhou para ela. Então começou a rir.

— Então, se a assaltante de banco fingir que está se entregando e deixando todos os reféns irem, ela pode fingir ser a corretora de imóveis e ir embora com todos nós! Estelle, você é um gênio!

— Obrigada — Estelle disse, e olhou para a garrafa com um olho fechado para ver quanto restava antes que ela pudesse começar a fumar.

Julia se esforçou para ficar de pé o mais rápido que pôde e correu até a porta para chamar Ro e explicar o novo plano, mas quando ela estava prestes a abrir a porta alguém bateu. Não forte, mas forte o suficiente para fazer as três mulheres pularem como se um monte de cachorrinhos e fogos de artifício tivessem sido jogados no closet. Julia abriu uma fresta da porta. O coelho estava parado do lado de fora com uma aparência estranha, tanto quanto era possível dizer.

— Desculpe, não quero incomodar. Mas me disseram para vestir uma calça.

— Sua calça está aqui? — Julia se perguntou.

O coelho coçou o pescoço.

— Não, a minha estava no banheiro, antes de começar a visita dos interessados na compra. Mas lavei minhas mãos e acabei molhando a calça, então vi as velas perfumadas na pia e pensei que poderia secar a calça aquecendo-a. E depois... bem... consegui colocar fogo na minha calça. Então tive que derramar ainda *mais* água nela para apagar as chamas. Daí a calça ficou encharcada. E então a visita começou e ouvi todos vocês no apartamento, e aí a assaltante de banco começou a gritar, e realmente não havia tempo... Bem, para encurtar a história, minha calça ainda está molhada. Então eu estava pensando...

A cabeça de coelho balançou na direção dos ternos pendurados no closet, que ele esperava poder pegar emprestado. Suas orelhas acidentalmente atingiram a testa de Julia e ela recuou, mas o coelho evidentemente interpretou isso como um convite para entrar.

— Sim, bem, entre, por que você não... — Julia grunhiu.

O coelho olhou em volta com interesse.

— Não é adorável? — ele disse.

Anna-Lena desapareceu sob os ternos e enxugou os olhos. Estelle acendeu um cigarro, porque ela achava que não importava mais, e quando Anna-Lena lançou um olhar de desaprovação em sua direção, Estelle disse defensivamente:

— Ah, vai sair tudo pela ventilação!

O coelho inclinou levemente a cabeça e perguntou:

— Que ventilação?

Estelle tossiu, não ficou claro se foi por causa do cigarro ou da pergunta:

— Quer dizer... Parece haver algum tipo de duto de ventilação aqui, mas foi apenas um palpite. Só que tem uma brisa vinda do teto!

— Do que você está falando? — Julia perguntou.

Estelle tossiu novamente. De repente, ela parou de tossir. Mas ainda havia alguém tossindo no teto.

Eles se encararam, o coelho e as três mulheres, um grupo diversificado de indivíduos, para dizer o mínimo, amontoados dentro de um closet em um apartamento cuja visita de potenciais compradores foi interrompida pela chegada de um assaltante de banco. Coisas estranhas provavelmente já aconteceram às pessoas naquela cidade, mas não muito mais estranhas. Estelle teve tempo para pensar que, se Knut abrisse a porta do closet naquele momento, ele teria rido alto, haveria café cuspido em todos os lugares e ela teria adorado isso. A tosse no teto continuou, como quando se tenta sufocá-la e só piora. Uma tosse de cinema.

Julia arrastou a escada até o fundo do closet, Estelle desceu do baú, Anna-Lena ajudou o coelho a subir. Ele pressionou as mãos contra o teto até que este cedeu. Havia uma abertura e, acima dela, um pequeno espaço muito apertado.

———

E lá estava a corretora de imóveis.

59

Na delegacia, Jack quase perdeu a voz de tanta raiva.

— Diga a verdade! Por que você pediu fogos de artifício? Onde está a *verdadeira* corretora de imóveis? Existe mesmo uma corretora de imóveis *real*?

A corretora de imóveis, cujo casaco ainda está amarrotado como o nariz de um buldogue depois das horas que passou no espaço apertado acima do closet, tenta e tenta de novo explicar tudo. Mas se há uma coisa que a vida moderna e a internet nos ensinaram é que você nunca deve esperar ganhar uma discussão simplesmente porque tem razão. A corretora de imóveis não pode provar que ela não é a assaltante de banco, porque a única maneira de fazer isso é dizer onde a assaltante de banco está agora, e a corretora, na verdade, não tem a menor ideia do paradeiro da outra. Jack, por sua vez, se recusa a acreditar que a corretora de imóveis seja uma corretora de imóveis, porque, se ela fosse, isso significaria que ele deixou escapar algo muito evidente, o que por sua vez significaria que ele não é particularmente inteligente afinal, e ele simplesmente não está pronto para encarar isso.

———

Jim, que ficou sentado em silêncio durante a maior parte da entrevista, se é que se pode realmente chamar aquilo de entrevista quando, na verdade, era só Jack e seus gritos intermináveis, coloca a mão no ombro do filho e diz:

— Vamos dar um tempo, filho?

Jack fixa os olhos nele:

— Você foi enganado, pai, será que não entende? Você subiu com aquelas pizzas e deixou que ela *te enganasse*!

Ferido por isso, os ombros de Jim arriam quando ele se vê declarado um idiota.

— Não podemos apenas fazer uma pausa? Um pequeno intervalo? Para um copo de café... um copo d'água...?

— Não até eu descobrir o que realmente aconteceu! — Jack rosna.

―――

Ele não conseguirá.

60

O que realmente aconteceu foi que, quando Jack encerrou a ligação com o negociador e saiu correndo do prédio do outro lado da rua, Jim estava saindo do prédio onde ocorria o drama dos reféns. Jack, é claro, ficou furioso por Jim ter entrado no prédio, apesar de ter sido orientado a ficar do lado de fora, mas Jim fez o possível para acalmá-lo.

— Acalme-se, agora, filho. Fica frio. Aquilo não era uma bomba na escada, apenas uma caixa de luzes de Natal.

— *Eu sei! Por que você entrou no prédio antes de eu voltar?*

— Porque eu sabia que você nunca me deixaria ir se eu esperasse tanto tempo. Falei com o assaltante de banco.

— Claro que não... Espere, o quê?

— Eu disse que falei com o assaltante de banco.

Então Jim contou a ele exatamente o que havia acontecido. Ou melhor, tão exatamente quanto podia. Porque faz-se necessário dizer que contar histórias não era um dos maiores talentos de Jim na vida. Sua esposa sempre dizia que ele era o tipo de pessoa que conta uma piada começando pelo final e depois parando e gritando "Não, espere, algo aconteceu antes disso, querida, o que foi que aconteceu mesmo antes da parte engraçada?", para em seguida tentar outra vez começar do início, apenas para errar mais uma vez. Ele nunca se lembra do final dos filmes, então pode assistir a eles quantas vezes quiser e ainda se surpreender ao descobrir quem é o assassino. Também não é muito bom em jogos ou gincanas de perguntas e respostas na televisão: havia um programa de que seu filho e sua esposa gostavam, um concurso com celebridades em trens que tinham que adivinhar para onde estavam indo resolvendo várias pistas, e a esposa de Jim costumava imitá-lo enquanto ele se sentava ali no sofá, sugerindo freneticamente de tudo, desde capitais espanholas a repúblicas africanas e minúsculas vilas de pescadores norueguesas, tudo na mesma rodada. "Viu? Eu acertei!", ele sempre falava no final, e Jack sempre retrucava: "Você não acertou nada se chutou TUDO!" E a esposa dele? Ela apenas ria. Jim sentia muita falta disso. De ela rir dele ou com ele, Jim não se importava, contanto que ela risse.

Então Jim aproveitou a oportunidade para entrar no prédio quando Jack não estava olhando, porque Jim sabia que isso é o que ela teria feito. Ele se sentiu muito idiota quando chegou ao patamar da suposta bomba, viu a caixa e percebeu que às vezes luzes de Natal são apenas luzes de Natal. Mas ela teria rido disso. Então ele seguiu em frente.

Havia dois apartamentos no último andar. O drama dos reféns estava acontecendo no da direita, e o da esquerda pertencia ao jovem casal que não conseguia chegar a um acordo sobre coentro ou espremedores de frutas, e para quem Jim teve que telefonar não muito antes (e os detalhes de cuja separação ele agora sabia mais do que qualquer pessoa normal deveria saber). Só para garantir, ele espiou pela caixa de correio na porta, mas não havia luzes acesas lá dentro, e a correspondência em cima do tapete sugeria que ninguém esteve ali por um bom tempo. Só depois Jim tocou a campainha do apartamento onde estavam o assaltante de banco e os reféns.

Ninguém atendeu por um bom tempo, embora ele continuasse tocando a campainha. Por fim, ele percebeu que a campainha não estava funcionando e bateu à porta. Teve que fazer isso várias vezes, mas enfim a porta se abriu e um homem vestindo terno e máscara de esqui olhou para fora. Primeiro para as pizzas, depois para Jim.

— Não tenho dinheiro — o homem atrás da máscara disse.

— Não se preocupe — Jim respondeu, estendendo as pizzas.

O homem da máscara de esqui semicerrou os olhos, desconfiado.

— Você é policial?

— Não.

— Você é sim.

Jim notou que o sotaque do homem se alternava, como se ele não conseguisse se decidir. E não foi possível determinar muito sobre sua aparência, nem mesmo se era alto ou baixo, porque a porta não estava aberta o suficiente para perceber.

— O que te faz pensar que sou um policial? — Jim perguntou inocentemente.

— Porque entregadores de pizza não distribuem pizzas de graça.

Jim realmente não via muito sentido em tentar negar, então disse:

— Você tem razão, eu sou um policial. Mas estou sozinho e desarmado. Alguém aí está ferido?

— Não. Pelo menos não mais do que quando chegaram — o assaltante disse.

Jim assentiu amigavelmente.

— Meus colegas na rua estão começando a ficar nervosos, sabe, porque você não fez nenhuma exigência.

Pego de surpresa, o homem da máscara de esqui piscou.

— Eu pedi pizza.

— Eu me refiro a exigências para libertar os reféns. Só não queremos que ninguém saia ferido.

O homem com a máscara de esqui pegou as caixas de pizza e ergueu um dedo:

— Só um momento!

Ele fechou a porta e desapareceu no apartamento. Um minuto se passou, depois outro, e quando Jim estava pensando em bater à porta novamente, ela se abriu alguns centímetros. O homem olhou para fora e disse:

— Fogos de artifício.

— Não entendi — Jim falou.

— Eu quero fogos de artifício, do tipo que eu posso ver da varanda. Depois eu libero os reféns.

— Está falando sério?

— E nada de porcaria barata também, não tente me enganar! Fogos de artifício bons! De todas as cores diferentes, do tipo que parece chuva, tudo isso.

— E daí você vai libertar os reféns?

— Daí vou libertar os reféns.

— Essa é sua única exigência?

— É.

Então Jim desceu as escadas, foi até Jack na rua e contou-lhe o que aconteceu.

Mas vale a pena ressaltar novamente que Jim não é bom em contar histórias. A verdade é que ele está completamente desesperado. Logo, não deve ter se lembrado de tudo com perfeita exatidão.

61

Roger estava certo quando olhou as plantas e disse que no último andar do prédio devia ter um único apartamento grande. Depois, quando o elevador foi instalado, o apartamento foi dividido em dois e vendido como dois imóveis separados, o que deu origem a uma série de soluções criativas, entre elas a parede dupla da sala e o duto de ventilação abandonado acima do closet. Ele permaneceu intacto, ignorado por anos, até que, como essas pessoas que achamos que se tornam supérfluas com a idade, de repente se fez conhecer novamente. Porque no inverno o ar frio soprava do sótão do prédio antigo: o isolamento lá em cima é ruim e o ar desce na forma de uma corrente de ar no closet. Você tem que se sentar bem no fundo, em um baú cheio de garrafas de vinho, para perceber. Não é um lugar ruim para fumar, é claro, se você quiser, mas, fora isso, o duto de ventilação não serviu a nenhum propósito por muitos anos. Não até que uma corretora de imóveis percebeu que o espaço era grande o suficiente para uma corretora de imóveis relativamente pequena subir e se esconder para não ser baleada por um assaltante de banco armado.

A abertura no teto era tão estreita que ela só conseguira passar espremida, o que significava que era estreita demais para Lennart não ficar preso, tanto que, quando ele tentou se livrar, a cabeça de coelho *enfim* se soltou. Ele caiu pelo alçapão, rolou pela escada e se estabacou com um baque no chão. Horrorizada, a corretora de imóveis passou pela cabeça de coelho e olhou pelo alçapão para ver se ele havia se matado, ao que ela também perdeu o equilíbrio e caiu pelo buraco, em cima de Lennart. O pé de Anna-Lena ficou preso debaixo dos dois e ela caiu também. A escada oscilou, bateu no alçapão e fechou-o com um estrondo. A cabeça de coelho ficou lá dentro.

Roger, Ro e a assaltante de banco ouviram uma comoção vinda do interior do apartamento e foram correndo ver o que estava acontecendo. Todos dentro do closet tentavam sair de lá rastejando, e quem estava do lado de fora tentava descobrir quais membros puxar, não muito diferente de tentar desembaraçar a fiação das luzes de Natal em um Natal posterior àquele em que você teve uma discussão com sua esposa sobre bordéis e acabou enfiando tudo na caixa, pensando: "Vou resolver toda essa maldita bagunça no próximo Natal!"

Quando todos por fim se levantaram, eles olharam ao mesmo tempo para a cueca de Lennart, porque era impossível deixar de vê-la, mesmo que o próprio Lennart não tivesse ideia do que estava acontecendo até Anna-Lena gritar:

— *Você está sangrando!*

Lennart, agora livre da cabeça de coelho, inclinou-se bastante para ver além de sua barriga, e, sem dúvida, havia sangue escorrendo de sua cueca.

— Ah, não — ele gemeu, em seguida enfiou a mão dentro da cueca e puxou uma pequena bolsa vazando o que parecia o tipo de coisa que você espera que seu filho não veja ao passar por uma estrada. Ele correu na direção do banheiro, mas tropeçou no tapete da sala e caiu de cabeça, e a bolsa de sangue voou de suas mãos e o conteúdo explodiu no chão.

— Mas que...? — Roger exclamou.

Lennart engasgou sem fôlego:

— Não se preocupem! É sangue cenográfico! Eu trouxe uma bolsa disso na minha cueca, porque às vezes preciso de um recurso extra para fazer toda a encenação do "coelho no banheiro" e assustar as pessoas ainda mais.

— Eu não encomendei *isso*! — Anna-Lena foi rápida em apontar.

— Eu sei, é um extra opcional — Lennart confirmou, levantando-se desajeitadamente.

— Vá vestir uma calça — Julia disse rispidamente.

— Sim, por favor — Anna-Lena implorou.

Lennart obedeceu e seguiu para o closet. Quando ele saiu de lá, Zara tinha acabado de deixar a varanda. Foi a primeira vez que ela o viu vestido, sem a cabeça de coelho. Uma considerável melhora, ela teve que admitir para si mesma. Zara não o odiava.

O restante dos reféns olhava fixamente para o sangue no tapete e no chão, sem saber o que deveriam fazer agora.

— Bonita cor, pelo menos — Ro comentou.

— Muito moderno! — Estelle concordou, porque ela ouvira no rádio havia pouco tempo que assassínios estavam na moda na cultura popular do momento.

Roger, entretanto, estava naturalmente sentindo uma necessidade cada vez maior de informações, então ele virou-se para a corretora de imóveis e a interrogou:

— Onde raios você se enfiou?

Constrangida, a corretora ajeitou seu casaco meio grande demais e muito amarrotado.

— Bem, quando a visita ao imóvel começou, eu estava no closet.

— Por quê? — Roger exigiu saber.

— Eu estava nervosa. Sempre fico tensa antes de qualquer grande visita a um imóvel, então geralmente me tranco no banheiro por alguns minutos para fazer uma automotivação. Eu digo a mim mesma: "Você consegue! Você é uma corretora de imóveis forte e independente e este apartamento *será* vendido por *você*!" Mas o banheiro estava ocupado, então fui para o closet. E então eu ouvi…

Ela apontou educada mas nervosamente em direção à mulher parada no meio da sala com a máscara em uma das mãos e a pistola na outra. Estelle interveio solicitamente e disse:

— Sim, esta é a assaltante de banco, mas ela não é perigosa! Ela está apenas nos mantendo reféns, mas temos sido muito bem tratados. Vamos comprar pizza!

Gente ansiosa

A assaltante de banco acenou com a cabeça desculpando-se com a corretora de imóveis e disse:

— Desculpe. Não se preocupe, isso aqui não é uma pistola de verdade.

A corretora de imóveis sorriu aliviada e continuou:

— Bem, eu estava no closet e então ouvi alguém gritar: "Estamos sendo assaltados." E então suponho que agi por instinto.

— O que quer dizer com *por instinto*? — Roger perguntou.

A corretora de imóveis esfregou o casaco para tirar a poeira.

— Na verdade, tenho várias visitas agendadas para as próximas semanas. A Imobiliária Nos Trinques tem um dever para com seus clientes. Então eu pensei, eu não posso morrer. Seria uma irresponsabilidade da minha parte. E então descobri o alçapão no teto, subi e fiquei escondida lá.

— Todo esse tempo? — Roger perguntou.

A corretora de imóveis assentiu com tanta força que suas costas estalaram.

— Eu esperava poder sair rastejando pela outra extremidade de alguma forma, mas não consegui. — Então ela pareceu pensar em algo importante, bateu palmas e exclamou: — Bem, meu Deus, olhem só para mim parada aqui conversando. Em primeiro lugar, TUDO NOS TRINQUES? Que bom que tantos de vocês puderam vir ver o apartamento, tem alguém que gostaria de fazer uma oferta pelo apartamento agora mesmo?

O grupo não pareceu particularmente impressionado com a pergunta. Então a corretora abriu os braços alegremente.

— Vocês gostariam de dar mais uma olhada por aí? Sem problema! Não tenho nenhuma outra visita marcada para hoje!

As sobrancelhas de Roger afundaram.

— Por que você agendou uma visita para um dia antes da véspera de Ano-Novo? Eu nunca vi isso antes. E eu já compareci a algumas visitas a imóveis, posso lhe garantir.

A corretora de imóveis parecia tão empolgada como só pode parecer uma corretora de imóveis recém-libertada de um espaço confinado.

— Foi uma exigência do proprietário, e não me importei, porque na Imobiliária Nos Trinques *todo* dia é dia de trabalho!

Todos os outros reviraram os olhos em conjunto. Todos, exceto Estelle, que estremeceu e perguntou:

— Está frio aqui, não é?

— Sim, está, não é? Mais frio do que o orçamento de Roger! — Ro exclamou, para aliviar o clima, então se arrependeu na mesma hora porque o humor de Roger não parecia ter melhorado nada.

Julia, que agora sentia dores na maior parte do corpo e já estava sem paciência, abriu caminho por todos e foi fechar a porta da varanda. Em seguida, foi até a lareira e começou a separar algumas achas de lenha.

— Podemos muito bem acender a lareira enquanto esperamos pelas pizzas.

A assaltante de banco ficou parada no meio da sala com a pistola na mão, por mais inútil que parecesse. Ela olhou para o grupo de reféns, agora acrescido de mais uma pessoa, o que a assaltante só pôde supor que aumentaria sua pena de prisão proporcionalmente. Então suspirou:

— Vocês não precisam esperar pelas pizzas. Todos vocês podem ir agora. Vou me entregar e deixar a polícia fazer... Bem, o que quer que eles estejam pensando em fazer. Vocês podem ir primeiro, vou esperar aqui, para que ninguém mais se machuque. Eu nunca quis... fazer ninguém de refém. Eu só precisava de dinheiro para o aluguel, para que o advogado do meu ex-marido não tirasse minhas filhas de mim. Isso foi... Desculpem... Eu sou uma idiota, vocês não mereciam isso... Desculpem.

As lágrimas escorriam por seu rosto e ela não fazia mais nenhuma tentativa de impedi-las. Talvez fosse o fato de ela parecer tão pequena o que afetou os outros. Ou talvez cada um deles se descobrisse pensando no que realmente experimentaram naquele dia e o que isso significou para eles. De repente, todos começaram a protestar ao mesmo tempo, falando uns por cima dos outros:

— Mas você não pode simplesmente... — Estelle começou.

— Você não machucou ninguém! — Anna-Lena continuou.

— Deve haver uma maneira de resolver isso — Julia assentiu.

— Talvez pudéssemos encontrar uma saída? — Lennart sugeriu.

— Certamente precisamos de um pouco de tempo para reunir todas as informações antes de nos deixar ir! — Roger declarou.

— E a licitação ainda nem começou — a corretora de imóveis disse.

— Podemos apenas esperar pelas pizzas, não é? — Ro sugeriu.

— Sim, vamos comer alguma coisa. Isso tudo acabou sendo bastante divertido, não é, nos conhecermos assim? E tudo isso graças a *você*! — Estelle sorriu.

— Tenho certeza de que a polícia não vai atirar em você. Não muito, pelo menos — Anna-Lena disse para tranquilizar.

— Por que não saímos todos juntos com você? Eles não vão disparar se todos sairmos ao mesmo tempo! — Julia insistiu.

— Deve haver uma saída, se é possível entrar sorrateiramente em uma visita a imóvel, então deve ser possível escapar — Lennart observou.

— Vamos todos nos sentar e bolar um plano! — Roger exigiu.

— E fazer ofertas pelo apartamento! — a corretora de imóveis acrescentou, esperançosa.

— E comer pizza! — Ro disse.

———

A assaltante de banco ficou olhando para cada um deles por um bom tempo. Depois sussurrou agradecida:

— Os piores reféns de todos os tempos.

— Ajude-me a pôr a mesa — Estelle disse, pegando-a pelo braço.

A assaltante de banco não ofereceu resistência e foi com Estelle até a cozinha. Ela voltou com copos e pratos. Julia continuava tentando acender a lareira. Após um conflito interno com sua própria personalidade, Zara entregou a Julia seu isqueiro sem que ela pedisse.

Roger estava de pé ao lado da lareira, sem saber como se fazer útil, e disse a Julia:

— Você sabe acender isso?

Julia o fulminou com o olhar e quis responder que sua mãe a ensinou a fazer fogo de um jeito que Roger fosse levado a acreditar que Julia e sua mãe haviam queimado o pai dela numa fogueira. Mas tinha sido um longo dia, todos tinham ouvido as histórias uns dos outros, o que tornava mais difícil não gostarem um do outro, então, em vez disso, Julia disse algo incrivelmente generoso:

— Não. Você pode me mostrar como se faz?

Roger balançou a cabeça lentamente, agachou-se e começou a falar com a madeira.

— Podemos... Estou supondo que podemos, a menos que você... Podemos fazer isso juntos — ele murmurou.

Ela engoliu em seco e fez que sim.

— Gostaria disso.

— Obrigado — ele disse calmamente.

Em seguida, ele mostrou a ela como costumava acender uma lareira.

— É para fazer tanta fumaça assim? — Julia perguntou.

— Tem algo de errado com a madeira — Roger resmungou.

— É mesmo?

— Tem algo de errado com essa maldita madeira, estou dizendo!

— Você abriu o registro?

— Claro que abri o maldito registro!

Julia abriu o registro. Roger resmungou baixinho e ela começou a rir. Ele riu também. Eles não estavam olhando um para o outro, mas a fumaça ardia em seus olhos e as lágrimas escorriam pelo rosto. Julia olhou para ele.

— Sua esposa é legal — ela disse.

— A sua também — ele respondeu.

Cada um deles cutucava diferentes achas de lenha na lareira.

— Se você e Anna-Lena realmente gostariam de ficar com o apartamento, então... — Julia começou, mas ele a interrompeu.

— Não. Não. Este é um bom apartamento para crianças. Você e Ro deveriam comprar.

— Eu acho que Ro não quer, ela acha defeito em tudo — Julia suspirou.

Roger cutucou o fogo com mais força.

— Ela está apenas com medo de não ser boa o suficiente para você e para o bebê. Você precisa dizer a ela que isso é um absurdo. Ela está preocupada em não ser capaz de consertar o rodapé sozinha, então você só tem que dizer a ela que ninguém é capaz de consertar rodapé até que tenha feito isso uma vez. Todo mundo tem que começar de algum lugar!

Julia ficou pensando no que ele disse. Ela olhava para o fogo. Roger fazia o mesmo. Cada um olhando para uma acha de lenha diferente, pouco fogo, muita fumaça.

— Posso dizer algo pessoal, Roger? — ela sussurrou depois de um tempo.

— Hmm.

— Você não tem que provar nada para Anna-Lena. Você não precisa mais provar nada a ninguém. Você é bom o suficiente.

Cada um deles cutucou o fogo. E os dois estão com muita fumaça nos olhos. Eles não disseram mais nada.

Houve uma batida à porta. Porque o policial do lado de fora finalmente descobriu que a campainha não funcionava.

62

— Eu vou atender — a assaltante de banco disse.

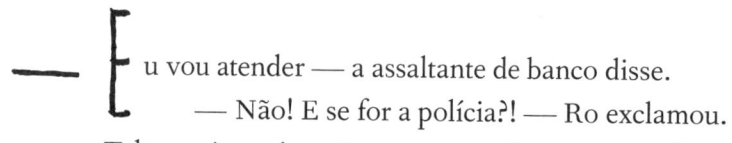

— Não! E se for a polícia?! — Ro exclamou.

— Talvez sejam só as pizzas — a assaltante respondeu.

— Você está louca? A polícia nunca enviaria um entregador de pizza para uma situação de reféns! Quer dizer, onde tem alguém armado e perigoso!

— Eu não sou perigosa — a assaltante disse, magoada.

— Eu não quis dizer isso — Ro desculpou-se.

Roger pôs-se de pé junto à lareira, que agora fumegava bem menos, e apontou para a assaltante de banco com uma acha de lenha como se fosse sua mão.

— Ro tem razão. Se você abrir a porta, a polícia pode atirar em você. Seria melhor eu abrir a porta!

Julia concordou, embora um pouco rápido demais para o gosto de Roger.

— Sim! O Roger pode ir abrir a porta! Quem sabe? Enquanto isso tratamos de encontrar uma forma de ajudá-la a fugir, assim a polícia jamais saberá que você é uma mulher. Todo mundo vai supor que o assaltante de banco é homem!

— Por quê? — Roger quis saber.

— Porque mulheres não costumam ser tão estúpidas — Zara interrompeu, sempre prestativa.

A assaltante de banco suspirou, hesitante. Mas Anna-Lena deu um passo minúsculo em direção ao meio da sala e sussurrou:

— Por favor, não abra a porta, Roger. E se eles atirarem?

Roger teve a sensação de fumaça nos olhos, embora não houvesse nada. Ele não respondeu. Então Lennart deu um passo à frente.

— Ah, deixem que eu faço isso! Ponho a máscara e finjo que sou o tomador de reféns. Afinal de contas sou um ator, trabalhei no *Mercador em Veneza* no teatro local.

— Não é *O Mercador* de *Veneza*? — Anna-Lena estranhou.

— É? — Lennart perguntou.

— Ah, eu gosto dessa peça, tem uma fala adorável nela. Algo sobre uma luz! — Estelle declarou feliz, mas ela não conseguiu lembrar-se do texto.

— Meu Deus, parem de tagarelar e se *concentrem* por um minuto! — Julia retrucou, porque acabara de ouvir outra batida à porta.

Lennart concordou e estendeu a mão para a assaltante de banco.

— Me dê a máscara e a pistola.

— Não, passe para mim, eu vou! — Roger retrucou, com uma necessidade renovada de provar-se.

Os dois homens se colocaram em posição de enfrentamento da melhor maneira que puderam. Roger teria gostado de socar Lennart de novo, ainda mais agora que a cabeça de coelho havia sumido. Mas talvez Lennart tenha visto o quanto Roger estava sofrendo, então, antes que Roger tivesse tempo de cerrar os punhos, ele disse:

— Não fique com raiva de sua esposa, Roger. Fique com raiva de mim.

Roger ainda parecia colérico, mas Lennart deve ter acertado em algum lugar, abrindo uma pequena fenda naquela raiva onde o ar escapou lentamente.

— Eu… — ele grunhiu, sem olhar para Anna-Lena.

— Deixe-me fazer isso — Lennart pediu.

— Por favor, querido — Anna-Lena sussurrou.

Roger ergueu os olhos, apenas até o queixo dela, e viu que estava tremendo. E ele recuou. Teria sido um momento comovente, na verdade, se ao menos ele tivesse evitado resmungar:

— Se é que serve de consolo, espero que eles atirem na sua perna, Lennart.

Era melhor do que nada.

Naquele momento, Estelle conseguiu lembrar-se da fala da peça, então recitou:

— "Aquela luz que vemos ardendo na entrada de minha casa. Como a pequena candeia chega longe com seus raios! Assim brilha uma boa ação num mundo perverso."

Havia outra de que se lembrava agora, "e de tal modo obtuso essa tristeza me deixa", mas ela não a disse em voz alta porque não queria estragar o clima. A assaltante de banco olhou para a velha senhora.

— Sinto muito, acabei de me lembrar que você estava esperando seu marido... Knut, não é? Ele estava estacionando o carro quando eu... Ele deve estar tão preocupado! — ela disse, transtornada pela culpa.

Estelle deu um tapinha no braço da assaltante de banco.

— Não se preocupe com isso. Knut já está morto.

O rosto da assaltante de banco ficou lívido.

— Enquanto você estava aqui? Ele *morreu* enquanto você estava aqui...? Ah, meu Deus...

Estelle balançou a cabeça.

— Não, não, não. Ele morreu tem algum tempo. O mundo não gira em torno de você, querida.

— Eu... — a assaltante conseguiu dizer.

Estelle deu um tapinha em seu braço.

— Eu só disse que Knut estava estacionando o carro porque às vezes me sinto sozinha. E é melhor fingir que ele está a caminho, que vai chegar a qualquer momento, principalmente nessa época do ano. Ele gostava tanto das passagens de ano, ficávamos na janela da cozinha vendo os fogos de artifício. Bem... antes costumávamos ficar na varanda... mas depois de algo que aconteceu na ponte há dez anos eu não consegui mais ver os fogos da varanda. É uma longa história. De qualquer forma, Knut e eu costumávamos ficar na cozinha vendo os fogos pela janela e... Ah, a gente sente falta dessas coisas peculiares. Quase sinto mais saudade disso do que de qualquer outra coisa. Knut adorava fogos de artifício, então acho que sempre me sinto extremamente solitária no Ano-Novo. Eu sou uma velha boba.

Todos os outros ficaram em silêncio, ouvindo enquanto Estelle contava isso. Teria sido um momento comovente, na verdade, se, do outro lado da sala, Zara não tivesse jogado um balde de água fria.

— Todo mundo acha que é no Natal que acontece o maior número de suicídios. Isso é um mito. Muito mais gente se mata no Ano-Novo.

Isso estragou o clima. Difícil negar que não tenha.

Lennart olhou para Roger, Roger olhou para a assaltante de banco, a assaltante olhou para todos. Então ela assentiu com um gesto de cabeça decidido. Quando a porta do apartamento enfim foi aberta, Jim, o policial, estava do lado de fora. Pouco depois, ele voltou para a rua e disse ao filho que tinha falado com o assaltante de banco.

63

Jack sai da sala de interrogatório como um furacão, exausto de raiva. A corretora de imóveis ainda está sentada lá, apavorada, olhando enquanto o policial mais jovem começa a marchar de um lado para o outro do corredor. Então ela se vira esperançosa para o policial mais velho, que ainda está sentado na sala com expressão de tristeza. Jim parece não saber o que fazer com as mãos, ou com qualquer outra parte do corpo, na realidade, então ele apenas passa um copo d'água para ela. O copo treme, embora ela o esteja segurando com os dez dedos.

— Você tem que acreditar em mim, eu juro que não sou a assaltante de banco... — ela implora.

Jim olha para o corredor, onde seu filho está andando e esmurrando as paredes. Então Jim assente para a corretora de imóveis, hesita, assente novamente, se detém e, por fim, coloca a mão brevemente em seu ombro e admite:

— Eu sei.

Ela parece surpresa. Ele parece envergonhado.

Quando o velho policial — e ele nunca se sentiu mais velho do que agora — ergue a mão, ele brinca com sua aliança de casamento. Um velho hábito, mas de escasso conforto. Ele sempre teve a sensação de que o mais difícil da morte é a gramática. Muitas vezes ele ainda fala errado, mas Jack raramente o corrige. Os filhos talvez não tenham coragem para fazer isso. Jack menciona a aliança uma vez a cada seis meses mais ou menos, dizendo: "Pai, não está na hora de você tirá-la?" Seu pai balança a cabeça, como se apenas tivesse se esquecido disso, puxa-a com força por um tempo, como se estivesse mais apertada do que realmente estava, e murmura: "Eu vou tirar, eu vou." Mas nunca o faz.

O mais difícil da morte é a gramática, o tempo verbal, o fato de que ela não ficará zangada quando vir que ele comprou um sofá novo sem consultá-la primeiro. Ela não *ficará* nada. Ela não está vindo para casa. Ela *estava*. E ela realmente ficou zangada naquela vez que Jim comprou um sofá novo sem consultá-la primeiro, meu Deus, como ela ficou brava. Ela podia viajar meio mundo, para o pior caos do planeta, mas quando voltasse para casa tudo tinha que estar exatamente do jeito que sempre esteve, ou ela ficaria aborrecida. Claro que esse era apenas um de seus muitos hábitos e caprichos estranhos: ela colocava flocos de cebola no cereal matinal e molho béarnaise na pipoca, e se você bocejasse quando ela estivesse por perto, ela se aproximaria mais e enfiaria um dedo na sua boca, só para ver se poderia retirá-lo rapidamente antes de você fechar a boca. Às vezes, colocava flocos de milho nos sapatos de Jim, às vezes pedacinhos de ovo cozido e anchova nos bolsos de Jack, e a cara que eles faziam quando percebiam parecia diverti-la mais a cada vez que ela fazia isso. Esse é o tipo de coisa de que se sente falta. Que ela costumava fazer isso, que ela costumava fazer aquilo. Ela *era*, ela *é*. Ela era a esposa de Jim. A mãe de Jack é morta.

A gramática. Isso é o pior de tudo, pensa Jim. Então ele de fato quer que seu filho tenha êxito, consiga resolver tudo, salve a todos. Mas não parece estar dando certo.

———

Ele sai para o corredor. Olha para Jack. Os dois estão sozinhos lá fora, ninguém pode ouvir sua conversa. O filho se vira, desesperado.

— O tal assaltante *deve* ser a corretora de imóveis, foi ela que fez isso, pai, só *pode* ser... — Jack consegue dizer, mas as palavras ficam cada vez mais fracas à medida que ele avança na frase.

Jim balança a cabeça, dolorosamente devagar.

— Não. Não foi ela. O assaltante de banco não estava no apartamento quando você invadiu, filho, você está certo sobre isso. Mas ele também não saiu com os reféns.

Os olhos de Jack disparam loucamente pelo corredor. Ele cerra os punhos, procurando outra coisa para bater.

— Como você sabe disso, pai? Como raios você sabe *disso*?! — ele grita, como se estivesse gritando para o mar.

Jim pisca como se estivesse tentando conter a maré.

— Porque eu não te contei a verdade, filho.

———

E então ele conta.

64

Todas as testemunhas do drama dos reféns foram liberadas ao mesmo tempo. De certa forma, para os reféns essa história acaba tão repentinamente quanto começou. Eles pegam seus pertences e são conduzidos gentilmente para a pequena escadaria nos fundos da delegacia. Quando a porta se fecha atrás deles, todos se entreolham surpresos: a corretora de imóveis, Zara, Lennart, Anna-Lena, Roger, Ro, Julia e Estelle.

— O que a polícia disse a vocês? — Roger logo pergunta aos outros.

— Eles fizeram um monte de perguntas, mas Jules e eu apenas nos fingimos de tontas! — Ro declarou satisfeita.

— Que inteligente da sua parte — Zara diz.

— Quer dizer que nenhum policial disse nada em particular a nenhum de vocês quando os liberaram? — Roger quer saber.

Todos sinalizam que não. O jovem policial, Jack, tinha ido de sala em sala, sem dizer mais nada, exceto que eles estavam liberados para ir embora, e que lamentava ter demorado tanto. A única coisa que teve o cuidado de dizer foi que eles não sairiam pela porta da frente da delegacia, porque havia repórteres esperando lá fora.

Então agora o pequeno grupo está reunido nos fundos da delegacia, todos se entreolhando com nervosismo. Por fim, Anna-Lena faz a pergunta que está na mente de todos:

— Ela está... bem? Quando saímos do apartamento, vi um policial parado na escada, aquele mais velho, e pensei: Como ela vai conseguir entrar no outro apartamento agora?

— Exatamente! Quando a polícia me disse que a pistola era de verdade e que tinham ouvido um disparo vindo de dentro do apartamento, pensei... ai... — A corretora de imóveis repele a ideia, sem querer concluir o pensamento.

— Quem a ajudou a sair se não fomos nós? — Roger quer saber, ávido por informações precisas.

Ninguém tem uma resposta para isso, mas Estelle olha para o telefone, lê uma mensagem de texto e balança a cabeça lentamente. Em seguida sorri, aliviada.

— Ela diz que está bem.

Anna-Lena sorri ao ouvir isso.

— Dê um alô por nós.

Estelle faz que sim.

Atrás deles, uma jovem de uns vinte anos sai sozinha da delegacia. Ela tenta parecer segura de si, mas seu olhar dardejante percorre desvairado o entorno em busca de um lugar para ir e de alguém com quem ir.

— Você está bem, querida? — Estelle pergunta.

— O quê? Por que pergunta? — London dispara.

Julia olha para o crachá na blusa de London, ela não o tirou desde que saiu do trabalho para a entrevista.

— Você era a pessoa que trabalhava no balcão do banco que tentaram roubar?

London balança a cabeça, hesitante.

— Nossa, você ficou com muito medo? — Estelle quis saber.

London balança a cabeça outra vez, não porque quisesse, mas como se seu corpo estivesse respondendo por ela quando seu cérebro não ousava.

— Não naquele momento. Não... quando aconteceu. Mas depois. Quando eu... hmm, quando descobri que, afinal, a arma poderia não ser de brinquedo.

Gente ansiosa

Os outros nos degraus acenam com a cabeça em compreensão. Ro coloca as mãos nos bolsos do vestido por baixo do casaco e inclina a cabeça em direção a uma pequena cafeteria do outro lado da rua:

— Quer um café?

London tem vontade de mentir e dizer que tem lugares para ir, pessoas para ver, porque é, tipo, véspera de Ano-Novo amanhã. Em vez disso, ela diz:

— Não gosto de café.

— Encontraremos outra coisa para você — Ro promete.

É uma coisa legal prometer algo a alguém, então London aceita. Ro começa a ser a primeira amiga que ela tem em muito tempo. Desde sempre, talvez.

— Esperem por mim! — Julia diz.

— O que foi? Preocupada que eu seja *roubada* se for sozinha ou algo assim? — Ro dá um sorriso irônico.

Julia não sorri. Ro pigarreia e resmunga:

— Ok, ok, cedo demais para fazer piadas sobre o assunto, entendi, entendi!

Ao atravessarem a rua, London sussurra para ela:

— Não foi uma piada muito boa, essa sua.

— Quem é você, uma policial de piadas, ou o quê? — Ro resmunga.

— Querida! Se você levar um tiro, vou dar todos os seus pássaros! — Julia grita atrás delas.

— *Essa* agora foi engraçada! — London ri. Há muito tempo que ela não ri de nada. Desde sempre, talvez.

Alguns dias depois, ela recebe uma carta escrita por uma assaltante de banco que quer se desculpar, o que significa mais para uma jovem de vinte anos do que ela conseguirá admitir a alguém por muitos anos. Não até que ela se apaixone de verdade. Mas essa é uma outra história totalmente diferente.

———

Julia abraça a todos na escada e também é abraçada por eles. Quando aproxima-se de Estelle, a jovem e a senhora muito mais velha se olham nos olhos por um longo tempo. Estelle diz:

— Tem um livro que eu gostaria de dar a você. De minha poeta favorita.

Julia sorri.

— Eu estava pensando que talvez pudéssemos nos encontrar, você e eu. Agora e depois. Talvez possamos trocar livros no elevador.

— O que quer dizer? — Estelle pergunta.

Julia se volta para a corretora de imóveis.

— Você vai resolver a papelada?

A corretora de imóveis balança a cabeça afirmativamente com tanto entusiasmo que começa a pular do chão. Roger também está sorrindo, de repente encantado.

— Então você e Ro compraram o apartamento, afinal? Você conseguiu um bom preço?

Julia faz que não.

— Não. Não aquele apartamento. Nós compramos o outro.

Roger dá uma sonora gargalhada ao ouvir isso. Já faz um tempo desde a última vez que ele fez isso. O que deixa Anna-Lena tão feliz que ela tem que sentar, no meio da escada, no meio do inverno.

65

A verdade a verdade a verdade.

———

Então, Jim voltou para a rua e contou a Jack o que tinha acontecido dentro do prédio, depois que ele falou com o assaltante de banco. Mas, na realidade, não foi bem isso o que aconteceu. Nem um pouco, na verdade. Em parte porque Jim era ruim para contar histórias, mas principalmente porque ele era muito bom em mentir.

———

Porque não foi Lennart quem abriu a porta quando Jim apareceu com as pizzas. Foi a assaltante de banco, a verdadeira assaltante de banco. Roger e Lennart insistiram em ter permissão para usar a máscara de esqui, mas depois de uma longa pausa ela disse que não. Ela olhou para eles, sua voz gentil em sinal de agradecimento, então deu a eles um aceno determinado.

— Obviamente, não posso dar um bom exemplo para minhas filhas e ensiná-las a não fazer coisas idiotas agora. Mas posso pelo menos ser capaz de mostrar a elas como assumir a responsabilidade por nossos atos.

Então, quando Jim bateu à porta novamente, ela a abriu. Sem máscara. Seu cabelo estava caído nos ombros, da mesma cor do cabelo da filha de Jim. Às vezes, dois estranhos precisam apenas de uma coisa em comum para se sentirem solidários. Ela viu a aliança de casamento no dedo dele, prata envelhecida, amassada e manchada. Ele viu a dela, fina e discreta, de ouro, sem pedras preciosas. Nenhum deles as havia tirado ainda.

— Você é um policial? — ela perguntou tão rapidamente que Jim perdeu sua linha de raciocínio.

— Como você...?

— Eu acho que a polícia não enviaria um entregador de pizza de verdade se achasse que eu era uma pessoa perigosa e estava armada. — Ela sorriu, como se seu rosto estivesse se desmanchando literalmente em vez de se desmanchado em um sorriso.

— Não, não... Bem, sim... Eu sou um policial — Jim confessou, segurando as pizzas.

— Obrigada — ela disse, pegando as caixas com uma das mãos enquanto a pistola balançava na outra. Jim não conseguia tirar os olhos da arma.

— Como você está? — ele perguntou, o que não teria feito se ela estivesse usando uma máscara.

— Não estou nos meus melhores dias — ela confessou.

— Tem alguém ferido aí?

Ela reagiu horrorizada.

— Eu jamais...

Jim olhou para ela, notando seus dedos trêmulos e as marcas de mordida em seu lábio inferior. Ele não ouviu ninguém chorando dentro do apartamento, não havia ninguém gritando, ninguém parecia estar com medo.

— Eu preciso que você abaixe essa arma um pouco — ele disse.

A assaltante de banco concordou se desculpando.

— Posso primeiro dar a eles as pizzas? Eles estão com fome. Foi um dia difícil para todos... Eu...

Jim assentiu. Ela virou-se e desapareceu por um momento, depois voltou sem as caixas e sem a arma. Atrás dela, alguém exclamou: "Isso não é uma pizza havaiana!", e outra pessoa riu: "Você não entende absolutamente nada de havaianos!" *Mais risos.* Logo depois veio o som de um bate-papo entre estranhos que não pareciam mais tão estranhos. Deve ser difícil afirmar com precisão o que seria normal em um drama de reféns, mas certamente não era aquilo. Jim olhou atentamente para a assaltante de banco.

— Posso perguntar como você se envolveu em tudo isso?

A assaltante de banco, agora desarmada, respirou tão fundo que ela dobrou de tamanho e depois ficou menor do que nunca.

— Não sei por onde começar.

Então Jim fez algo profundamente antiprofissional. Ele estendeu a mão e enxugou uma lágrima na face da assaltante de banco.

— Minha esposa tinha uma piada de que gostava. Como se come um elefante?

— Eu não sei.

— Um pouco de cada vez.

Ela sorriu.

— Minhas filhas teriam gostado dessa. Elas têm um senso de humor terrível.

Jim colocou as mãos nos bolsos e se sentou pesadamente no patamar ao lado da porta. A assaltante de banco hesitou por um momento, depois se sentou com as pernas cruzadas. Jim sorriu.

— Minha esposa também tinha um senso de humor terrível. Ela gostava de rir e de causar problemas. Quanto mais velha ficava, mais encrenca arrumava. Ela sempre me disse que eu era bonzinho demais. É uma coisa terrível de se ouvir de uma pastora de igreja, não é?

A assaltante de banco riu baixinho. Então perguntou:

— Com quem ela costumava causar problemas?

— Com todos. A igreja, a paróquia, os políticos, as pessoas que acreditavam em Deus, as pessoas que não acreditavam em Deus... Ela assumiu como seu dever defender os mais fracos: as pessoas em situação de rua, os imigrantes e até os criminosos. Porque em algum lugar da Bíblia Jesus afirma assim: "Porque tive fome e me destes de comer; tive sede e me destes de beber; era peregrino e me acolhestes; estava enfermo e me visitastes; estava na prisão e viestes a mim." E depois Ele diz também que o que fazemos pelos mais fracos também estamos fazendo por Ele. E ela levava tudo no sentido *tão* literal, a minha esposa. É por isso que ela continuou causando problemas.

— Ela faleceu?

— Sim.

— Eu sinto muito.

Ele assentiu com gratidão. É tão estranho, ele pensou, como ainda, depois de todo esse tempo, parece tão incompreensível que ela não esteja aqui. Que o coração dele ainda não tenha se acostumado com o fato de que nenhum idiota vai enfiar o dedo na boca dele enquanto boceja e ficar rindo, ou colocar farinha em sua fronha quando estiver prestes a ir para a cama. Ninguém para discutir com ele. Amá-lo. Não há como se acostumar com a gramática de tudo isso. Ele sorriu tristemente e disse:

— Agora é sua vez.

— De quê? — a assaltante de banco perguntou.

— De contar sua história. De como veio parar aqui.

— Quer a versão longa ou resumida?

— Como você quiser. Um pouco de cada vez.

O que foi uma coisa legal de dizer. Então, a assaltante de banco contou a ele.

— Meu marido me abandonou. Bem, ele me expulsou de casa, na verdade. Ele estava tendo um caso com minha chefe. Eles se apaixonaram. Foram morar juntos em nosso apartamento, porque o imóvel estava apenas no nome dele. Tudo aconteceu tão rápido, e eu não queria armar uma confusão ou criar… o caos. Pelo bem das crianças.

Jim balançou a cabeça devagar. Ele olhou para a aliança dela e brincou com a dele. Não há nada mais difícil de tirar.

— Meninas ou meninos?

— Meninas.

— Eu tenho um de cada.

— Eu… Alguém precisa… Eu não quero que elas…

— Onde elas estão agora?

Gente ansiosa

— Com o pai. Eu deveria buscá-las esta noite. Íamos celebrar o Ano-Novo juntas. Mas agora... eu...

Ela calou-se. Jim assentiu pensativamente.

— Para que você precisava do dinheiro do assalto ao banco?

O desespero em seu rosto revelou o caos em seu coração quando ela disse:

— Para pagar o aluguel. Eu precisava de seis mil e quinhentas coroas. O advogado do meu marido estava ameaçando tirar as meninas de mim se eu não tivesse onde morar.

Jim agarrou-se no corrimão do patamar para evitar o colapso quando seu coração se partiu. Empatia é como vertigem. Seis mil e quinhentas coroas, porque ela achava que perderia suas filhas se não pagasse. Suas *filhas*.

— Existem regras, leis, ninguém pode simplesmente tirar suas filhas de você só porque... — ele começou, então pensou melhor e continuou: — Mas *agora* eles podem... Agora você quis assaltar um *banco* e... — Sua voz quase falhou quando ele sussurrou: — Pobre criança, em que confusão você se meteu?

A mulher teve que forçar a língua para se mover, os lábios para se abrir, pois seus menores músculos pareciam ter quase desistido.

— Eu... eu sou uma idiota. Eu sei, eu sei, eu sei. Eu não queria causar problemas com meu marido, não queria expor as meninas a isso, pensei que poderia resolver tudo sozinha. Mas tudo que fiz foi criar o caos. É minha culpa, é tudo minha culpa. Estou pronta para desistir agora, vou deixar todos os reféns irem embora, eu juro, a pistola ainda está lá, nem é de verdade...

Jim não conseguia deixar de pensar que aquele era um motivo espantoso para se assaltar um banco: porque você tem medo de conflitos. Ele tentou vê-la como uma criminosa, tentou olhar para ela sem ver sua própria filha e falhou em ambos.

— Mesmo que você liberte os reféns e desista, ainda assim vai acabar na prisão. Mesmo que a pistola seja de brinquedo — ele disse tristemente, e é claro que já era policial havia tempo o suficiente para saber que não era. Ele sabia que ela não teria chance, não importando o quão solidária qualquer pessoa decente pudesse se sentir em relação à situação dela. Ninguém tem permissão para roubar bancos, ninguém tem permissão para andar por aí com armas de fogo, e não podemos deixar criminosos como esses ficarem impunes se os prendermos. Então Jim concluiu ali e naquele momento que a única forma de ela não ser punida seria não fazer isso. Não prendê-la.

―――

Ele olhou em torno da escada. Na porta do apartamento atrás da assaltante de banco havia uma placa de uma imobiliária com o texto: *À venda! Imobiliária NOS TRINQUES! TUDO NOS TRINQUES?* Jim ficou olhando para a placa por um tempo, vasculhando sua memória.

— Que estranho — ele disse por fim.

— O quê? — a assaltante de banco perguntou.

— Imobiliária Nos Trinques. Que nome... mais bobo.

— Talvez — a assaltante concordou, não havia pensado muito nisso antes.

Jim esfregou o nariz.

— Pode ser apenas uma coincidência, mas falei ao telefone com o casal dono desse apartamento vizinho há pouco tempo. Eles estão se separando. Porque um deles gosta de coentro, e o outro também gosta de coentro, mas não tanto, mas pelo visto isso é motivo suficiente se você é jovem e vive na internet.

Os cantos da boca da assaltante de banco tentaram formar um sorriso.

— Ninguém mais quer se chatear, se entediar.

Ela estava pensando que a pior coisa de tudo, a coisa mais impossível de se reconciliar emocionalmente, era o fato de que ela ainda amava o marido. Cada vaso sanguíneo parecia explodir toda vez que essa compreensão a atingia. Que ela não conseguia parar de amá-lo, nem mesmo depois de tudo que ele tinha feito, nem mesmo assim ela conseguia parar de se perguntar se tudo tinha sido culpa dela. Talvez ela não fosse divertida o suficiente — talvez não seja razoável esperar que alguém fique com você se você não for divertido.

— Não, é isso aí! Para os jovens, tudo tem que ser como a primeira fase da paixão, nada pode ser rotineiro, eles têm a capacidade de atenção de um gatinho com uma bola de borracha brilhante — Jim concordou, repentinamente animado, e continuou: — Então eles vão se separar e vender o apartamento. Um deles não conseguiu se lembrar do nome da imobiliária, só que era um nome bobo. E sabe de uma coisa? Imobiliária Nos Trinques, esse nome é bobo demais!

Ele apontou para a placa na porta do apartamento onde estava a corretora. Depois, para a porta oposta. Era uma cidade pequena demais para ter muitas imobiliárias com nomes bobos. Não era nem grande o suficiente para ter mais de um salão de cabeleireiro chamado The Upper Cut.

— Desculpe, não entendi — a assaltante de banco disse.

Jim coçou a barba por fazer.

— Eu só estava pensando... A corretora de imóveis está aí com vocês?

A assaltante de banco assentiu.

— Sim, ela está deixando todo mundo maluco. Quando eu entrei com as pizzas agora há pouco, ela estava fazendo Roger ficar de pé perto da varanda, depois ela ficou na extremidade oposta do apartamento e jogou as chaves dela para ele para que todos pudessem ver o quão longe você poderia jogar alguma coisa porque o apartamento é todo em plano aberto.

— E como foi?

— Roger se abaixou. A janela quase quebrou. — A assaltante sorriu. Foi um sorriso amigável, Jim pensou. Não do tipo ofensivo. Ele olhou para a placa novamente.

— Eu não sei... Isso pode ser... Mas, se for a mesma corretora de imóveis que vai vender o apartamento vizinho, então talvez ela tenha as chaves daquele ali com ela, e aí...

Ele não conseguia reunir forças para dizer.

— O que está querendo dizer? — a assaltante de banco perguntou.

Jim se recompôs, levantou-se e pigarreou.

— O que quero dizer é que, se a corretora de imóveis também está vendendo o apartamento ao lado, e se ela está com as chaves, então talvez você possa se esconder lá. Quando os outros policiais vierem aqui, eles não vão arrombar todas as portas dos outros apartamentos para procurar por você, pelo menos não imediatamente.

— Por que não?

Jim deu de ombros.

— Porque não somos tão bons. Todo mundo vai se concentrar em tirar os reféns primeiro, e se você mandar que fechem a porta depois que os reféns saírem, todos vão supor que o assaltante de banco... você... ainda está no apartamento. *Neste* apartamento. Então, quando arrombarmos a porta e descobrirmos que você não está lá, não podemos simplesmente sair arrombando as outras portas à toa, isso causaria um pandemônio. Burocracia, você sabe. Teremos que levar os reféns para a delegacia primeiro e obter depoimentos deles e, eu não sei... Você pode ser capaz de encontrar um jeito de escapar. E sabe de uma coisa? Se alguém encontrá-la no outro apartamento, você pode fingir que mora lá! Desde o início presumimos que o assaltante de banco era um homem.

A assaltante de banco ainda estava com os olhos arregalados e sem compreender.

— Por quê? — ela perguntou novamente.

— Porque mulheres normalmente não fazem... esse tipo de coisa — Jim respondeu, da maneira mais diplomática que pôde.

Ela balançou a cabeça.

— Não, eu quis dizer, *por quê*? Por que você está fazendo isso por mim? Você é um policial! Quer dizer, você não deveria fazer esse tipo de coisa por mim!

Jim acenou com a cabeça debilmente. Ele esfregou as mãos nas calças, depois os pulsos na testa.

— Minha esposa costumava citar um sujeito que dizia... Como era mesmo? Ele dizia que, mesmo se soubesse que o mundo se desintegraria amanhã, ele plantaria a sua macieira.

— Que bonito — a assaltante de banco sussurrou.

Jim fez que sim. Ele limpou os olhos com as costas da mão.

— Eu não quero... prender você. Eu sei que você cometeu um grave erro, mas... esse tipo de coisa acontece.

— Obrigada.

— Você precisa entrar e perguntar à corretora se ela tem as chaves do outro apartamento. Porque não vai demorar muito para meu filho perder a paciência e aparecer como uma tempestade aqui, e aí...

A assaltante de banco piscou várias vezes.

— Como assim? Seu filho?

— Ele também é policial. Ele será o primeiro a passar pela porta.

A assaltante de banco sentiu sua garganta apertar e sua voz vacilar.

— Ele parece corajoso.

— Ele teve uma mãe corajosa. Ela teria roubado bancos por causa dele, se tivesse que fazer. Eu nem acreditava em Deus quando nos conhecemos. Ela era linda, eu não. Ela sabia dançar, eu mal conseguia ficar de pé. Quando nos conhecemos, a maneira como pensávamos sobre nosso trabalho era provavelmente tudo que tínhamos em comum. O fato de salvarmos aqueles que podemos.

— Não sei se mereço ser salva — a assaltante de banco sussurrou.

Jim apenas acenou com a cabeça, olhou-a nos olhos, um homem honesto e decente prestes a fazer algo que ia contra os princípios de uma profissão a que pertenceu durante toda a sua vida adulta.

— Encontre-se comigo daqui a dez anos e me diga se eu estava errado.

Ele virou-se para ir embora. Ela hesitou, engoliu em seco e chamou:

— Espere!

— Sim?

— Eu posso... É tarde demais para fazer uma exigência em troca da libertação dos reféns?

— Que raios...?

Ele ergueu as sobrancelhas, depois franziu a testa, primeiro surpreso, depois quase irritado. A assaltante de banco estava tentando se decidir.

— Fogos de artifício — ela disse por fim. — Tem uma senhorinha aqui que sempre costumava assistir aos fogos de artifício com o marido. Ele já morreu. Eu a mantive como refém o dia todo. Eu gostaria de dar a ela uma exibição de fogos de artifício.

Jim sorriu. E concordou.

Depois desceu as escadas e mentiu para o filho.

66

A assaltante de banco voltou para o interior do apartamento. Havia sangue no chão, mas o fogo crepitava na lareira. Ro estava sentada no sofá comendo pizza e fazendo Julia rir. Roger e a corretora discutiam as medidas da planta do imóvel, não porque Roger continuasse interessado em comprar o apartamento, mas porque "é muito importante que nos deem as informações corretas". Zara e Lennart estavam parados perto da janela. Zara comia uma fatia de pizza e Lennart se divertia vendo a expressão de nojo em seu rosto. Não parecia que ela gostava dele, de fato não parecia, mas ela também não parecia detestá-lo. Ele, por sua vez, parecia considerá-la maravilhosa.

Anna-Lena estava sozinha, segurando um prato em uma das mãos, mas sua pizza estava intacta e já esfriando. Naturalmente foi Julia quem a viu e se levantou do sofá. Ela se aproximou e perguntou:

— Você está bem, Anna-Lena?

Anna-Lena olhou para Roger. Eles ainda não tinham conversado desde que o coelho saiu do banheiro.

— Estou — ela mentiu.

Julia segurou seu braço, mais para encorajá-la do que confortá-la.

— Não sei exatamente o que você acha que fez de errado, mas o fato de ter contratado Lennart tantas vezes para que Roger se sentisse um vencedor é uma das coisas mais idiotas, bizarras e românticas que já ouvi!

Anna-Lena cutucou a pizza em seu prato timidamente.

— Roger deveria ter tido a chance de ser promovido. Eu sempre pensei, no próximo ano será a vez dele. Mas o tempo passa mais rápido do que a gente imagina, todos esses anos de uma vez só. Às vezes, acho que, quando vivemos juntos por muito tempo e temos filhos juntos, a vida é um pouco como subir em árvores. Subindo e descendo, subindo e descendo, a gente tenta dar conta de tudo, ser uma boa pessoa, subindo, subindo, subindo, mas quase nunca nos vemos durante o caminho. Você não percebe isso quando é jovem, mas tudo muda quando se tem filhos, e às vezes parece que quase nunca vemos a pessoa com quem nos casamos. Vocês são pais e companheiros de equipe, em primeiro lugar, e ser casado reduz a lista de prioridades. Mas vocês... bem, vocês continuam subindo na árvore e se veem durante o caminho. Sempre achei que era assim, a vida, do jeito que tem que ser. Nós só tínhamos que superar tudo, eu pensava. E dizia a mim mesma que o importante era continuarmos subindo na mesma árvore. Porque assim eu achava que mais cedo ou mais tarde... e isso soa tão pretensioso... mas eu achava que mais cedo ou mais tarde acabaríamos no mesmo galho. E então poderíamos ficar sentados nele de mãos dadas e olhando a paisagem. Era isso que eu achava que faríamos quando envelhecêssemos. Mas o tempo passou mais rápido do que imaginei. E nunca chegava a vez de Roger.

Julia ainda estava segurando seu braço. Menos para encorajá-la do que confortá-la.

— Minha mãe sempre diz que eu nunca deveria me lamentar por ser o que sou. Nunca peça desculpas por ser boa em alguma coisa.

Anna-Lena deu uma mordida hesitante na pizza e disse com a boca cheia:

— Sábia mãe.

Elas ficaram em silêncio.

E então um grande estrondo se fez ouvir.

Gente ansiosa

Uma vez. Duas vezes. Poucos segundos depois, vieram os assobios e as explosões, tantos e tão próximos que não se conseguia contá-los. Lennart estava parado mais perto da janela, então foi ele quem exclamou:

— Vejam! Fogos de artifício!

Jim enviara um jovem policial da delegacia para comprá-los. Ele estava soltando-os da ponte. Lennart, Zara, Julia, Ro, Anna-Lena, Roger e a corretora de imóveis foram para a varanda. Eles ficaram lá olhando com espanto. Não eram rojões ridículos, eram fogos de artifício reais, multicoloridos, com efeitos visuais de chuva, um espetáculo. Porque, por sorte, Jim gostava de fogos de artifício também.

A assaltante de banco e Estelle os observavam da janela da cozinha, de braços dados.

— Knut teria gostado disso — Estelle comentou.

— Espero que você esteja gostando também — a assaltante conseguiu dizer.

— Muito, minha querida, muito mesmo. Obrigada!

— Sinto muito por tudo que fiz a todos vocês — a assaltante disse com expressão chorosa.

Estelle apertou os lábios, em sinal de lamento.

— Talvez possamos explicar tudo à polícia? Dizer a eles que foi tudo um mal-entendido?

— Não, acho que não.

— Talvez você pudesse fugir de alguma forma? Esconder-se em algum lugar?

Estelle cheirava a vinho. Suas pupilas estavam ligeiramente desfocadas. A assaltante de banco estava prestes a responder, mas percebeu que quanto menos Estelle soubesse, melhor. Assim a velha senhora não teria que mentir para ajudar a assaltante de banco quando fosse interrogada pela polícia. Então ela disse:

— Não, acho que não daria certo.

Estelle segurou a mão da assaltante. Não havia muito mais que Estelle pudesse fazer. Os fogos de artifício eram lindos, Knut teria adorado ver.

Quando o espetáculo terminou, a assaltante foi para a sala e os outros voltaram da varanda. A assaltante tentou sinalizar discretamente que ela queria falar com a corretora de imóveis, mas infelizmente não foi possível, porque a corretora estava ocupada discutindo com Roger o preço que Julia e Ro deveriam pagar pelo apartamento se o comprassem.

— Está bem! *Está bem!* — a corretora de imóveis finalmente disparou. — Posso reduzir um pouco mais o preço, mas *apenas* porque tenho que colocar o outro apartamento à venda em duas semanas, e não quero aquele lá competindo com este aqui!

Roger, Julia e Ro inclinaram tanto a cabeça que se chocaram.

— Que... outro apartamento? — Roger perguntou.

A corretora de imóveis pigarreou, irritada consigo mesma por ter deixado escapar a informação.

— O apartamento em frente, do outro lado do elevador. Ainda nem anunciei no meu site, porque, se você vende dois apartamentos ao mesmo tempo, ganha menos pelos dois, todos os bons corretores de imóveis sabem disso. O outro apartamento parece igual a este, só que com um closet um pouco menor, mas por algum motivo tem um excelente sinal para celular e isso parece ser ridiculamente importante para as pessoas hoje em dia. O casal de proprietários está se separando, eles tiveram uma briga terrível no meu escritório e retiraram todos os móveis do apartamento, a única coisa que restou lá dentro é um espremedor de frutas. E posso entender perfeitamente por que nenhum deles iria querer aquele espremedor, porque tem uma cor *horrorosa...*

A corretora de imóveis ficou tagarelando por um bom tempo, mas ninguém estava ouvindo de verdade. Roger e Julia se entreolharam, depois olharam para a assaltante de banco e para a corretora de imóveis.

Gente ansiosa

— Espere aí, você está dizendo que vai vender o apartamento vizinho também? Aquele do outro lado do elevador? E... não tem ninguém morando lá no momento? — Julia perguntou, só para ter certeza.

A corretora de imóveis parou de falar e assentiu. Julia olhou para a assaltante de banco e é claro que as duas estavam pensando exatamente a mesma coisa, uma possível solução para todo aquele imbróglio.

— Você está com as chaves do outro apartamento aí? — Julia perguntou com um sorriso esperançoso, convencida de que aquele seria um final perfeito para tudo.

Infelizmente, a corretora de imóveis olhou para Julia como se aquela fosse uma pergunta ridícula.

— Por que eu estaria? Não vou nem começar a tentar vendê-lo antes de duas semanas, e você acha que eu carrego as chaves das pessoas por aí só para me divertir? Que tipo de corretora de imóveis você acha que eu sou?

Roger suspirou. Julia suspirou, mais profundamente. A assaltante de banco nem estava respirando, apenas caindo de cabeça na desesperança dentro dela.

— Eu tive um caso uma vez! — Estelle disse alegremente do outro lado do apartamento, porque ela havia encontrado outra garrafa de vinho na cozinha.

— Agora não, Estelle — Julia disse, mas a velha senhora insistiu. Ela estava um pouco embriagada, não se pode negar, porque o closet já havia fornecido uma quantidade substancial de vinho para uma senhora idosa.

— Eu tive um *caso* uma vez! — ela repetiu, com os olhos fixos nos da assaltante de banco, e a assaltante, de repente, ficou nervosa com os possíveis detalhes que poderiam escapar de uma história que começava assim. Estelle balançou a garrafa de vinho e continuou: — Ele adorava livros, e eu também, mas meu marido não. Knut gostava de música. Suponho que música seja uma maravilha, mas não é a *mesma* coisa, é?

A assaltante de banco balançou a cabeça educadamente.

— Não. Eu gosto de livros também.

— Foi o que pensei ao olhar para você! Como se você entendesse que as pessoas também precisam de contos de fadas, não apenas de romances. Eu gostei de você desde o momento em que entrou aqui, sabe. Você tumultuou um pouco as coisas, com a pistola e tudo o mais, mas quem nunca trocou os pés pelas mãos uma vez ou outra? Todas as pessoas interessantes fizeram alguma besteira pelo menos uma vez na vida! Por exemplo, eu tive um caso, às escondidas de Knut, com um homem que adorava livros, assim como eu. Sempre que leio alguma coisa, penso nos dois, porque ele me deu uma chave, e eu nunca disse a Knut que a guardei.

— Por favor, Estelle, estamos tentando... — Julia disse, mas Estelle a ignorou. Ela correu uma das mãos pela estante. Em uma das últimas vezes que ela encontrou seu vizinho no elevador, ele lhe deu um livro muito grosso, escrito por um homem. Ele havia sublinhado uma frase, depois de centenas de páginas: *Estamos dormindo até o dia em que nos apaixonamos*. Estelle deu a ele um livro em troca, escrito por uma mulher, então não era necessário centenas de páginas para dizer as coisas. Quase no início, Estelle havia sublinhado: *Amar é querer que você exista*.

Seus dedos traçaram as lombadas dos livros na estante, como se ela estivesse sonhando, não como se estivesse olhando. Um livro caiu do meio de uma prateleira, não como se tivesse feito isso de propósito, mas apenas porque as unhas dela tocaram sua lombada. Ele caiu no chão e as folhas se abriram. A chave quicou entre uma página e outra e depois escorregou para o chão com um tilintar.

O peito de Estelle subia e descia em busca de ar, e sua voz pode ter saído arrastada, mas seus olhos brilhavam como cristal quando ela disse:

— Quando Knut adoeceu, nós entregamos o apartamento para nossa filha. Achei que ela gostaria de se mudar para cá com os filhos, mas obviamente foi uma ideia boba. Eles não queriam morar aqui. Tinham suas próprias vidas, em um lugar só deles. Desde então, só tenho estado eu aqui, e... bem, vocês podem ver... é grande demais para mim. Este não é um apartamento adequado para uma pessoa solteira. Então, no fim das contas, minha filha disse que devíamos vendê-lo e comprar algo menor para mim, algo mais fácil de cuidar, disse ela. Então liguei para várias imobiliárias e obviamente todas disseram que não era comum agendar uma visita a imóvel tão perto do Ano-Novo, mas eu queria... Bem, achei que seria bom ter um pouco de companhia nesta época do ano. Saí antes que a corretora de imóveis chegasse, depois voltei quando a visita começou e fingi ser uma candidata à compra. Porque eu não queria vender o apartamento sem saber quem o compraria. Isto não é apenas um apartamento, é o meu lar, não quero entregá-lo a alguém que está apenas de passagem para ganhar dinheiro com isso. Eu quero alguém que vai amar viver aqui, como eu amei. Talvez seja difícil para um jovem entender.

O que não era verdade. Não havia uma única pessoa no apartamento que não entendesse perfeitamente. Mas a corretora de imóveis pigarreou.

— Então... quando sua filha me contratou, não fui a primeira pessoa para quem ela ligou?

— Ah, não, ela ligou para *todos* os outros corretores de imóveis antes de se sentir obrigada a ligar para você. Mas olhe como tudo acabou!

Estelle sorriu.

A corretora de imóveis limpou a poeira do seu casaco e do seu ego.

— Então esta é a chave do... — a assaltante de banco começou a dizer, olhando para a chave, mas ainda sem conseguir acreditar.

Estelle assentiu.

— Meu caso. Ele morava no apartamento vizinho, do outro lado do elevador. Foi onde ele morreu. Eu estava em frente à estante de livros quando o apartamento foi colocado à venda e me perguntei o que teria acontecido se eu o tivesse conhecido antes de Knut. Você pode se permitir fazer isso quando envelhece, dar asas à imaginação. Um jovem casal comprou o apartamento. Eles nunca trocaram a fechadura.

Julia pigarreou, bastante surpresa.

— Como... desculpe, Estelle, mas como você sabe disso?

Estelle deu um sorrisinho envergonhado.

— De vez em quando eu... bem, eu nunca *abri* a porta de verdade, é claro, não sou uma criminosa, mas eu... às vezes eu verifico se a chave ainda serve. E serve. Não me surpreende que eles estejam se separando, aquele jovem casal, de fato não me surpreende, porque eu costumava ouvi-los discutindo quando eu estava fumando no closet. As paredes são bastante finas lá. Dá para ouvir todo tipo de coisa. Algumas chocariam até mesmo o pessoal de Estocolmo, posso garantir.

A assaltante de banco colocou o livro de volta na estante. Apertou a chave com força. Depois virou-se para os outros e sussurrou:

— Não sei o que dizer.

— Não diga nada. Vá e se esconda no outro apartamento até que tudo isso acabe. Depois, você pode ir para casa ficar com suas filhas — Estelle falou.

A chave dançava na palma da mão da assaltante de banco quando ela abriu o punho, ela não conseguia segurá-la.

— Eu não tenho uma casa para onde voltar. Eu não posso pagar o aluguel. E não posso pedir a nenhum de vocês que mintam por minha causa quando falarem com a polícia. Eles vão perguntar quem eu sou e se vocês sabem onde estou me escondendo, e não quero que mintam por mim!

— É claro que vamos mentir por você — Ro exclamou.

— Não se preocupe conosco — Julia persuadiu-a.

— Na verdade, não precisamos mentir, nenhum de nós — Roger disse. — Só precisamos nos fazer de bobos.

— Sim, bem, então não tem problema, não é? Porque isso *jamais* será um desafio para qualquer um de vocês! — Zara declarou. Pela primeira vez, não era realmente um insulto, apenas parecia.

Anna-Lena acenou com a cabeça pensativamente para a assaltante de banco.

— Roger está certo. Só temos que nos fazer de bobos. Podemos dizer que você nunca tirou a máscara, então não podemos dar uma descrição.

A assaltante tentou protestar. Eles não lhe deram uma chance. Então, houve uma batida à porta e Roger foi até o hall, espiou pelo olho mágico e viu Jim parado do lado de fora. Foi quando Roger percebeu qual era o verdadeiro problema.

— Droga. Aquele policial está aí fora na escada, como você vai passar por ele e entrar no outro apartamento sem que ele veja? Não pensamos nisso! — ele exclamou.

— Talvez possamos distraí-lo? — Julia sugeriu.

— Eu poderia esguichar suco de lima nos olhos dele! — Ro acrescentou.

— Talvez pudéssemos apenas tentar um diálogo com ele? — Estelle disse, esperançosa.

— A menos que a gente saia todo mundo junto correndo para que ele fique confuso! — Anna-Lena disse, pensando alto.

— Nus! As pessoas sempre ficam mais confusas quando você está nu! — Lennart os informou, na qualidade de especialista.

Zara estava parada ao lado dele, e ele provavelmente esperava que ela dissesse que ele era um idiota, mas em vez disso ela disse:

— Talvez pudéssemos suborná-lo. O policial. A maioria dos homens pode ser comprada.

Lennart, é claro, percebeu que ela poderia ter dito "a maioria das *pessoas*", ela não precisava dizer "a maioria dos *homens*", mas ele não pôde deixar de pensar que era um gesto simpático da parte dela tentar fazer parte do grupo.

―――

A assaltante de banco ficou na frente deles por um bom tempo com a chave na mão, com vontade de contar a eles sobre Jim, mas, em vez disso, ela falou com ponderação:

— Não. Se eu disser a vocês como vou fugir, vocês terão que mentir quando a polícia os interrogar. Mas se vocês simplesmente saírem daqui e descerem poderão dizer a verdade: que, quando a porta fechou atrás de vocês, eu ainda estava aqui. Vocês não sabem o que aconteceu comigo depois disso.

Eles pareciam querer protestar (todos exceto Zara), mas acabaram concordando (até mesmo Zara). Estelle embrulhou os restos de pizza com um filme plástico e os colocou na geladeira. Ela escreveu seu número de telefone em um pedaço de papel, colocou-o no bolso da assaltante e sussurrou: "Envie-me uma mensagem quando estiver em segurança, caso contrário, vou me preocupar." A assaltante prometeu. Então, todos os reféns saíram do apartamento. Roger foi o último e fechou cuidadosamente a porta atrás de si até ouvir o clique do trinco. Jim os instruiu a descer as escadas, onde Jack esperava para acompanhá-los até as viaturas da polícia que os levariam à delegacia para serem interrogados.

Jim ficou sozinho na escada por um tempo e esperou até Jack subir.

— O assaltante de banco ainda está aí dentro? Tem *certeza*, pai? — Jack perguntou.

— Positivo — Jim respondeu.

— Ótimo! O negociador vai ligar para ele daqui a pouco e tentar fazer com que saia voluntariamente. Caso contrário, teremos que arrombar a porta.

Jim fez que sim. Jack olhou em volta, então se agachou perto do elevador e pegou um pedaço de papel.

— O que é isso?

— Parece um desenho — Jim disse.

Jack colocou o papel no bolso. Consultou o relógio. O negociador fez a ligação.

Estava enfiado dentro de uma das caixas de pizza, o telefone especial. Foi Ro quem o encontrou. Ela estava com muita fome, então só achou estranho encontrar um telefone em uma caixa de pizza. Deixou-o de lado e decidiu comer antes de se preocupar em pensar a respeito. E quando terminou de comer, ela havia se esquecido do assunto. Havia tanta coisa acontecendo, os fogos de artifício e tudo o mais, e talvez você tivesse que conhecer Ro para entender o quão distraída ela podia ser. Mas talvez seja o suficiente saber que, depois de terminar sua própria pizza, ela abriu todas as outras caixas e comeu as crostas que os outros haviam deixado. Nesse momento, Roger virou-se para ela e disse que ela não precisava se preocupar, ele tinha certeza agora de que ela seria uma boa mãe, porque uma boa mãe e um bom pai comem as crostas de pizza que as outras pessoas deixam nas caixas. Ouvir isso significou tanto para Ro que ela começou a chorar.

Assim, o telefone especial ficou largado ali, na mesinha de três pernas ao lado do sofá, instável como uma aranha em um cubo de gelo. Quando todos os reféns foram embora, a assaltante de banco largou a pistola ao lado do telefone, depois de limpá-la cuidadosamente, é claro, porque Roger tinha visto um documentário sobre como a polícia encontra impressões digitais nas cenas de crime. Ela também jogou sua máscara de esqui no fogo, porque Roger disse que os policiais poderiam conseguir o DNA dela e todo tipo de outras informações.

Depois a assaltante saiu pela porta. Jim estava sozinho no patamar. Eles se entreolharam rapidamente, ela agradecida, ele estressado. Ela mostrou-lhe a chave. Ele expirou aliviado.

— Depressa — ele disse.

— Só quero dizer que eu não disse a ninguém que você está fazendo isso por mim. Não queria que ninguém mentisse por mim quando fosse interrogado — ela disse.

— Ótimo — ele assentiu.

Ela tentou em vão piscar para afastar a umidade em seus olhos, porque é claro que ela sabia que estava realmente pedindo a alguém que mentisse por ela, mais do que ele jamais mentiu por alguém. Mas Jim não deixou que ela se desculpasse, apenas a empurrou pela porta do elevador e sussurrou:

— Boa sorte!

Ela entrou no apartamento vizinho e trancou a porta atrás de si. Jim ficou sozinho na escada por um minuto, o que lhe deu tempo para pensar em sua esposa e torcer para que ela estivesse orgulhosa dele. Ou pelo menos não com raiva de verdade. Com todos os reféns em segurança a caminho da delegacia, Jack subiu correndo as escadas. Em seguida, o negociador fez a ligação. E a pistola caiu no chão.

67

Na delegacia de polícia, Jim contou a Jack a verdade, toda a verdade. Seu filho gostaria de sentir raiva, gostaria de ter tempo para isso, mas como é um bom filho ele tenta bolar um plano. Depois de deixar as testemunhas saírem pela porta dos fundos da delegacia, ele segue para a entrada principal, na frente.

— Você não precisa fazer isso, filho, eu posso ir — Jim propõe, desconsolado. Ele evita dizer: *Desculpe, eu menti para você, mas no fundo você sabe que fiz a coisa certa.*

Jack nega com firmeza.

— Não, pai. Fique aqui.

Ele evita dizer: *Você já causou problemas suficientes*. Em seguida, ele caminha até a escada da frente do prédio e diz aos repórteres que lá aguardam tudo o que eles precisam saber. Que o próprio Jack foi responsável por toda a operação policial e que eles perderam o rastro do criminoso. Que ninguém sabe onde ele está agora.

Alguns jornalistas começam a gritar perguntas acusatórias sobre a "incompetência da polícia", outros apenas sorriem enquanto fazem anotações, prontos para massacrar Jack em artigos e postagens em blogs dali a algumas horas. A vergonha e o fracasso são apenas de Jack, ele os carrega sozinho, para que ninguém mais seja culpado. Dentro da delegacia, seu pai está sentado cobrindo o rosto com as mãos.

Gente ansiosa

Os detetives de Estocolmo chegam cedo na manhã seguinte, véspera de Ano-Novo. Eles leem todas as declarações das testemunhas, conversam com Jack e Jim, checam todas as provas. E depois disso os detetives de Estocolmo resmungam, com um tom de voz mais presunçoso do que os de anúncios de detergente de louça, que eles realmente não têm recursos para fazer mais do que isso. Ninguém saiu ferido do drama dos reféns, nada foi roubado na tentativa de assalto, então não há de fato nenhuma vítima naquele caso. Os detetives de Estocolmo precisam concentrar seus recursos onde são realmente necessários. Além disso, é véspera de Ano-Novo, e quem quer comemorar em uma cidade tão pequena como aquela?

Eles estarão com pressa de chegar em casa, e Jack e Jim vão vê-los ir embora. Os jornalistas já terão desaparecido a essa altura, a caminho da próxima grande reportagem. Sempre há uma celebridade que pode estar prestes a se divorciar.

— Você é um bom policial, filho — Jim dirá, olhando para o chão. Ele vai querer acrescentar: *mas uma pessoa melhor ainda*, no entanto, não será capaz de dizer isso.

— Você nem sempre é um policial muito bom, pai — Jack dirá, sorrindo para as nuvens. Ele vai querer acrescentar: *mas eu aprendi todo o resto com você*, no entanto, as palavras não conseguirão sair.

Eles irão para casa. Ver televisão. Beber cerveja juntos.

É o bastante.

68

Nos degraus da pequena escadaria nos fundos da delegacia, Estelle abraça cada um deles. (Exceto Zara, é claro, que a bloqueia com sua bolsa e se afasta num pulo quando Estelle tenta.)

— Eu preciso dizer que, se é para ser mantida refém, então não há melhor companhia do que a de todos vocês. — Estelle sorri para todos eles. Até para Zara.

— Você gostaria de vir tomar um café conosco? — Julia pergunta.

— Não, não, eu preciso ir para casa. — Estelle sorri, depois fica séria de repente e se vira para a corretora de imóveis: — Eu realmente sinto muito por ter mudado de ideia e não deixar você vender o apartamento, afinal. Mas é... o meu lar.

A corretora de imóveis dá de ombros.

— Eu acho isso adorável, na verdade. As pessoas sempre pensam que os corretores de imóveis querem apenas vender, vender, vender, mas há algo... não sei bem como dizer...

Lennart complementa com as palavras que ela não consegue encontrar:

— Há algo de romântico em pensar em todos os apartamentos que não estão à venda.

A corretora de imóveis concorda. Estelle respira fundo, feliz. Ela será vizinha de Julia e Ro, no apartamento em frente, e ela e Julia poderão trocar livros no elevador. O primeiro que Estelle vai lhe dar é de sua poeta favorita. Ela dobrará o canto de uma página, sublinhará algumas das mais belas palavras que conhece.

Nada deve acontecer com você
Não, o que estou dizendo
Tudo deve acontecer com você
E deve ser maravilhoso

Em troca, Julia dará a Estelle um tipo completamente diferente de literatura. Um guia de Estocolmo.

Ro perderá seu pai, ela irá visitá-lo todas as semanas, ele ainda está na Terra, mas já pertence ao Paraíso. A mãe de Ro encontrará forças para lidar com a perda porque outro homem mostrará a ela que a vida continua. Julia dará à luz este homem com sua mão pequena apertando tanto os dedos de Ro que as enfermeiras terão que dar analgésicos às duas mães, um antes do nascimento, o outro depois.

Ro dormirá ao lado dele, perfeitamente imóvel, em lençóis brancos, sem sentir medo. Porque ela teria cruzado montanhas por causa dele, teria feito qualquer coisa. Assaltaria bancos, se necessário. Elas serão boas mães, Ro e Julia. Boas o bastante, pelo menos.

Julia ainda esconderá doces e Ro terá permissão para ficar com seus pássaros. O macaco e a rã vão adorá-los, vão visitá-los todos os dias, e, mesmo quando Julia lhes oferecer muito dinheiro, as meninas não deixarão a gaiola aberta. Julia e Ro vão brigar, vão se reconciliar, e tudo que você precisa fazer é assegurar-se de que você é melhor quando se reconcilia do que quando briga. Então, elas gritarão alto e rirão ainda mais alto e, quando fizerem as pazes, as paredes vão tremer e Estelle vai se sentir encabulada em seu closet. O amor delas continuará sendo uma floricultura.

Do lado de fora da delegacia, Zara desce rapidamente os degraus para a rua, com medo de que outra pessoa tente abraçá-la. Lennart corre atrás dela.

— Você gostaria de rachar um táxi? — ele pergunta, como se aquilo não fosse a própria definição de anarquia.

Zara parece que nunca dividiu um táxi na vida, ou qualquer outra coisa por muito tempo. Mas, após uma longa pausa, ela murmura:

— Se fizermos isso, você pode se sentar na frente. E não vamos pegar um carro cheio daquelas porcarias penduradas no espelho retrovisor. Aquilo é um beco sem saída evolutivo.

Anna-Lena ainda está sentada nos degraus. Roger está sentado ao lado dela com esforço, perto o suficiente para que eles quase se toquem. Anna-Lena estende os dedos em direção aos dele. Ela quer pedir perdão. Ele também. É uma palavra mais difícil do que se imagina quando estamos subindo em árvores há tanto tempo.

Ela olha para o céu, escuro agora, dezembro é implacável. Mas ela sabe que a IKEA ainda está aberta. Uma luz lá fora, em algum lugar.

— Nós poderíamos ir dar uma olhada naquela bancada de que você falou — ela sussurra.

Ela desmorona quando ele faz que não com um gesto. Roger não diz nada por um longo tempo. Ele continua hesitante.

— Achei que talvez pudéssemos fazer outra coisa — ele por fim murmura.

— O que quer dizer?

— Ir ao cinema. Talvez. Se você quiser.

Ainda bem que Anna-Lena já estava sentada, porque do contrário ela teria que se sentar.

Eles vão e veem algo inventado. Porque às vezes as pessoas também precisam de histórias. No escuro do cinema, eles se dão as mãos. Para Anna-Lena, é como voltar para casa. Para Roger, é bom o bastante.

Gente ansiosa

Estelle volta depressa ao seu apartamento. No caminho, liga para a filha e diz a ela para não se preocupar, seja com o drama dos reféns ou com o fato de sua mãe morar sozinha naquele apartamento grande. Porque ela não vai mais. Estelle terá que parar de fumar, porque a jovem que vai alugar um quarto no apartamento não vai deixar que ela fume nem no closet.

Para sermos precisos, a jovem, na verdade, aluga o apartamento inteiro da filha de Estelle, e então Estelle aluga um quarto dela pelo mesmo valor: seis mil e quinhentos. Na porta da geladeira está pendurado um desenho amassado de um macaco, uma rã e um alce. Estelle o roubou da sala de interrogatório quando Jim estava pegando café. Todas as manhãs, a cada duas semanas, o macaco e a rã tomarão café da manhã com sua mãe na cozinha de Estelle. Por muitos anos, na última noite do ano, elas assistirão juntas aos fogos de artifício pela janela. Até que uma noite será a última noite de Estelle sem Knut, e a última noite de todos os outros com Estelle.

Em seu funeral, Ro vai sugerir uma inscrição para sua lápide: "Aqui jaz Estelle. Apreciadora de um bom vinho!" Julia vai chutar Ro na canela, mas não com força. O filho delas vai segurá-las pela mão enquanto se afastam. Julia guardará os livros da velha senhora pelo resto da vida, as garrafas de vinho também. Quando o macaco e a rã ficarem adolescentes, elas fumarão escondidas no closet.

Em algum lugar, em alguma espécie de Paraíso, Estelle estará ouvindo música com um homem e conversando sobre literatura com outro. Ela mereceu isso.

Ah, sim. No depósito do porão de um bloco de apartamentos não muito longe dali, onde uma mãe de duas meninas que se tornou assaltante de banco uma vez dormiu sozinha e assustada, ainda há uma caixa de cobertores no dia seguinte ao drama dos reféns. Em algum outro lugar, um banco não é assaltado um dia depois do Ano-Novo, porque a pessoa que escondeu sua pistola sob os cobertores vira todo o depósito de cabeça para baixo, gritando e xingando porque a arma sumiu. Porque que tipo de miserável insensível roubaria a *pistola* de uma pessoa?

———

Idiotas.

69

O peitoril da janela do consultório está coberto de neve. A psicóloga está falando com o pai ao telefone. "Nadia, querida, meu passarinho", diz ele na linguagem de sua terra natal, porque lá "pássaro" é uma palavra mais bonita. "Eu também te amo, pai", diz Nadia pacientemente. Ele nunca teve o hábito de falar assim com ela, mas à medida que a idade avança até programadores de computador tornam-se poetas. Nadia garante repetidas vezes que dirigirá com cuidado quando for visitá-lo no dia seguinte, mas ele prefere ir buscá-la. Pais são pais e filhas são filhas, e nem mesmo psicólogos conseguem chegar a um acordo quanto a isso.

Nadia desliga. Ouve uma batida à porta, como quando alguém que não quer tocar na porta bate nela com a ponta de um guarda-chuva. Zara está ali fora. Segurando uma carta na mão.

— Olá? Desculpe, pensei que... Temos uma consulta marcada para agora? — Nadia pergunta, folheando primeiro sua agenda, depois olhando o celular para ver que horas são.

— Não, eu só... — Zara responde calmamente. Um leve tremor dos raios de metal do guarda-chuva a denuncia. Nadia percebe.

— Entre, entre — ela diz, ansiosa.

A pele sob os olhos de Zara está cheia de pequenas rachaduras, cedendo por tudo que teve que conter e finalmente à beira de romper. Ela olha para o quadro da mulher na ponte por alguns minutos antes de perguntar a Nadia:

— Você gosta do seu trabalho?

— Sim — Nadia assente, inquieta.

— Você é feliz?

Nadia quer estender a mão e tocá-la, mas se abstém.

— Sim, sou feliz, Zara. Não o tempo todo, mas aprendi que não precisamos ser felizes o tempo todo. Mas sou feliz... o bastante. É isso que você veio aqui perguntar?

Zara olha além dela.

— Uma vez você me perguntou por que gosto do meu trabalho, e eu disse que era porque era boa no que fazia. Mas inesperadamente eu me encontrei com algum tempo para pensar nos últimos dias e acho que gostei do meu trabalho porque acreditei nele.

— O que quer dizer? — a psicóloga pergunta, com um tom de voz profissional, apesar de, na verdade, ter vontade de dizer, não profissionalmente, que estava muito satisfeita em ver Zara. Que tem pensado muito nela. E tem se preocupado com o que ela pode fazer.

Zara estende a mão, o mais próximo possível da pintura, sem realmente tocar na mulher.

— Eu acredito no lugar dos bancos na sociedade. Eu acredito na ordem. Nunca tive qualquer objeção ao fato de nossos clientes, a imprensa e os políticos nos odiarem, esse é o nosso propósito. Os bancos precisam ser o lastro do sistema. Eles o tornam lento, burocrático, difícil de manobrar. Para impedir que o mundo perca a estabilidade. As pessoas precisam de burocracia, para dar-lhes tempo para pensar antes de fazerem uma bobagem.

Ela fica em silêncio. A psicóloga se senta calmamente em sua cadeira.

— Perdoe-me por especular, Zara, mas... parece que algo mudou. Em você.

Zara a olha diretamente nos olhos então, pela primeira vez.

— O mercado imobiliário vai quebrar novamente. Talvez não amanhã, mas vai quebrar de novo. Nós sabemos disso. Mesmo assim, ainda emprestamos dinheiro. Quando as pessoas perdem tudo, dizemos que era sua responsabilidade, que essas são as regras do jogo, que é culpa delas serem tão gananciosas. Mas é claro que isso não é verdade. A maioria das pessoas não

Gente ansiosa

é gananciosa, a maioria das pessoas quer apenas... como você disse quando estávamos falando sobre a foto: elas estão apenas procurando algo em que se agarrar. Algo por que lutar. Elas querem um lugar para morar, um lugar para criar seus filhos, viver suas vidas.

— Aconteceu alguma coisa com você desde nosso último encontro? — a psicóloga pergunta.

Zara dá a ela um sorriso aflito. Porque como responder a uma pergunta dessas? Em vez disso, ela responde a uma pergunta que nunca foi feita:

— Tudo ficou mais flexível, mais fácil, Nadia. Os bancos não são mais um lastro. Cem anos atrás, praticamente todo mundo que trabalhava em um banco entendia como o banco ganhava dinheiro. Agora, há no máximo três pessoas em cada banco que realmente entendem de onde tudo vem.

— E você está questionando seu lugar lá agora, porque acha que não entende mais? — a psicóloga conjectura.

O queixo de Zara se move tristemente de um lado para o outro.

— Não. Eu pedi demissão. Porque percebi que eu era uma dessas três pessoas.

— O que você vai fazer a partir de agora?

— Eu não sei.

A psicóloga finalmente tem algo importante a dizer. Algo que ela não aprendeu na faculdade, mas sabe que todo mundo precisa ouvir de vez em quando.

— Não saber é um bom lugar para se começar.

Zara não diz mais nada. Ela massageia as mãos, conta as janelas. A mesa é estreita, as duas mulheres provavelmente não se sentiriam confortáveis sentadas tão perto uma da outra se ela não estivesse ali entre elas. Às vezes não precisamos de distância, apenas de barreiras. Os movimentos de Zara são reticentes, os de Nadia, cautelosos. Só depois de muito tempo é que a psicóloga se arrisca a falar novamente:

— Você se lembra de ter me perguntado, em uma de nossas primeiras consultas, se eu poderia explicar o que eram ataques de pânico? Acho que nunca lhe dei uma boa resposta.

— Você tem uma melhor agora? — Zara pergunta.

A psicóloga faz um sinal negativo. Zara não consegue evitar um sorriso. Então Nadia diz com suas próprias palavras, e não com as que aprendeu no curso de psicologia ou com qualquer outra pessoa:

— Mas você sabe de uma coisa, Zara? Aprendi que falar sobre o pânico ajuda. Infelizmente, acho que a maioria das pessoas ainda consegue arrancar mais solidariedade de seus colegas e chefes no trabalho quando chegam de manhã no escritório parecendo acabadas e dizem "Estou de ressaca", do que se dissessem: "Estou com crise de ansiedade." Mas acho que todos os dias passamos por pessoas na rua que sentem o mesmo que você e eu, muitas delas simplesmente não sabem o que é. Homens e mulheres vivendo meses com dificuldade para respirar e indo a um médico após o outro porque pensam que tem algo de errado com seus pulmões. Tudo porque é muito difícil admitir que foi outra coisa que… se rompeu. Que é uma dor em nossa alma, pesos de chumbo invisíveis em nosso sangue, uma pressão indescritível no peito. Nossos cérebros estão mentindo para nós, dizendo que vamos morrer. Mas não há problema nenhum em nossos pulmões, Zara. Nós não vamos morrer, você e eu.

As palavras flutuam entre elas, dançando invisivelmente em suas retinas antes que o silêncio as domine. Nós não vamos morrer. Nós não vamos morrer. Nós não vamos morrer, você e eu.

— Ainda! — Zara por fim observa, e a psicóloga começa a rir.

— Sabe de uma coisa, Zara? Talvez você pudesse conseguir um novo emprego escrevendo aforismos para biscoitos da sorte, hein? — Ela sorri.

— O único texto que um comedor de bolo precisa encontrar seria "é por isso que você está gordo" — Zara responde. Então ela ri também, mas a ponta trêmula de seu nariz a denuncia. Seu olhar dispara primeiro na direção da janela, depois volta para as mãos de Nadia, em seguida seu pescoço, seu queixo, nunca para os olhos de Nadia, mas quase. O silêncio que se segue é o mais longo que elas compartilharam. Zara fecha os olhos, pressiona os lábios e a pele sob seus olhos por fim cede. Seu terror se transforma em gotas frágeis que caem na beira da mesa.

Muito lentamente, ela deixa o envelope escorregar de sua mão. A psicóloga o pega com hesitação. Zara quer dizer baixinho que foi por causa daquela carta que ela foi parar no consultório, naquela primeira vez, quando exatamente dez anos se passaram desde que o homem pulou. Que ela precisa de alguém que leia em voz alta o que ele escreveu para ela, e então, quando seu peito se incendiar, que a impeça de pular.

Ela quer contar tudo, sobre a ponte e sobre Nadia, e como Zara viu quando o garoto veio correndo e a salvou. E como ela passou todos os dias desde então pensando na diferença entre as pessoas. Mas tudo o que consegue dizer é:

— Nadia... você... eu...

―――

Nadia sente vontade de acolher a mulher mais velha do outro lado da mesa, abraçá-la, mas não ousa. Em vez disso, enquanto Zara mantém os olhos fechados, a psicóloga desliza suavemente o dedo mínimo por baixo do verso do envelope e o abre. Ela puxa uma carta manuscrita há dez anos. Quatro palavras.

70

A ponte está coberta de gelo, cintilando sob as últimas estrelas aguerridas enquanto o amanhecer se ergue no horizonte. A cidade respira profundamente em torno dela, ainda adormecida, envolta por cobertores, sonhos e os pezinhos daqueles corações sem os quais o nosso não pode bater.

Zara está parada junto ao corrimão. Ela se inclina para a frente, olha para a beirada. Por um único momento solitário, quase parece que ela vai pular. Mas se alguém a tivesse visto, se soubesse de toda a sua história e de tudo o que havia acontecido nos últimos dias... bem, então é claro que ficaria evidente que ela não faria isso. Ninguém passa por tudo aquilo só para terminar uma história dessa maneira. Zara não é do tipo que pula.

E depois?

Então ela solta.

A queda é mais longa do que se imagina, mesmo se estivermos apenas parados lá. Leva mais tempo do que se pensa para atingir a superfície. Um som surdo de raspagem, o vento agarrando o papel. A carta esvoaça e perde a forma até ser arrastada pela água. As pontas dos dedos que seguraram aquele envelo-

Gente ansiosa

pe dez mil vezes desde que o pegaram pela primeira vez no tapete da porta desistem de sua luta e deixam a carta navegar rumo à sua própria eternidade.

O homem que a enviou há dez anos escreveu tudo o que achava que ela precisava saber. Foi a última coisa que ele disse a alguém. Apenas quatro palavras, não mais do que isso. As quatro maiores pequenas palavras que uma pessoa, qualquer pessoa, pode dizer a outra:

Não foi culpa sua.

Quando a carta atinge a água, Zara já está se afastando em direção ao outro lado da ponte. Há um carro estacionado lá, esperando por ela. Lennart está sentado dentro dele. Seus olhos se encontram quando ela abre a porta. Ele deixa que ela coloque a música no máximo como ela quer. Ela planeja fazer o máximo para ficar farta dele.

71

Dizem que a personalidade de uma pessoa é a soma de suas experiências. Mas não é verdade, pelo menos não inteiramente, porque, se nosso passado fosse tudo o que nos define, nunca seríamos capazes de nos suportar. Precisamos nos permitir reconhecer que somos mais do que os erros que cometemos ontem. Que somos também todas as nossas próximas escolhas, todos os nossos amanhãs.

A menina sempre achou que o mais estranho de tudo era que ela jamais poderia ficar com raiva da mãe. O vidro que cercava essa sensação era impossível de quebrar. Após o funeral, ela fez a limpeza, retirando garrafas vazias de gim de todos os esconderijos que nunca teve coragem de contar à mãe que já conhecia. Talvez essa seja a última tábua de salvação a que pais viciados se agarram, a ideia de que seus filhos talvez não saibam. Como se o caos pudesse estar escondido. Ele tampouco pode ser enterrado, pensou a filha, apenas é herdado.

Uma vez sua mãe cochichou em seu ouvido: "A personalidade é apenas a soma de nossas experiências. Não deixe ninguém dizer-lhe o contrário. Então não se preocupe, minha princesinha, você não ficará com o coração despedaçado porque veio de um lar desfeito. Você não vai crescer para ser romântica, porque crianças de lares desfeitos não acreditam em amor eterno." Ela adormeceu no ombro da filha no sofá, e sua filha a cobriu com um cobertor e limpou o gim derramado no chão. "Você está enganada, mãe", ela sussurrou na escuridão, e estava certa. Ninguém assalta um banco por causa dos filhos, a menos que seja uma pessoa romântica.

Porque a menina cresceu e teve suas próprias meninas. Um macaco, uma rã. Ela tentou ser uma boa mãe, embora não tivesse um manual de instruções. Uma boa esposa, uma boa profissional, uma boa pessoa. Vivia com medo de falhar a cada segundo de cada dia, embora acreditasse que tudo estava indo bem por um tempo. Relativamente bem, pelo menos. Ela relaxou, não estava preparada quando a infidelidade e o divórcio atingiram-na com força na nuca. A vida a derrubou. Isso acontece com quase todos nós em algum momento. Talvez com você também.

Há algumas semanas, no caminho da escola para casa, o alce, o macaco e a rã desceram do ônibus como de costume e começaram a atravessar a ponte. No meio do caminho, as meninas pararam, sua mãe não percebeu a princípio, e, quando olhou para trás, elas estavam dez metros atrás dela. O macaco e a rã haviam comprado um cadeado, tinham visto na internet pessoas prendendo cadeados nas grades do corrimão de pontes em outras cidades. "Se você fizer isso, trancará o amor para sempre e nunca deixarão de amar um ao outro!"

A mãe delas ficou arrasada, porque achou que as meninas estivessem com medo de que ela parasse de amá-las após o divórcio. Que tudo seria diferente agora, que a mãe deixaria de ser delas. Foram dez minutos de soluços e explicações confusas antes que o macaco e a rã pacientemente segurassem o rosto da mãe com as mãos e sussurrassem: "Não estamos com medo de perder você, mãe. Só queremos que você saiba que nunca vai nos perder."

O cadeado estalou quando elas o fixaram no lugar. O macaco jogou a chave por cima do corrimão, ela mergulhou na água e as três choraram. "Para sempre", a mãe sussurrou. "Para sempre", repetiram as meninas. Enquanto se afastavam, a filha mais nova admitiu que, quando viu essa história dos cadeados na internet pela primeira vez, achou que as pessoas estavam fazendo isso porque temiam que alguém pudesse roubar a ponte. Depois imaginou se elas temiam que alguém fosse roubar o cadeado. Sua irmã mais velha teve que explicar a ela, mas conseguiu fazê-lo sem que sua irmã se sentisse boba. A mãe delas não conseguia deixar de pensar que ela e o pai das meninas tinham pelo menos acertado em algo, porque elas eram capazes de admitir quando estavam erradas e de perdoar aos outros quando erravam.

Elas comeram pizza naquela noite, a preferida das meninas. Quando adormeceram em seus colchões no chão do pequeno apartamento que custava seis mil e quinhentas coroas por mês, e cujo aluguel, naquele momento, ela não tinha ideia de como iria pagar no mês seguinte, a mãe sentou-se sozinha na escuridão. Não faltava muito para o Natal, depois seria o Ano-Novo, ela sabia o quanto as meninas estavam ansiosas pelos fogos de artifício. Sofria só de saber que as filhas ainda confiavam nela, ignorando em quantas coisas a mãe havia falhado. Quando amanheceu, ela arrumou as mochilas e um caderno caiu da mochila da filha mais velha. Ela estava prestes a colocá-lo de volta no lugar, quando o caderno se abriu em uma página que começava com as palavras: *A Princesa com Dois Reinos*. A princípio, a mãe ficou aborrecida, porque havia passado a vida inteira tentando persuadir as filhas a não quererem ser princesas — esperava que quisessem ser guerreiras. E como as meninas amavam a mãe, é claro que faziam o que ela queria, ou pelo menos fingiam fazer, depois faziam exatamente o oposto, porque é dever dos filhos não prestar a menor atenção aos pais. Disseram à filha mais velha para escrever um conto de fadas para a escola, então ela escreveu "A Princesa com Dois Reinos". Era sobre uma princesa que vivia em um grande e lindo castelo, e uma noite a princesa encontrou um buraco no chão debaixo de sua cama, e dentro do buraco havia um mundo secreto e mágico cheio de criaturas estranhas e fantásticas, dragões e trolls e outras coisas que sua filha deve ter inventado. Coisas tão fantásticas que a imaginação e a fuga da realidade subjacentes na história deixaram a mãe arrasada, porque tudo que ela pensou foi: *O quanto sua vida real deve ser terrível para ser necessário tanto... escape?* Todas as criaturas eram felizes, viviam em paz e não havia dor em seu pequeno mundo. Mas a princesa da história logo descobriu uma terrível verdade: que o reino mágico que ela havia encontrado, onde todos os seus novos amigos viviam, ficava localizado entre dois castelos em dois reinos diferentes. Um deles governado por um rei, o outro por uma rainha, e eles travavam uma guerra atroz um contra o outro. Eles enviavam seus exércitos para lutar e disparar armas aterrorizantes, mas os muros de ambos os reinos eram altos e fortes demais para ceder, e no final a menina percebeu que a guerra não iria destruir nenhum deles. Isso apenas arruinaria e mataria tudo o que havia entre eles. E foi então que ela soube da verdade: que o rei e a rainha eram seus pais. Ela era a princesa deles, e toda a guerra girava em torno dela, cada um tentava vencer o outro com o único objetivo de reconquistá-la. Quando a mãe leu as últimas palavras da história, suas filhas estavam começando a acordar em seus colchões, e tudo que valia a pena dentro dela se despedaçou. A história terminou com a princesa despedindo-se de todos os seus novos amigos e partindo sozinha. Uma noite ela desapareceu na escuridão e nunca mais voltou. Porque ela sabia que se desaparecesse, não haveria mais nada pelo que lutar. Dessa forma, ela seria capaz de salvar os dois reinos e o reino do meio.

Quando as filhas se levantaram, a mãe tomou o café da manhã com elas, tentando agir como se não houvesse nada de errado. Ela as deixou na escola, depois voltou pelo mesmo caminho, parou na ponte e ficou lá no meio dela, segurando o cadeado com toda a força que pôde.

Ela não brigou com o ex-marido por sua antiga casa, não discutiu com sua ex-chefe sobre seu emprego, não entrou em conflito com o advogado deles, não disparou nenhuma arma, não causou o caos. Pelo bem das crianças. Fez tudo o que pôde para evitar que os erros dos adultos as afetassem. Isso não explica por que ela tentou assaltar um banco. Não é desculpa. Mas talvez você também tenha algum dia tido uma ideia realmente péssima. Talvez você merecesse uma segunda chance. Talvez ninguém esteja sozinho nisso.

Na manhã do dia anterior à véspera de Ano-Novo, ela saiu de casa com uma pistola. Naquela mesma noite, agora, ela está voltando. Poucas horas depois do drama dos reféns de que a cidade vai falar por muitos e muitos anos, a mãe pega suas filhas e pergunta:

— Vocês se divertiram na casa do papai?

— Sim, mãe! E você? — a filha mais nova pergunta.

A mãe sorri, pensa por um momento, depois dá de ombros:

— Ah, não aconteceu nada de novo. Tudo está como de costume.

Mas, enquanto elas cruzam a ponte, a mãe coloca a mão suavemente no ombro de sua filha mais velha e sussurra rapidamente em seu ouvido:

— Você é minha princesa e minha guerreira, você pode ser as duas coisas ao mesmo tempo. Prometa-me que nunca se esquecerá disso. Eu sei que nem sempre sou uma ótima mãe, mas o fato de seu pai e eu estarmos nos divorciando não é por vocês... Vocês nunca devem pensar, nem por um segundo, que isso é... *sua*... — A filha mais velha balança a cabeça, piscando para conter as lágrimas. A mais nova pede que se apressem e elas correm atrás dela, a mãe enxuga o rosto e pergunta se elas gostariam de pizza para o jantar, e a mais nova grita:

— Os ursos fazem cocô na floresta, ou não?!

Logo depois de adormecerem naquela noite, na nova casa da mãe, no apartamento de uma senhora gentil e meio maluca chamada Estelle, a filha mais velha segura a mão da mãe e sussurra:

— Você é uma boa mãe, mamãe. Não se preocupe tanto. Está tudo bem.

E lá elas encontram, finalmente, a paz no reino entre os dois reinos. Todas as criaturas mágicas, maravilhosas e inventadas podem dormir sãs e salvas. Macacos, rãs, alces, velhinhas, todo mundo.

72

O novo ano chega, o que obviamente nunca significa tanto quanto se espera, a não ser para quem vende calendários. Um dia vira outro, o agora vira ontem. O inverno se espalha pela cidade como um aparentado autoconfiante demais, o prédio do outro lado da rua do banco muda de cor de acordo com a temperatura. Não parece muito um edifício cinza sob aquela cobertura branca temporária num lugar onde ninguém escolhe morar, apenas tolera refugiar-se. Daqui a alguns anos, sem dúvida, um dos moradores da cidade apontará para a portaria e dirá a algum visitante presunçoso vindo de uma metrópole: "Houve uma situação de reféns aí uma vez." O visitante vai espiar o prédio e resmungar: "Aí? Ah, tá, sei!" Porque coisas assim não acontecem em uma cidade como esta, todo mundo sabe disso.

Poucos dias depois do Ano-Novo, uma mulher está saindo pela portaria. Ela está rindo, suas duas filhas estão com ela, e as meninas acabaram de dizer algo que fez todas rirem tanto que seus narizes começam a pingar em meio aos flocos de neve girando. Elas vão até a lixeira e jogam fora uma caixa de pizza, em seguida, a mulher de repente olha para cima e para no meio do caminho. Uma de suas filhas pede colo enquanto a outra fica pulando.

Está ficando tarde, o céu está escuro como um dia típico de janeiro, e a neve que cai obscurece a visibilidade, mas ela vê a viatura da polícia do outro lado da rua. Dentro dela estão um policial mais velho e outro mais jovem. Ela olha para eles fixamente, suas filhas ainda não notaram seu terror. Tudo o que ela consegue pensar é: *Não na frente das meninas*. Isso leva alguns segundos, mas ela consegue viver duas vidas. As delas.

———

Em seguida, a viatura rola lentamente na sua direção.

———

Passa por ela.

———

Segue em frente, vira à direita e desaparece.

———

— Eu entenderia se você quisesse prendê-la — Jim diz baixinho no banco do passageiro, preocupado que seu filho tenha mudado de ideia.

— Não, eu só queria vê-la, nós dois temos parte nisso — seu filho diz ao volante.

— Em quê?

— Em deixá-la livre.

Eles não falam mais nada sobre a mulher. A que está na frente do prédio ou aquela de quem ambos sentem falta. Jim salvou uma assaltante de banco e enganou seu filho, e Jack talvez nunca seja capaz de perdoar-lhe, mas é possível que os dois continuem juntos, apesar disso.

Eles circulam pela cidade por algum tempo até que o pai finalmente diz, sem olhar para o filho:

— Eu soube que você recebeu uma oferta de emprego em Estocolmo.

Jack olha para ele surpreso.

— Como soube disso?

— Eu não sou burro, sabe. Não o tempo todo, pelo menos. Às vezes apenas pareço idiota.

Jack sorri envergonhado.

Gente ansiosa

— Eu sei, pai.

— Você devia aceitar. O emprego.

Jack sinaliza, vira uma esquina, leva muito tempo para encontrar uma resposta.

— Aceitar um emprego em Estocolmo? Você sabe quanto custa morar lá?

Com ar de tristeza, seu pai tamborila no porta-luvas com sua aliança de casamento.

— Não fique aqui por minha causa, filho.

— Não é por isso — Jack mente.

Porque ele sabe que se sua mãe estivesse ali ela teria dito: "Quer saber, filho? Há motivos piores para se ficar em algum lugar."

— Nosso turno acabou — Jim observa.

— Você gostaria de um café? — Jack pergunta.

— Agora? É um pouco tarde. — Seu pai boceja.

— Vamos parar e tomar um café — Jack insiste.

— Por quê?

— Achei que poderíamos pegar meu carro na delegacia e dar um passeio.

— Um passeio onde?

Jack responde num tom propositadamente casual.

— Ver minha irmã.

Com isso, os olhos de Jim perdem o foco em seu filho e viram-se para a estrada.

— O quê? Agora?

— Sim.

— Por que... por que agora?

— Em breve será o aniversário dela. Em breve será o seu aniversário. Faltam apenas onze meses para o próximo Natal. Faz alguma diferença por quê, droga? Só pensei que ela gostaria de voltar para casa.

Jim precisa se concentrar na estrada, na linha branca que corre no meio dela, para manter sua voz sob controle.

— Isso é no mínimo uma viagem de 24 horas, não é?

Jack revira os olhos.

— Que diabos, pai? Eu disse que íamos parar para tomar um café!

Então é isso que eles fazem. Eles viajam a noite toda e todo o dia seguinte. Batem à porta dela. Talvez ela vá para casa com eles, talvez não. Talvez ela esteja pronta para encontrar um caminho melhor para seguir, talvez agora saiba a diferença entre voar e cair, talvez não. Esse tipo de coisa é impossível controlar, assim como o amor. Porque talvez seja verdade o que dizem, que até certa idade uma criança ama você incontrolável e incondicionalmente por um motivo simples: porque você é dela. Seus pais, irmãos e irmãs também podem amar você pelo resto da vida, exatamente pelo mesmo motivo.

A verdade. Não há verdade alguma. Tudo o que conseguimos descobrir sobre os limites do universo é que ele não tem limite algum, e tudo o que sabemos sobre Deus é que não sabemos nada. Portanto, a única coisa que uma mãe que era pastora exigia de sua família era simples: que fizessem o melhor. Plantamos uma macieira hoje, mesmo sabendo que o mundo se desintegrará amanhã.

Nós salvamos quem podemos salvar.

73

A primavera chega. No final, ela sempre nos encontra. O vento sopra com força, as árvores farfalham, os pássaros começam com seus alaridos e a natureza repentinamente desaba com um rugido ensurdecedor onde a neve devorou todos os ecos durante meses.

Jack sai do elevador, perplexo e curioso. Ele segura um envelope nas mãos. Certa manhã, ele apareceu no tapete de sua porta, sem selo do correio. Dentro havia um bilhete com um endereço, o andar do prédio e o número da sala anotados. Havia também uma fotografia da ponte e outro envelope menor, fechado, com outro nome escrito nele.

Zara viu Jack na delegacia e o reconheceu, apesar dos anos que haviam se passado. E como ela vivia aqueles mesmos momentos continuamente desde então, ela entendeu que ele devia estar fazendo o mesmo.

―――

Jack encontra a sala certa e bate à porta. Dez anos se passaram desde que um homem pulou, quase o mesmo tempo desde que uma jovem não pulou. Ela abre a porta sem saber quem ele é, mas o coração dele se transforma em confete no momento em que a vê, porque ele não se esqueceu. Ele não a via desde que ela estava no corrimão da ponte, mas ainda assim a teria reconhecido, mesmo na escuridão.

— Eu… eu… — Jack gagueja.

— Olá? Está procurando por alguém? — Nadia pergunta, amigável, mas confusa.

Ele sente necessidade de apoiar a mão no batente da porta, e as pontas dos dedos dela roçam nas dele. Eles ainda não sabem como são capazes de afetar um ao outro. Jack entrega a ela o envelope maior, com o nome dele escrito desalinhadamente na frente, e dentro do envelope está a fotografia da ponte e o endereço do consultório dela. Junto destes está o envelope menor com *Para Nadia* escrito na frente. Dentro há um pequeno bilhete onde Zara havia escrito, com uma caligrafia bem mais caprichada, sete palavras simples.

Você se salvou. Ele simplesmente estava lá.

Quando Nadia perde o equilíbrio, apenas por um momento, Jack a segura pelo braço. Os olhos dos dois dançam em torno um do outro. Ela se agarra forte e firmemente a essas sete palavras, mas mal consegue formular uma quando quer falar:

— Foi você... na ponte, quando eu... Aquele era você?

Ele balança a cabeça em silêncio. Ela se atrapalha com mais palavras.

— Eu não sei o que fazer... Apenas me dê um momento. Eu preciso... Eu preciso me acalmar.

Ela vai até sua mesa e afunda na cadeira. Ela passou dez anos se perguntando quem ele era, e agora não tem ideia do que dizer. Por onde começar. Jack entra cautelosamente no consultório atrás dela, vê na estante a fotografia emoldurada, aquela que Zara sempre endireitava quando estava lá. É uma foto de Nadia com um grupo de crianças em um grande acampamento de verão seis meses antes. Nadia e as crianças estão rindo e brincando, e todas usam camisetas com o nome da instituição de caridade que financiou o acampamento. A instituição coleta dinheiro para trabalhar com crianças como as da foto, que perderam um membro da família por suicídio. Ela as ajuda a saber que não estão sós quando foram deixadas para trás. Não se pode carregar a culpa, a vergonha e o silêncio insuportável sozinho, e não se deve, é por isso que Nadia vai ao acampamento de verão todos os anos. Para ouvir muito, falar um pouco e rir o máximo possível.

Ela ainda não sabe, mas a instituição de caridade acaba de receber uma doação em sua conta bancária. De uma mulher com fones de ouvido que pediu demissão do emprego, doou sua fortuna e cruzou uma ponte. As crianças poderão fazer esses acampamentos de verão por muitos anos.

———

Jack e Nadia estão sentados um de frente para o outro na mesa estreita, eles se olham. Ele dá um sorriso fraco, e depois de um tempo ela faz o mesmo, meio apavorada, meio cheia de alegria. Um dia, daqui a dez anos, talvez eles contem a alguém como foi. A primeira vez.

74

A verdade? A verdade disso tudo? A verdade é que esta foi uma história que falou de muitas coisas diferentes, mas principalmente de idiotas. Porque estamos fazendo o melhor que podemos, realmente estamos. Estamos tentando ser adultos, amar uns aos outros e entender como raios se conecta cabos USB. Estamos procurando algo em que nos agarrar, algo pelo qual lutar, algo pelo qual ansiar. Estamos fazendo o possível para ensinar nossos filhos a nadar. Temos tudo isso em comum, mas quase todos nós continuamos sendo estranhos, nunca sabemos o que fazemos uns aos outros, como sua vida é afetada pela minha.

Talvez tenhamos passado rápido demais um pelo outro no meio da multidão hoje, e nenhum de nós percebeu, e as fibras do seu casaco roçaram no meu por um único momento e depois fomos embora. Eu não sei quem você é.

Mas quando você chegar em casa esta noite, quando este dia terminar e a noite nos levar, permita-se respirar profundamente. Porque sobrevivemos a mais este dia.

Haverá outro amanhã.

SE VOCÊ PRECISAR DE ALGUÉM

CVV – Centro de Valorização da Vida:
Ligue 188

Para obter informações e apoio, seja você quem precisa ou alguém próximo a você, dê uma olhada em:
https://www.cvv.org.br

AGRADECIMENTOS

A **J.** Muito poucas pessoas tiveram o efeito que você teve em minha vida. O amigo mais generoso, estranho, divertido, desconcertante e complicado que já tive. Quase vinte anos se passaram e ainda penso em você quase todos os dias. Lamento muito que não tenha aguentado mais. Eu me odeio por não ter sido capaz de te salvar.

A **Neda.** Doze anos juntos, dez anos casados, dois filhos e um milhão de brigas por causa de toalhas molhadas no chão e sentimentos para os quais ainda estamos tentando encontrar palavras. Não sei como você conseguiu conciliar duas carreiras, a sua e a minha, mas sem você eu não estaria aqui agora. Eu sei que te deixo louca, mas sou louco por você. Patos voam juntos.

Ao **macaco** e à **rã.** Estou tentando ser um bom pai. Estou de verdade. Mas, quando vocês entraram no carro e perguntaram "Que cheiro é esse? Você está comendo doce?", eu menti. Desculpem.

A **Niklas Natt och Dag.** Não sei há quantos anos compartilhamos um escritório. Oito? Nove? Posso dizer francamente que jamais conheci um gênio, mas você é o mais perto que cheguei de um. Eu também nunca tive um irmão.

A **Riad Haddouche, Junes Jaddid** e **Erik Edlund.** Eu não agradeço tão frequentemente quanto deveria. Mas espero que vocês saibam.

Aos **meus pais, minha irmã** e **Paul**. A **Houshang, Parham** e **Meri**.

A **Vanja Vinter**. Teimosa como o diabo desde 2013, e a única pessoa que trabalhou comigo durante quase toda a minha carreira. Editora de texto, revisora, um par de olhos extra, um furacão e uma amiga sensacional para todas as minhas histórias. Obrigado por sua dedicação total.

À **Agência Salomonsson**. Acima de tudo, é claro, ao meu agente **Tor Jonasson**, que nem sempre entende o que estou fazendo, mas sempre me defende com a mesma obstinação. A **Marie Gyllenhammar**, que tem sido como um membro extra da família quando as máquinas e o circo giram rápido demais e estou tentando me encontrar. A **Cecilia Imberg**, que atuou como revisora extra e consultora linguística no final deste projeto. (Nos casos em que discordamos sobre a gramática, obviamente você estava certa, mas às vezes eu cometo erros só por causa disso.)

À **Bokförlaget Forum**, minha editora na Suécia. Em particular a **John Häggblom, Maria Burlin, Adam Dahlin** e **Sara Lindegren**.

A **Alex Schulman**, que, quando eu estava tentando dar um jeito neste livro, me lembrou de como é a sensação de um texto nos derrubar completamente. A **Christoffer Carlsson**, que leu, corrigiu e riu. Eu lhe devo uma cerveja. Talvez duas. A **Marcus Leifby**, minha primeira escolha absoluta quando preciso tomar café e falar da segunda divisão de hóquei no gelo e de documentários sobre a Guerra do Vietnã durante seis horas numa terça-feira.

A todas as editoras de outros países que publicam meus livros, da Escandinávia à Coreia do Sul. Em particular, gostaria de agradecer a **Peter Borland, Libby McGuire, Kevin Hanson, Ariele Fredman, Rita Silva** e a todos os outros que teimosamente continuaram a ter fé em mim na **Atria Books/Simon & Schuster** nos EUA e Canadá, e a **Judith Curr**, que me ajudou a chegar lá. Vocês se tornaram minha segunda casa.

Gente ansiosa

A todos que traduziram meus livros, em particular a **Neil Smith**. Ao meu designer de capa, **Nils Olsson**. Ao meu livreiro favorito, **Johan Zillén**.

Aos psicólogos e terapeutas que trabalharam comigo nos últimos anos. Em particular, **Bengt**, que me ajudou a controlar meus ataques de pânico.

A **vocês**. Por lerem isso. Obrigado pelo seu tempo.

E por fim: aos autores aos quais Estelle se refere em várias passagens desta história. Por ordem de apresentação, eles são: Astrid Lindgren e J. M. Barrie no capítulo 56; Charles Dickens, Joyce Carol Oates, Khalil Gibran no capítulo 58; William Shakespeare no capítulo 62; Leon Tolstói no capítulo 66; e Bodil Malmsten nos capítulos 66 e 68. Se algum deles foi citado incorretamente, a culpa é exclusivamente minha, ou talvez de algum tradutor, mas certamente não de Estelle.

Impressão e Acabamento:
BARTIRA GRÁFICA